國學經典故事
楚國卷

萬安培 主編

《國學經典故事》
編輯委員會

序言

中華優秀傳統文化傳承需要國學傳播方式的現代表達

今天我們所說的「國學經典」，包括經、史、子、集等，範圍是非常廣泛的。廣義的「國學經典」，包括一些著名的蒙學讀物、詩詞曲賦、志怪小說、世情小說、歷史演義等。這些著作，不少是經過時間淘瀝和歷史沉澱的文化精品，是傳統文化的精華。由優秀傳統文化結晶形成的文化寶庫，不僅是中華民族屹立於世界民族之林的獨特標識，也是今天實現偉大復興強國夢取之不盡、用之不竭的智慧之源。

中華優秀傳統文化或者說國學經典的傳承，不應該只是文史領域少數專家學者的孤芳自賞，至少應包括兩個主要的內容。一是各級領導幹部要帶頭學國學，以學益智、以學修身、學以致用、身體力行；二是要培養全民族特別是青少年研習國學經典的興趣，藉助於誦讀經典，提高全民族的國學素養，激發青少年熱愛中華文化的拳拳之心和殷殷之情。

近年來，由於黨和國家的高度重視，一股學國學、講國學，注重吸取優秀傳統文化滋養的良好風尚正在形成。不過，就整體而言，國學經典的普及與推廣還面臨不少障礙：一是一些人墨守過去大批判的

思路，對中國傳統文化採取一概排斥、一棍子打死的態度；二是大眾古文和傳統文化基礎知識薄弱；三是網路時代速食文化盛行，大量擠佔公眾閱讀的空間與時間。

對待歷史虛無主義，最好的辦法是讓人們通過閱讀國學經典，從中汲取和提煉修身處世、治國理政的智慧，養浩然之氣，塑高尚人格，不斷提高人文素養和精神境界。面對國學基礎薄弱和速食文化盛行的挑戰，則必須考慮在經典傳播表達方式上大膽突破創新。

研讀國學經典是一種高含金量的文化閱讀，除需要一定的古文功底，還需涉獵大量的歷史典故知識。要營造全民學國學、講國學的文化氛圍，就必須在國學經典的大眾化、通俗化和趣味性方面做文章。這方面，先秦諸子百家早已為我們樹立了榜樣。他們在表達自己的政治觀點和學術主張時，從來不是長篇大論和空洞說教，而是巧借通俗生動的寓言故事，來闡發修身齊家治國平天下的大智慧。面對網路時代閱讀形態、閱讀人群和閱讀終端的新變化，國學經典的傳播不能沿襲傳統的表達和傳播方式，必須在創新上狠下功夫。習近平總書記提出要「推動中華優秀傳統文化創造性轉化、創新性發展」。我以為，傳統文化創造性轉化和創新性發展的一個重要方面，就是國學傳播方式的現代表達。中央電視臺《中國詩詞大會》節目大獲成功就是一個重要例證。

以往的國學經典傳播，大多是「原文＋註解＋翻譯＋點評」的模式。一些研究性著述引經據典，章節繁複，不厭其詳，未能考慮網路時代「90後」「00後」讀者的感受。與傳統的國學經典表達和傳播方式相比，萬安培先生主編的這套《國學經典故事》，至少具有以下三個特點：

第一是短小精悍，通俗易懂。從國學經典中選取情節精彩的篇章，以短小精悍的故事形式呈現，既保留了國學精華，又便於閱讀記憶，還可進一步培養讀者閱讀經典原著的興趣。

第二是系統全面。這套叢書上起先秦，下迄清末，含括了中國上下數千年主要國學經典著作，計劃收錄故事兩萬個以上。從目前已完成的春秋戰國卷約兩千八百個故事來看，這應該是一個較大的系統工程。《國學經典故事》的出版問世，將是國學經典普及的大事和幸事。

第三是生動活潑，寓教於樂。《國學經典故事》致力於發掘國學經典中膾炙人口、發人深省的內容，以講故事的形式傳播國學，實施倫理道德教化，受眾面更寬，能充分發揮優秀傳統文化滋養社會主義核心價值觀的功能。以往一說起國學經典，人們很自然聯想到枯燥的「之乎者也」，現在改為輕鬆快樂講故事，各個年齡層次和文化結構的人應該都會喜聞樂見。

二〇一七年一月二十五日，中共中央辦公廳和國務院辦公廳聯合印發了《關於實施中華優秀傳統文化傳承發展工程的意見》，其中特別提到要深入闡發中華優秀文化精髓，創新表達方式，編纂出版系列文化經典，綜合運用大眾傳播、群體傳播、人際傳播等方式，構建全方位、多層次、寬領域的中華文化傳播格局，推動中外文化交流，助推中華優秀傳統文化的國際傳播。萬安培先生策劃推出的《國學經典故事》系列，與該意見精神高度吻合。目前他們正策劃將國學經典故事精華譯成外文出版，爭取將其作為中外文化交流的禮品書，期待國學經典像《格林童話》《安徒生童話》《伊索寓言》一樣傳遍世界，造福全人類。相信廣大讀者對這類助推中華優秀傳統文化國際傳播的

嘗試和努力，一定會給予充分肯定和大力支持。

　　萬安培先生是經濟學專業博士，長期在金融部門工作，但他醉心文史，嘗試國學經典傳播方式的現代表達。二〇一六年四月他推出「楚楚動人網」微信公眾號，每天發表以國學經典故事為背景的短論，很受讀者歡迎。作為企業界人士，能在繁忙的工作之餘堅持國學研究，專注於經典傳播，其精神令人感動，而他這種創新的國學經典傳播方式也值得稱許，這也是我很樂意為叢書作序的原因所在。衷心希望這套叢書能得到社會各界人士的喜愛，達到編纂者所希望的效果。

　　是為序。

郭齊勇

二〇一八年二月二十三日

目錄

楚國卷

　　楚國是周朝分封的異姓諸侯國，子爵。周成王封熊繹於楚蠻，居丹陽，為子爵，楚始建國。周初分封七十一國，姬姓佔五十三席，楚國是為數不多的異姓國之一，一直被視為另類。為主動融入華夏文明，楚人問鼎中原，參與爭霸戰爭，楚莊王時一度成為霸主，楚宣王、楚威王時期更是成為疆土面積最大的國家。西元前二二三年，秦軍攻陷壽郢，俘獲昌平君啟，楚國滅亡。自熊繹建國至楚王啟亡國，楚國共傳四十三王，計八百餘年。以炎帝文明、長江文明和道家學說為代表的楚文化，構成了中國優秀傳統文化的重要一支。以屈原、宋玉為代表作家的楚辭是中國文學中一塊璀璨的瑰寶，老莊哲學則是道家精華。中華第一循吏孫叔敖、第一賢內助樊姬、戲劇藝術鼻祖優孟等人的事蹟，也都令人印象深刻。

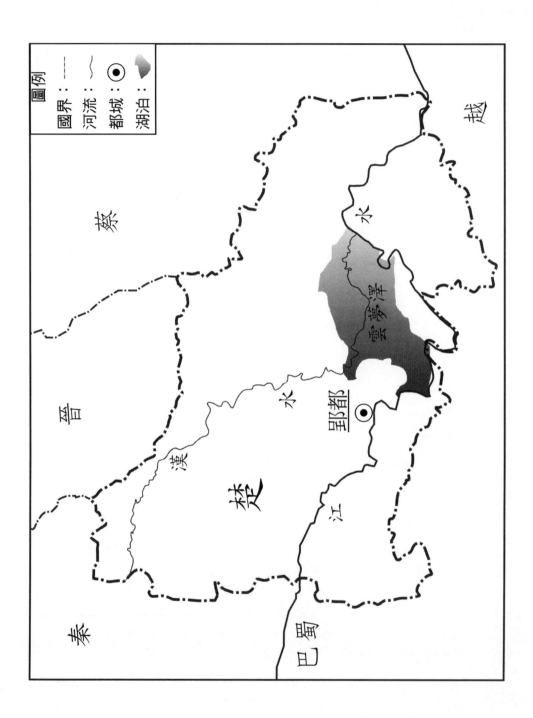

女媧補天

女媧氏姓風，又稱女媧娘娘、女媧大帝，傳說她與伏羲為同胞兄妹，人頭蛇身，一天有七十次變化。天地開闢之初，地球上本沒有人類，最初的人類都是女媧用黃土捏成的。[1]屈原對此提出疑問說：「人類既然是女媧仿造自己的形體用泥土捏成的，那女媧的形體又是怎麼來的呢？」[2]遠古的時候，在共工氏和楚國的先祖祝融之間曾經發生過一場異常慘烈的大戰。共工因為戰敗暴怒，以頭撞不周山，引發了天崩地裂。當時大地不能承載萬物，大火蔓延不熄，洪水氾濫不止，野獸橫行，民不聊生。在這種情況下，女媧冶煉五色石來修補蒼天，砍斷海中巨鰲的腳來做撐起四方的天柱，殺死黑龍來拯救冀州，堆積蘆灰來堵塞洪水。於是天空得到修補，四根擎天柱重新豎立，洪水消退，大地重新恢復了寧靜。女媧背靠大地、懷抱青天，讓春天溫暖，夏天熾熱，秋天蕭殺，冬天寒冷。她枕方石、睡繩床，當陰陽之氣阻塞不通時，便予以疏理貫通；當逆氣傷物危害百姓積聚財物時，便予以禁止消除。儘管如此，女媧從來不炫耀自己的功績，也不彰顯自己的名聲。[3]

---

1. 《太平御覽》卷七十八引應劭《風俗通》：「俗說天地開闢，未有人民，女媧摶黃土作人。」

2. 屈原《天問》：「女媧有體，孰制匠之？」

3. 傳說女媧「煉石補天」的地點在古庸國女媧山，故址在今湖北竹山縣西南。除湖北竹山外，陝西平利、河北邯鄲、山西太行等也有女媧補天遺跡。參見《新唐書》〈地理志〉《興安府志》《輿地紀勝》等。

【出處】

往古之時，四極廢，九州裂，天不兼覆，地不周載。火爁焱而不滅，水浩洋而不息，猛獸食顓民，鷙鳥攫老弱。於是女媧煉五色石以補蒼天，斷鰲足以立四極，殺黑龍以濟冀州，積蘆灰以止淫水。蒼天補，四極正，淫水涸，冀州平，狡蟲死，顓民生。背方州，抱圓天，和春陽夏，殺秋約冬，枕方寢繩，陰陽之所壅沉不通者，竅理之；逆氣戾物傷民厚積者，絕止之。……然而不彰其功，不揚其聲，隱真人之道，以從天地之固然。何則？道德上通而智故消滅也。（《淮南子》〈覽冥訓〉）

神農嚐百草

神農氏又稱炎帝、赤帝、烈山氏。他本姓姜，母親名女登，是有媧氏的女兒、少典的妃子。懷孕的時候曾經夢見龍，後來生下炎帝。傳說炎帝出生的時候，三個時辰就能說話，五天就能下地行走，七天牙齒就長齊了，三歲就知道玩種植莊稼的遊戲。[4]他因發現水稻，教會人們耕作技術，所以被尊為「神農」。上古時代，江河肆虐，毒蛇猛獸橫行，百姓不堪病害侵襲。為了解除民眾疾苦，神農遍嚐百草，以身試毒，發明了用草藥醫治疾病和創傷的方法。[5]在楚國的西部大山，神農為採摘草藥，經常搭架攀爬崇山峻嶺，這片原始森林被稱為「神農架」。神農還指導人們種植麻桑，紡線縫衣，製作陶器，創

---

4. 《繹史》卷四引《春秋元命苞》語。

5. 《神農本草經》：「神農嚐百草，日遇七十二毒。」

造曆法，又開闢了古代最早的集市；據說五絃琴和弓箭也是神農發明的。民間以農曆四月二十六日為神農誕辰日。

【出處】

女媧氏沒，神農氏作。炎帝神農氏，姜姓，母曰女登，有媧氏之女，為少典妃。感神龍而生炎帝。人身牛首，長於姜水，因以為姓。火德王，故曰炎帝。以火名官，斫木為耜，揉木為耒，耒耨之用，以教萬人。始教耕，故號神農氏。於是作蜡祭，以赭鞭鞭草木，始嚐百草，始有醫藥。又作五弦之瑟教人。日中為市，交易而退，各得其所。遂重八卦為六十四爻。初都陳，後居曲阜。立一百二十年崩，葬長沙。神農本起烈山，故《左氏》稱烈山氏之子曰柱，亦曰厲山氏。《禮》曰厲山氏之有天下，是也。（《三皇本紀》）

道不當名

婀荷甘與神農一起向老龍吉學道。神農大白天關起門靠著桌子睡覺，中午的時候，婀荷甘推門進來說：「老龍吉死了！」神農扶著栯杖站起身來，又「啪」的一聲丟下栯杖，而後笑著說：「老龍吉知道我見識短淺、心志不專，所以丟下我死了。完了，先生沒有用玄妙的言論來啟發我就死了啊！」弇堈吊聽說了這件事後說：「體悟大道的人為天下君子景仰。老龍吉對於道，連秋毫之末的萬分之一也沒得到，死前尚且懂得藏起他的玄妙之言，又何況真正體悟大道的人呢？大道看上去沒有形體，聽起來沒有聲音。談論道的人說它高深晦暗；

可以談論的道，實際上並不是道啊。」於是泰清去向無窮請教說：「你懂得道嗎？」無窮回答說：「我不懂道。」去問無為，回答說：「我懂得道。」泰清問說：「你懂得的道，可以描述嗎？」無為說：「可以。」泰清說：「怎麼描述呢？」無為說：「我理解的道，可以尊貴，也可以卑賤；可以聚合，也可以離散。」泰清拿無為的話去請教無始說：「無窮和無為對道的懂與不懂，究竟誰對誰錯呢？」無始說：「不懂是深奧的，顯示出懂的淺薄；不懂是內行的，反襯出懂的外行。」泰清仰天而嘆說：「不知就是知，知就是不知，有誰懂得不知就是知呢？」無始說：「道是無法聽見的，聽見的就不是道；道也不可能看見，看見了就不是道；道無法描述，可以描述的就不是道。有形的物體產生於無形，大道沒有名稱。」

【出處】

　　婀荷甘與神農學於老龍吉。神農隱几闔戶晝瞑，婀荷甘日中奓戶而入，曰：「老龍死矣！」神農隱几擁杖而起，嚗然放杖而笑，曰：「天知予僻陋慢訑，故棄予而死。已矣！夫子無所發予之狂言而死矣夫！」弇堈吊聞之，曰：「夫體道者，天下之君子所繫焉。今於道，秋豪之端萬分未得處一焉，而猶知藏其狂言而死，又況夫體道者乎！視之無形，聽之無聲，於人之論者，謂之冥冥，所以論道而非道也。」

　　於是泰清問乎無窮曰：「子知道乎？」無窮曰：「吾不知。」又問乎無為。無為曰：「吾知道。」曰：「子之知道，亦有數乎？」曰：「有。」曰：「其數若何？」無為曰：「吾知道之可以貴，可以賤，可

以約，可以散，此吾所以知道之數也。」泰清以之言也問乎無始，曰：「若是，則無窮之弗知，與無為之知，孰是而孰非乎？」無始曰：「不知深矣，知之淺矣；弗知內矣，知之外矣。」於是泰清中而嘆曰：「弗知乃知乎！知乃不知乎！孰知不知之知？」無始曰：「道不可聞，聞而非也；道不可見，見而非也；道不可言，言而非也。知形形之不形乎？道不當名。」（《莊子》〈知北遊〉）

西陵氏之女

　　嫘祖，又稱西陵氏，是軒轅黃帝的正妃。傳說嫘祖入山採果奉親，發現了「天蟲」（野蠶）吐絲結繭的祕密。經長期留意觀察，她逐漸熟悉了野蠶的生長規律。進一步又從野蠶吐絲受到啟發，產生了以蠶絲織衣的奇想。經過多次試驗，嫘祖首創野蠶家養成功，又治絲興衣，使西陵氏人第一次穿上了絲綢衣裳。因為對西陵部落貢獻巨大，嫘祖被全族人舉為酋長，一時英名遠播。嫘祖與雄霸中原的軒轅氏結為夫妻，中原與西陵自此結為友好聯盟。嫘祖養天蟲以吐經綸，始衣裳而福萬民，澤被天下蒼生，自周朝起即被尊為「先蠶」「蠶神」，民間又有「嫘姑」「絲姑」「蠶姑娘」等愛稱。[6]

---

6. 韓國、朝鮮及東南亞各國都十分敬仰嫘祖。西方國家對中國最早的認識即始於絲綢，當時稱中國為「賽里斯」（Seres），即「絲綢之國」。宜昌西陵以農曆三月十五日為嫘祖生日，每年都舉行廟會祭祀。另有嫘祖祖籍在河南西平、四川鹽亭等說。

【出處】

黃帝居軒轅之丘，而娶於西陵之女，是為嫘祖。嫘祖為黃帝正妃，生二子，其後皆有天下：其一曰玄囂，是為青陽，青陽降居江水；其二曰昌意，降居若水。昌意娶蜀山氏女，曰昌僕，生高陽，高陽有聖德焉。黃帝崩，葬橋山。其孫昌意之子高陽立，是為帝顓頊也。（《史記》〈五帝本紀〉）

西陵氏之女嫘祖為帝元妃，始教民育蠶，治絲繭以供衣服，而天下無皴瘃之患，後世祀為「先蠶」。（《綱鑑易知錄》〈五帝紀〉）

光融天下

傳說顓頊是黃帝的孫子，一名高陽。顓頊娶滕墳氏的女祿為妻，生老童（僮）。老童娶根水氏的驕福為妻，生重黎及吳回。重黎擔任帝嚳高辛氏的火正（掌火之官），頗有功績，以光明四海而被帝嚳稱為祝融。不久共工氏發動叛亂，重黎因為平叛不力被帝嚳斬首，重黎的弟弟吳回接任火正，仍然稱為祝融。祝融最先只是帝嚳封的官名，專門司職火正。炎帝因為懂得用火而得到王位，死後托祀在南方，被封為火德之帝；老童的小兒子吳回擔任高辛氏的火正祝融，死後也被封為火官之神。兩人都與火有關係，所以後人就把祝融視為炎帝的部下。[7]楚成王三十九年，夔子因為「不祀祝融與鬻熊」，被成得臣、鬬

---

7. 參見高誘注《呂氏春秋》。《尚書大傳》記載：「南方之極，自北戶南至炎風之野，帝炎帝、神祝融司之。」

宜申（字子西）興師問罪，說明楚人很早就以祝融為自己的先祖了。

【出處】

楚之先祖出自帝顓頊高陽。高陽者，黃帝之孫，昌意之子也。高陽生稱，稱生卷章，卷章生重黎。重黎為帝嚳高辛居火正，甚有功，能光融天下，帝嚳命曰祝融。共工氏作亂，帝嚳使重黎誅之而不盡。帝乃以庚寅日誅重黎，而以其弟吳回為重黎後，復居火正，為祝融。（《史記》〈楚世家〉）

有苗氏請服

舜帝的時候，有苗氏不服從政令。他們依託地勢的險要與朝廷對抗。禹請求派兵攻打，以武力征服，舜帝不同意，說：「我對他們的說服教育還沒有到家啊。」經過較長時間的說服教育之後，有苗氏主動請求歸順。天下人聽說了這件事，都認為禹的道義不大深厚，卻很敬佩舜帝的高尚品德。《詩經》〈魯頌‧泮水〉說：「既和顏悅色，又滿臉帶笑，不發怒生氣，卻諄諄教導。」這說的就是舜帝啊。有人問：「這麼說，禹的道德趕不上舜嗎？」回答說：「不是的。禹所以要請求討伐有苗氏，就是要彰顯舜帝的道德呀。所以，凡是好事就要說是國君做的，凡是錯誤的事就要說是自己做的，這是做臣子應守的規矩，假使禹是君，舜是臣，也會是這樣。禹可以說非常通曉做臣子

的道理。」[8]

【出處】

當舜之時，有苗氏不服。其不服者，衡山在南，岐山在北，左洞庭之波，右彭澤之水，由此險也。以其不服，禹請伐之，而舜不許，曰：「吾喻教猶未竭也。」久喻教，而有苗氏請服。天下聞之，皆薄禹之義，而美舜之德。詩曰：「載色載笑，匪怒伊教。」舜之謂也。問曰：「然則禹之德不及舜乎？」曰：「非然也。禹之所以請伐者，欲彰舜之德也。故善則稱君，過則稱己，臣下之義也。假使禹為君，舜為臣，亦如此而已矣。夫禹可謂達乎人臣之大體也。」（《韓詩外傳》卷三，第二十三章）

始作為南音

「南音」即楚國音樂。最早的南音可以追溯到大禹時代。大禹巡視治水情況的時候，遇到了塗山氏之女塗山嬌。為向大禹表達心中的愛戀，富有音樂天賦的塗山嬌創作了一首情歌，讓自己的婢女到大禹駐紮的營房外（塗山之南）演唱。歌曲很短，一共只有四個字：「候人兮猗！」並且只有前兩個字「候人」有實際意義，兮音為a，猗同兮，都是語氣助詞。翻譯成現代語言，就是「親愛的知道我在等你

---

8. 嚴格說，有苗氏不屬於楚人，但當時的確又處在楚國比鄰的範圍內。《戰國策》〈魏策一〉：「昔者三苗之居，左彭蠡之波，右有洞庭之水，文山在其南，而衡山在其北。」《史記》〈吳起列傳〉：「昔三苗氏，左洞庭，右彭蠡。」中原國家一度將楚人視為苗蠻、荊蠻和楚蠻。

嗎？」塗山嬌的原創情歌為有文字記載的南方音樂創作的開始，其劃時代的意義在於衝破了祭祀與巫鬼等傳統元素的藩籬，第一次直接抒發了人與人之間，尤其是男女之間相互愛慕的真情實感。大禹與塗山嬌婚後生子啟。據說啟秉承了母親的音樂天賦，但治理國家的水平一般。

【出處】

禹行功，見塗山之女。禹未之遇而巡省南土。塗山氏之女乃令其妾候禹於塗山之陽。女乃作歌，歌曰：「候人兮猗！」實始作為南音。周公及召公取風焉，以為《周南》《召南》。（《呂氏春秋》〈季夏紀·音初〉）

生子六人

升任祝融的吳回生子陸終。陸終娶鬼方氏的妹妹女嬃為妻。女嬃懷孕三年，一胎生下了六個兒子。生產的時候，從左肋處取出三個嬰兒，從右肋處取出三個嬰兒，依次為樊（昆吾）、惠連（參胡）、籛鏗（彭祖）、求言（會人）、晏安（曹姓）、季連（羋姓）。羋姓後來被認定為楚國的國姓。鬼方氏是夏、商時代位於西北部的少數民族，居住在匈奴北和康居北。這樣來看，楚國君主的祖先其實有一半是北方血統。

**【出處】

　　吳回生陸終。陸終生子六人，坼剖而產焉。其長一曰昆吾；二曰參胡；三曰彭祖；四曰會人；五曰曹姓；六曰季連，羋姓，楚其後也。昆吾氏，夏之時嘗為侯伯，桀之時湯滅之。彭祖氏，殷之時嘗為侯伯，殷之末世滅彭祖氏。季連生附沮，附沮生穴熊。其後中微，或在中國，或在蠻夷，弗能紀其世。（《史記》〈楚世家〉）

惟荊實有昭德

　　女嬇一胎生六子，說明祝融後代人丁興旺，看來楚人想不「火」都不行了。季連可能是女嬇六個兒子中年齡最小的一個，被封在羋地，於是以羋為姓。季連繼承祝融的衣缽，成為楚人繁衍滋長的一支。周太史從祝融後代的人丁興旺看出端倪，對來周朝朝覲的鄭桓公大膽預言說：「祝融的後代能夠興起的，應該是在羋姓吧？夔越羋姓的不足以承繼天命，處在閩地的羋姓已經蠻化了，只有位於荊山的楚國確實有明德。如果周朝衰亡，楚國肯定會興盛起來的。」太史一般都相當嚴謹，所說的話也比較可靠。東遷之後，周王室的地位一落千丈，而南方的楚國則日漸崛起。

【出處】

　　融之興者，其在羋姓乎？羋姓夔越，不足命也，閩羋蠻矣，惟荊實有昭德，若周衰，其必興矣。（《國語》〈鄭語〉）

曰商是常

楚國的歷史從季連到鬻熊中間傳了多少代，就連《史記》的作者司馬遷也說不清楚：「他們有時候在中原一帶活動，有時候在偏遠的蠻夷之地活動，不知道中間經過了多少年代。」大約在殷商武丁時期，楚的首領率領部族不斷發展壯大，但卻不向商朝朝貢。於是武丁率兵伐楚，並訓誡楚人說：「商王是天下共奉的天子，連氐羌等遠夷都表示臣服，來朝中參拜，難道你們連這些遠夷還不如嗎？」楚的力量被大大削弱，不得不臣服於商朝。

【出處】

撻彼殷武，奮伐荊楚。罙入其阻，裒荊之旅。有截其所，湯孫之緒。

維女荊楚，居國南鄉。昔有成湯，自彼氐羌。莫敢不來享，莫敢不來王，曰商是常。（《詩經》〈商頌‧殷武〉）

坐策國事

鬻熊，是季連的後代。他九十歲高齡的時候才有機會見到周文王。文王見他年事已高，就嘆息說：「唉，可惜您已經老了。」鬻熊說：「如果要我捕獸逐鹿，我的確老了。如果要我坐下來商談國家大事，就一點也不老啊。」文王於是聘請鬻熊為師。鬻熊把自己對道的探索整理成一本書，取名《鬻子》，這是道家思想的發軔。

鬻子名熊，楚人，周文王之師也。年九十，見文王，王曰：「老矣。」鬻子曰：「使臣捕獸逐麋，已老矣；使臣坐策國事，尚少也。」文王師之。著書二十二篇，名曰《鬻子》。（《鬻子》〈原序〉）

天地密移

鬻熊說：「萬事萬物運動轉移永不停止，連天地也在悄悄地移動，誰感覺到了呢？所以事物在彼處減損了，卻在此處有了盈餘；在這裡成長了，卻在那裡有了虧缺。減損、盈餘、成長、虧缺，隨時發生，隨時消失。一往一來，頭尾相接，一點間隙也看不出來，誰感覺到了呢？所有的元氣都不是突然增長，所有的形體都不是突然虧損，我們也就不覺得它在成長，也不覺得它在虧損。這也像人們從出生到衰老一樣，容貌、膚色、智慧、體態，沒有一天不在發生變化；皮膚、指甲、毛髮，隨時生長，隨時脫落，並不是在嬰孩時代就停頓而不變化了。變化一點覺察不到，等到衰老到來了才明白。」

【出處】

粥熊[9]曰：「運轉亡已，天地密移，疇覺之哉？故物損於彼者盈於此，成於此者虧於彼。損盈成虧，隨世隨死。往來相接，間不可省，疇覺之哉？凡一氣不頓進，一形不頓虧，亦不覺其成，亦不覺其虧。亦如人自世至老，貌色智態，亡日不異；皮膚爪髮，隨世隨落，非嬰

---

9. 粥熊，即鬻熊。

孩時有停而不易也。間不可覺，俟至後知。」（《列子》〈天瑞篇〉）

積於柔必剛

鬻熊認為：剛是靠柔來護養的，強必須以弱來維護。所有的柔凝聚起來就成為剛，所有的弱者團結在一起就變得很強。從柔弱凝聚的程度，可以觀察到禍福的趨向。強者可以戰勝弱者，但卻無法戰勝與自己實力相當或更強的人，而以柔弱戰勝超過自己的人，其力量則無可估量。」

【出處】

鬻子[10]曰：「欲剛，必以柔守之；欲強，必以弱保之。積於柔必剛，積於弱必強。觀其所積，以知禍福之鄉。強勝不若己，至於若己者剛；柔勝出於己者，其力不可量。」（《列子》〈黃帝篇〉）

去名者無憂

鬻熊有一句至理名言：「去名者無憂。」短短五個字，卻蘊含著深刻的人生哲理。名即名分。孔子說，必須要正名啊。名不正則言不順，言不順則事不成。孔子走到勝母這個地方，儘管天色已晚，他卻不肯留下來住宿；孔子經過盜泉，儘管泉水清冽，自己也乾渴難忍，

---

10. 粥子，即鬻子。

但卻拒絕飲用，因為他忌諱勝母和盜泉的名稱。孔子是聖人，要做天下人的楷模，理當如此。古往今來，上至君主，下至平民百姓，很少有人不為名利所累。鬻熊認為只要忘卻虛名，就可以無憂無慮。個人少了許多牽掛羈絆，逍遙灑脫，社會也會減少很多爾虞我詐。

【出處】

楊朱曰：「……鬻子曰：『去名者無憂。』老子曰：『名者實之賓。』而悠悠者趨名不已。名固不可去，名固不可賓邪？今有名則尊榮，亡名則卑辱。尊榮則逸樂，卑辱則憂苦。憂苦，犯性者也；逸樂，順性者也。斯實之所繫矣。名胡可去？名胡可賓？但惡夫守名而累實。守名而累實，將恤危亡之不救，豈徒逸樂憂苦之間哉？」（《列子》〈楊朱篇〉）

如日之正中

周文王向鬻子詢問治國之策，說：「有才德的人將要入朝為君，這對民眾意味著什麼呢？」鬻子回答說：「就像剛剛升起的太陽。」文王又問：「有才德的人已經擔任國君，這對民眾意味著什麼呢？」鬻子回答說：「就像正午的太陽一樣陽光普照。」文王又問：「有才德的人離開君位，這對民眾意味著什麼呢？」鬻子回答說：「就像太陽落山一樣昏暗。」文王說：「請您解釋一下。」鬻子說：「有才德的人將要入朝為君，他的美好品德民眾早就聽到了；有才德的人登上君位後，能使人民安享幸福；有才德的人離開君位，意味著民眾失去了

如日之正中

教養他們的人。」文王說：「我領教了。」

【出處】

周文王問於粥子曰：「敢問君子將入其職，則其於民也何如？」粥子對曰：「唯，疑。請以上世之政詔於君王。政曰：君子將入其職，則其於民也，旭旭然如日之始出也。」周文王曰：「受命矣。」曰：「君子既入其職，則其於民也，何若？」對曰：「君子既入其職，則其於民也，暵暵然如日之正中。」周文王曰：「受命矣。」曰：「君子既去其職，則其於民也，何若？」對曰：「君子既去其職，則其於民也，暗暗然如日之已入也。故君子將入而旭旭者，義先聞也；既入而暵暵者，民保其福也；既去而暗暗者，民失其教也。」周文王曰：「受命矣。」（《新書》〈修政語下〉）

和與嚴其備

周武王向鬻子請教治國之策，說：「寡人希望在征戰中退可以守城，進可以掠地，戰而能勝，應該怎麼做呢？」鬻子說：「君主既要與臣民和睦融洽，也要能嚴格要求民眾，而和睦融洽尤其重要。諸侯發布政策、施行命令時，能對人民公正，這叫作文政；結交士人，役使官吏，能恭敬有禮，這叫作文禮；審理官司，判定刑罰輕重，要懷有仁慈之心，告訴人們該如何做事。君主做到了這些，如果攻守不能如願，每戰不能取勝，從古到今，我還沒聽說過。」周武王點頭說：「我領教了。」

　　周武王問於粥子曰：「寡人願守而必存，攻而必得，戰而必勝，則吾為此奈何？」粥子曰：「唯，疑。攻守而戰乎同器，而和與嚴其備也。故曰：和可以守而嚴可以守，而嚴不若和之固也；和可以攻而嚴可以攻，而嚴不若和之得也；和可以戰而嚴可以戰，而嚴不若和之勝也。則唯由和而可也。故諸侯發政施令，政平於人者，謂之文政矣；諸侯接士而使吏，禮恭於人者，謂之文禮矣；諸侯聽獄斷刑，仁於治，陳於行，其由此守而不存，攻而不得，戰而不勝者，自古而至於今，自天地之辟也，未之嘗聞也。今也，君王欲守而必存，攻而必得，戰而必勝，則唯由此也為可也。」周武王曰：「受命矣。」（《新書》〈修政語下〉）

興國之道

　　周成王親政治國後，親自到鬻子家裡向他請教治國的方法，說：「寡人的願望與先王相同，也願意聆聽您的教誨，請問怎樣才能使國家興盛呢？」鬻子說：「我說的不一定準確，前代君王的經驗是：考慮出好的國策就果斷推行，聽到好的主意就立即採用。要勤於思考，講究誠信。這樣就能使國家興盛。」周成王說：「好，我領教了。」

【出處】

　　周成王年十三歲，即位享國，親以其身見於粥子之家而問焉，曰：「昔者先王與帝修道而道修，寡人之望也，亦願以教，敢問興國

之道奈何？」粥子對曰：「唯，疑。請以上世之政詔於君王。政曰：興國之道，君思善則行之，君聞善則行之，君知善則行之，位敬而常之，行信而長之，則興國之道也。」周成王曰：「受命矣。」（《新書》〈修政語下〉）

敬士愛民

周成王問鬻子說：「請問治理國家的關鍵是什麼？」鬻子回答說：「我說的不一定準確。前代君王的經驗是：作為普通百姓要對人恭敬有禮，作為諸侯要對人寬厚謙虛仁愛，作為君主要尊敬士人、愛護百姓，這就是治國的關鍵。」周成王說：「我領教了。」

【出處】

周成王曰：「敢問於道之要奈何？」粥子對曰：「唯，疑。請以上世之政詔於君王。政曰：為人下者敬而肅，為人上者恭而仁，為人君者敬士愛民，以終其身，此道之要也。」周成王曰：「受命矣。」（《新書》〈修政語下〉）

治國之道

周成王問鬻子說：「請問治國之道是怎樣的？」鬻子說：「我說的不一定準確。前代君王的經驗是：對上要忠於君主，中間要尊敬士人，對下要熱愛民眾。忠於君主，如果不用道義就沒有憑據；尊敬士

人，不講禮節就是空話；熱愛民眾，沒有忠信就無從談起。因此，對民眾誠實有信，對士人恭敬有禮，忠於君主則要講究道義，這就是治國之道。即使是統治天下，也不過如此而已吧。」周成王說：「我領教了。」

【出處】

周成王曰：「敢問治國之道若何？」粥子曰：「唯，疑。請以上世之政詔於君王。政曰：治國之道，上忠於主，而中敬其士，而下愛其民。故上忠其主者，非以道義則無以入忠也；而中敬其士，不以禮節無以諭敬也；下愛其民，非以忠信則無以諭愛也。故忠信行於民，而禮節諭於士，道義入於上，則治國之道也。雖治天下者，由此而已。」周成王曰：「受命矣。」（《新書》〈修政語下〉）

上下之人等其志

周成王說：「寡人聽說人的道德修養、品行和智慧有高下之分，請問該怎麼識別呢？」鬻子說：「我說的不一定準確。前代君王的經驗是：聽到某種道理記在心裡，認為它好就照著去做，這是道德修養高尚的人，反之則是道德修養低下的人；品行好的人就是賢德的人，反之就是不賢德的人；善於言辭的就是聰明的人，反之就是愚笨的人。所以，聰明愚笨可以從言辭來區別，賢德不賢德可以通過品行來判斷，道德的高下應該從他們的志向來識別。」周成王說：「我領教了。」

　　周成王曰：「寡人聞之，有上人者，有下人者，有賢人者，有不肖人者，有智人者，有愚人者。敢問上下之人，何以為異？」粥子對曰：「唯，疑。請以上世之政詔於君王。政曰：凡人者，若賤若貴，若幼若老。聞道志而藏之，知道善而行之，上人矣；聞道而弗取藏也，知道而弗取行也，則謂之下人也。故夫行者善則謂之賢人矣，行者惡則謂之不肖矣。故夫言者善則謂之智矣，言者不善則謂之愚矣。故智愚之人有其辭矣，賢不肖之人別其行矣，上下之人等其志矣。」周成王曰：「受命矣。」（《新書》〈修政語下〉）

民富且壽

　　周成王說：「寡人聽說，聖明的帝王處在君位時，能夠使民眾富有而長壽。富有可以理解，但長壽不長壽，不是上天決定的嗎？」鬻子說：「我說的不一定準確。讓我以前代君王的經驗回答你吧。當聖明的君主執政時，諸侯就不會因私事而相互攻伐，民眾也不會因個人恩怨而相互侵害，從而使民眾免於死亡而獲得新生的機會。當聖明的君主執政時，各諸侯國的君主會講究道德，官吏會追求善行，百姓會各盡所能，人民豐衣足食，就不會受凍挨餓，從而免於第二次死亡而獲得新生。當聖明的君主執政時，諸侯會懷有仁慈之心，官吏會講究愛心，民眾會心懷順從之心，這樣國家的刑罰就形同虛設，民眾就不會受誅殺而夭折，從而第三次免於死亡而獲得新生。當聖明的君主執政時，使用民力時會注意不違農時，民間就不會有病災和疾疫發生，

從而使民眾第四次免於死亡而獲得新生。聖明的君主執政，就會選賢使能，盡量杜絕各種犯罪和邪惡的事情發生。這就是聖明的君主在上，民眾能富有而長壽的原因啊。」周成王說：「我領教了。」

【出處】

　　周成王曰：「寡人聞之，聖王在上位，使民富且壽云。若夫富則可為也，若夫壽則不在天乎？」粥子曰：「唯，疑。請以上世之政詔於君王。政曰：聖王在上位，則天下不死軍兵之事，故諸侯不私相攻，而民不私相鬥鬩，不私相煞也。故聖王在上位，則民免於一死而得一生矣。聖王在上位，則君積於道，而吏積於德，而民積於用力。故婦人為其所衣，丈夫為其所食，則民無凍餒矣。故聖王在上，則民免於二死而得二生矣。聖王在上，則君積於仁，而吏積於愛，而民積於順，則刑罰廢矣，而民無夭遏之誅。故聖王在上，則民免於三死而得三生矣。聖王在上，則使民有時，而用之有節，則民無厲疾。故聖王在上，則民免於四死而得四生矣。聖王在上，則使盈境內興賢良，以禁邪惡。故賢人必用而不肖人不作，則已得其命矣。故夫富且壽者，聖王之功也。」周成王曰：「受命矣。」（《新書》〈修政語下〉）

子男之田

　　周成王執政的時候，因為考慮到楚國的鬻子在周文王、周武王時期輔佐朝政有功，終於答應給予楚國名分，分封熊繹於荊山，給予他子爵及相應的祿田，以半氏為姓，以丹陽為都城。從此，楚國取得了

周朝認可的諸侯地位及統治權力。也就是從這時候起，楚國出現在周天子的大事年表中。楚國的八百年歷史，大約就是從周成王姬誦（西元前1042至西元前1021年在位）時算起的。[11]熊繹與魯公伯禽、衛康叔子牟、晉侯燮、齊太公子呂伋等一起事奉成王。在周代「公、侯、伯、子、男」五等諸侯中，子爵的地位較低，排在倒數二等的位置。

【出處】

熊繹當周成王之時，舉文、武勤勞之後嗣，而封熊繹於楚蠻，封以子男之田，姓芈氏，居丹陽。楚子熊繹與魯公伯禽、衛康叔子牟、晉侯燮、齊太公子呂伋俱事成王。（《史記》〈楚世家〉）

漢有游女

楚人雖居於荊蠻之地，但楚女卻貞潔懂禮，令人向慕。《漢廣》是流傳在漢江上游一帶的民歌，通過一位男子傾慕江中的楚女，側面反映了楚女的貞潔有禮而不容侵犯。這位男子在歌中唱道：「南方有樹高又長，不可歇息少蔭涼。賢女出遊流水上，貞潔使人無妄想。好比漢水寬又廣，犯禮而往太荒唐。……江邊楚女排成行，高潔翹楚是我想。」

【出處】

南有喬木，不可休思。漢有游女，不可求思。漢之廣矣，不可泳

---

11. 從西元前1042年至西元前223年秦滅楚，其間800餘年。

思。江之永矣，不可方思。翹翹錯薪，言刈其楚。之子于歸，言秣其馬。漢之廣矣，不可泳思。江之永矣，不可方思。翹翹錯薪，言刈其蔞。之子于歸，言秣其駒。漢之廣矣，不可泳思。江之永矣，不可方思。（《詩經》〈周南・漢廣〉）

篳路藍縷

　　楚國真正的發跡是從荊山開始的。右尹子革曾經對楚靈王講解楚國的創業史說：「從前我們的先王熊繹，在荊山開闢疆土。穿著破舊的衣裳，駕馭著用荊條竹子製成的柴車身處於草莽之中，創業極為艱辛。那時候楚國沒有什麼值錢的寶貝和特產，就以桃木和棘枝做成的弓箭向朝廷進貢，檔次很差。」從熊繹到若敖（熊儀）一直到蚡冒，其間有三百年左右的時間，楚國的國君們一直穿著破衣爛衫、駕著老牛破車，行進在荊棘叢生的山路上，率領楚民披荊斬棘，艱苦創業。

【出處】

　　析父對曰：「其予君王哉！昔我先王熊繹辟在荊山，篳路藍蔞以處草莽，跋涉山林以事天子，唯是桃弧棘矢以共王事。」（《史記》〈楚世家〉）

　　欒武子曰：「楚自克庸以來，其君無日不討國人而訓之於民生之不易，禍至之無日，戒懼之不可以怠。在軍，無日不討軍實而申儆之於勝之不可保，紂之百克而卒無後，訓之以若敖、蚡冒篳路藍縷，以啟山林。箴之曰：『民生在勤，勤則不匱。』不可謂驕。」（《左傳》〈宣

公十二年〉）

昔我先王熊繹辟在荊山，篳路藍縷以處草莽，跋涉山林以事天子。唯是桃弧、棘矢以共御王事。齊，王舅也，晉及魯、衛，王母弟也。楚是以無分，而彼皆有。（《左傳》〈昭公十二年〉）

苞茅縮酒

楚國立國之初，窘境幾乎可以用「家徒四壁」來形容，周天子體諒楚國家底薄弱，予以特別優待，讓楚國每年向朝廷進貢苞茅用以縮酒。所謂苞茅，就是產於荊山一帶的一種廉價的茅草。楚人用這種茅草過濾酒漿，祭祀祖先。大概鬻熊事奉文王時曾在周都以此遙祭先祖，周王以為借鑑。[12]

【出處】

爾貢苞茅不入，王祭不共，無以縮酒，寡人是徵。（《左傳》〈僖公四年〉）

昔成王盟諸侯於岐陽，楚為荊蠻，置茅蕝，設望表，與鮮牟守燎，故不與盟。（《國語》〈晉語八〉）

---

12. 祭祀的過程，是將酒澆灌於直立的苞茅之上，表示讓祭祀的對象享用，類似於今天楚國故地每年清明、除夕團年時的「叫飯」，將酒澆在地上，以祭去世的先人。

精誠所至，金石為開

善射在楚國有悠久的歷史和傳統。楚國有確切記載的最早的神射手，是熊繹的第四代孫熊渠。一次熊渠夜間趕路，看見一塊臥石，以為是匍匐的老虎，於是彎弓奮力射它，整支箭連箭羽都沒入石頭之中了。近前一看，才知道是石頭。退回去再射的時候，箭頭射在石頭上彈跳回來，石頭上一點痕跡都沒有。熊渠表現出他的至誠之心，金石都為他開裂，又何況人心呢？[13]

【出處】

昔者，楚熊渠子夜行，見寢石以為伏虎，關弓射之，滅矢飲羽，下視，知石也。卻復射之，矢摧無跡。熊渠子見其誠心而金石為之開，況人心乎？（《新序》〈雜事第四〉）

不與中國之號諡

熊渠是楚國歷史上最特立獨行、最具叛逆精神的一位國君。熊渠所處的時代，周王室日漸衰微，他覺得楚國迎來了發展良機，開始大規模地開疆拓土。他先後出兵滅掉了庸、楊粵和鄂，將其分封給自己的三個兒子去管理，立長子康為句亶王，二子紅為鄂王，少子執疵為

---

13. 類似的故事也見於莊王、共王時代的養由基和西漢虎將李廣。《莊子》〈漁父〉：「真者，精誠之至也。不精不誠，不能動人。」東漢王充《論衡》〈感虛篇〉：「精誠所至，金石為開。」

越章王。[14]他自己則自稱為「敖」。熊渠敢冒天下之大不韙，當然是經過深思熟慮的。他的理論依據是：「楚國是蠻夷之國，沒必要與周朝的封號一致。」你周天子不是把我排除在核心利益集團之外嗎？中原列國不是不肯接納楚國，還譏笑楚人為苗蠻、荊蠻嗎？那我也沒必要按周朝的禮儀制度束縛自己了。昏聵無能的周夷王死後，周厲王繼位。厲王為人肆虐暴戾，曾親自南征鎮壓淮夷的反抗。熊渠自知楚人羽翼未豐，悄悄取消了三個兒子的封號。至於他自稱的「敖」，因為不在周天子的體系之內，也就沒有改回「渠子」的必要了。熊渠封子為王屬於「開風氣之先」，對後來熊通自立為武王是極大的鼓勵。[15]

【出處】

熊渠生子三人。當周夷王之時，王室微，諸侯或不朝，相伐。熊渠甚得江漢間民和，乃興兵伐庸、楊粵，至於鄂。熊渠曰：「我蠻夷也，不與中國之號諡。」乃立其長子康為句亶王，中子紅為鄂王，少子執疵為越章王，皆在江上楚蠻之地。及周厲王之時，暴虐，熊渠畏其伐楚，亦去其王。（《史記》〈楚世家〉）

---

14. 句亶在今江陵一帶，鄂在今大冶一帶，越章在今雲夢一帶。

15. 據說，徐國徐子曾在周穆王十七年自稱徐偃王，蜀國也在周平王東遷及周惠王時稱王稱帝。楚熊渠、熊通之後，有實質意義的大國稱王依次為吳、越二國，跟隨稱王的大國直到戰國時期的周顯王時代才開始，先是魏侯罃自稱魏惠王，十年之後齊國跟隨稱王。隨後秦、韓、趙、燕、宋等依次稱王。

厲王有警鼓

楚厲王即蚡冒，名熊眴，是楚霄敖長子、熊通的哥哥。熊通殺死蚡冒的兒子自立為君以後，將蚡冒的諡號改為厲王。[16]楚厲王在朝中設有警鼓。遇到緊急情況，就採用敲警鼓的方式通知民眾一起參與防守。有一天，厲王喝多了酒，乘興敲起了警鼓。民眾大驚，蜂擁到朝廷前集合，以為敵人要攻打楚國了。厲王驚醒過來，趕忙派人去阻止民眾，說：「是我喝高了，和身邊的人開玩笑，誤發了警報。」民眾這才散去。過了幾個月，真的有緊急情況發生，厲王趕忙令人擊鼓，但民眾卻不予響應。厲王不得不重新更改命令，明確新的信號，民眾才重新相信他。

【出處】

楚厲王有警鼓，與百姓為戒。飲酒醉，過而擊，民大驚。使人止之，曰：「吾醉而與左右戲而擊之也。」民皆罷。居數月，有警，擊鼓而民不赴，乃更令明號而民信之。（《韓非子》〈外儲說左上〉）

王不加位，我自尊耳

蚡冒死後，熊通殺死繼任的蚡冒之子自立為君。熊通總計在位五十一年。第三十五年的時候，熊通率領軍隊討伐隨國。隨侯說：「隨國並沒有冒犯楚國啊。」熊通說：「楚國被中原國家稱為蠻夷之國。

---

16. 古代君王諡號中，「厲」「靈」等屬於含貶義的字眼。

如今中原各國紛紛背叛朝廷，相互侵殺。楚國也有軍隊，很想到中原看看，請你代為到天子跟前說說，為我討個封號。」隨侯無奈，於是前往朝廷，向周天子轉述了熊通的請求。周天子一口回絕。一年後，熊通再次出征隨國。得知實情，他非常憤怒說：「從前我的先祖鬻熊被文王、武王尊為老師，成王剛即位就去世了。成王賜給我先公熊繹子男的爵號，准許我們在荊山一帶發展。如今楚國已經崛起，南方的蠻夷都敬服我們。既然天子不肯加封，那我就自封了。」於是自立為楚王，與隨國訂立盟約後返回楚都。熊通自立為王的行為開了諸侯僭號稱王的先河。此時的周王室江河日下，對楚國的膽大妄為也無可奈何。

【出處】

三十五年，楚伐隨。隨曰：「我無罪。」楚曰：「我蠻夷也。今諸侯皆為叛相侵，或相殺。我有敝甲，欲以觀中國之政，請王室尊吾號。」隨人為之周，請尊楚，王室不聽，還報楚。三十七年，楚熊通怒曰：「吾先鬻熊，文王之師也，蚤終。成王舉我先公，乃以子男田令居楚，蠻夷皆率服，而王不加位，我自尊耳。」乃自立為武王，與隨人盟而去。（《史記》〈楚世家〉）

羸師以張之

魯桓公六年，楚武王率軍攻打隨國，先派蓬章去議和。軍隊駐紮在瑕地等待談判結果。隨國派少師參與和談。鬬伯比對楚王說：「我

們未能在漢水以東得志，責任全在我們自己啊。我們擴充軍隊，整頓裝備，以武力威脅鄰國，他們因為恐懼而抱團對付我們，很難從中離間。漢水以東以隨國最大，隨國若張狂自大，必然拋棄小國。小國離心，楚國的機會就來了。少師這個人很驕狂，君王不妨隱藏實力，故意顯露軍隊的老弱疲態給他看，以助長他的驕傲。」熊率且比說：「隨國有季梁在，這樣做有用嗎？」鬭伯比說：「以後會有用的。少師是國君的寵臣呢。」楚武王於是按鬭伯比的意思，故意使部隊顯得軍容不整。少師見到後，回去果然請求與楚軍一戰。隨侯準備出戰，季梁急忙阻止說：「上天正在幫助楚國，楚軍是故意裝出疲弱的樣子引我們上鉤的，君王急什麼呢？」鬭伯比的計謀被季梁識破，楚武王只得放棄攻打隨國。一年之後，隨侯對少師寵信有加，鬭伯比認為時機到了，於是鼓動楚武王捲土重來。這一次隨侯不再聽從季梁的勸告，而狂妄的少師也一再拒絕季梁的合理化建議，終於在速杞遭受重創，不得不與楚國簽訂城下之盟。

【出處】

楚武王侵隨，使薳章求成焉，軍於瑕以待之。隨人使少師董成。鬭伯比言於楚子曰：「吾不得志於漢東也，我則使然。我張吾三軍，而被吾甲兵，以武臨之，彼則懼而協以謀我，故難間也。漢東之國，隨為大，隨張，必棄小國。小國離，楚之利也。少師侈，請羸師以張之。」熊率且比曰：「季梁在，何益？」鬭伯比曰：「以為後圖，少師得其君。」王毀軍而納少師。少師歸，請追楚師。隨侯將許之。季梁止之，曰：「天方授楚，楚之羸，其誘我也。君何急焉？……」……隨侯懼而修政，楚不敢伐。（《左傳》〈桓公六年〉）

楚子伐隨⋯⋯戰於速杞，隨師敗績。隨侯逸，鬥丹獲其戎車，與其戎右少師。秋，隨及楚平，楚子將不許。鬥伯比曰：「天去其疾矣，隨未可克也。」乃盟而還。（《左傳》〈桓公八年〉）

卜以決疑

楚國的莫敖屈瑕和鬥廉統率楚軍準備與貳、軫兩國結盟。鄖國的軍隊駐紮在蒲騷，意欲聯合隨、絞、州、蓼四國一起進攻楚軍。莫敖心有所忌。鬥廉分析說：「鄖國的軍隊駐紮在他們的郊區，天天盼望四國聯軍的來到，一定缺乏警戒。我們不妨以精銳之師乘夜進攻鄖國。鄖國人一定以為城郭堅固，又有聯軍將至，楚軍不會貿然進攻。如果我們一舉打敗鄖軍，四國聯軍就會離散。」莫敖說：「那就向君王請求增兵吧。」鬥廉回答說：「作戰獲勝的關鍵在於團結一致，不在於人多。商朝敵不過周朝，這您是知道的。以楚軍現有的兵力，足以打敗鄖軍，還增什麼兵呢？」莫敖說：「那我們占卜一下吧？」鬥廉又說：「占卜是為了決斷疑惑，沒有疑惑，還占卜幹什麼？」於是屈瑕採納鬥廉的建議，在蒲騷打敗了鄖國軍隊，與貳、軫兩國訂立盟約之後回國。

【出處】

楚屈瑕將盟貳、軫。鄖人軍於蒲騷，將與隨、絞、州、蓼伐楚師。莫敖患之。鬥廉曰：「鄖人軍其郊，必不誡，且日虞四邑之至也。君次於郊郢，以禦四邑。我以銳師宵加於鄖，鄖有虞心而恃其

城，莫有鬥志。若敗鄖師，四邑必離。」莫敖曰：「盍請濟師於王？」對曰：「師克在和，不在眾。商、周之不敵，君之所聞也。成軍以出，又何濟焉？」莫敖曰：「卜之？」對曰：「卜以決疑，不疑，何卜？」遂敗鄖師於蒲騷，卒盟而還。（《左傳》〈桓公十一年〉）

莫敖必敗

　　魯桓公十三年春天，楚武王的兒子屈瑕討伐羅國，鬥伯比為他送行。返回的時候，鬥伯比對駕車的人說：「莫敖一定會失敗。走路把腳抬得很高，表明他心神不定。」於是拜見武王說：「一定要增派軍隊。」武王拒絕了鬥伯比的請求。楚王進到屋裡，把這件事告訴了夫人鄧曼，鄧曼說：「鬥大夫的意思，只怕不是在說人數的多少，而是在說您要以誠信來安撫百姓，以德義來訓誡官員，並以刑罰來使莫敖畏懼。莫敖滿足於蒲騷之役的戰功，自以為是，必然輕視羅國，君王如果不加控制，不是等於不加防範嗎？鬥大夫一定是說您要訓誡百姓好好安撫他們，召集官員而以美德勸勉他們，告訴莫敖上天不會寬恕他的過錯。如果不是這個意思，鬥大夫難道不知道楚國的軍隊已經全部出發了嗎？」武王聽了夫人鄧曼的話，急忙使人追趕屈瑕，告訴他千萬不可輕敵。然而部隊出發已久，終於還是沒能趕上。後來莫敖屈瑕果然戰敗自殺。

【出處】

　　十三年春，楚屈瑕伐羅，鬥伯比送之。還，謂其御曰：「莫敖必

敗。舉趾高，心不固矣。」遂見楚子，曰：「必濟師。」楚子辭焉。入告夫人鄧曼。鄧曼曰：「大夫其非眾之謂，其謂君撫小民以信，訓諸司以德，而威莫敖以刑也。莫敖狃於蒲騷之役，將自用也，必小羅。君若不鎮撫，其不設備乎？夫固謂君訓眾而好鎮撫之，召諸司而勸之以令德，見莫敖而告諸天之不假易也。不然，夫豈不知楚師之盡行也？」楚子使賴人追之，不及。（《左傳》〈桓公十三年〉）

莫敖縊於荒谷

　　莫敖屈瑕因為在蒲騷之役中打了勝仗，驕傲自滿，出征羅國時候，在軍中發布通告說：「誰敢進諫就處罰誰。」部隊到達鄢水，楚軍由於渡河而秩序大亂，而且也不設防。到達羅國時，羅國和盧戎的軍隊從兩邊夾攻，大敗楚軍。楚武王熊通即位後曾嚴格規定：君主五年不主動出征，死後不得入宗廟，將軍戰敗必須自裁。屈瑕是武王的兒子，自覺罪責難當，於是吊死在荒谷，其他將領也主動把自己囚禁在冶父，等待處罰。武王得知消息，趕到冶父說：「這是我的罪過。」於是把將領們都赦免了。[17]

【出處】

　　莫敖使徇於師曰：「諫者有刑。」及鄢，亂次以濟。遂無次，且

17.《左傳》〈襄公十八年〉：「楚子聞之，使楊豚尹宜告子庚曰：『國人謂不穀主社稷，而不出師，死不從禮。不穀即位，於今五年，師徒不出，人其以不穀為自逸，而忘先君之業矣。大夫圖之！其若之何？』」

不設備。及羅，羅與盧戎兩軍之。大敗之。莫敖縊於荒谷，群帥囚於冶父以聽刑。楚子曰：「孤之罪也。」皆免之。（《左傳》〈桓公十三年〉）

識彼天道

　　魯莊公四年春三月，楚武王準備出征隨國，入宮向夫人鄧曼辭行，對鄧曼說：「我怎麼感覺心神動盪不安呢？」鄧曼望著年邁的丈夫，嘆息著說：「君王的福壽怕是將盡了。人到高齡，精神自然不濟，這是自然的道理。雖然面臨出征而心蕩不安，但若軍隊不受損失，即便君王死在行軍途中，也是國家的福氣了。」武王告辭前行，果然死於進軍途中。鄧曼從鬬伯比要求增兵的請求中推斷出鬬伯比的弦外之音，在丈夫出征前安撫他，使他從容淡定，最終成就了戎馬倥傯的一生。鄧曼是世間最懂武王的女人。[18]

【出處】

　　王伐隨，且行，告鄧曼曰：「余心蕩，何也？」鄧曼曰：「王德薄而祿厚，施鮮而得多。物盛必衰，日中必移，盈而蕩，天之道也。先王知之矣，故臨武事，將發大命，而蕩王心焉。若師徒毋虧，王薨於行，國之福也。」王遂行，卒於樠木之下。君子謂鄧曼為知天道。《易》曰：「日中則昃，月盈則虧。天地盈虛，與時消息。」此之謂

---

18. 鄧曼被稱為《左傳》中第一個有「話語權」的女性，並且是《左傳》中說話最多的女性，有人統計，共有148字。

也。頌曰：楚武鄧曼，見事所興。謂瑕軍敗，知王將薨。識彼天道，盛而必衰。終如其言，君子揚稱。（《古列女傳》〈仁智傳〉）

外利離親

　　周襄王感激狄人在征戰中相助，打算娶狄女為王后，周大夫富辰勸諫說：「不能這樣。婚姻是滋生禍福的土壤。有利於自己的是福，讓外人得益的是禍。現在您使外人得益，這不是招惹禍害嗎？從前鄢因仲任而亡，密須因伯姞而亡，鄶因叔妘而亡，聃因鄭姬而亡，息因陳媯而亡，鄧因楚曼而亡，羅因季姬而亡，盧因荊媯而亡，這些都是使外人得益而離棄親族的例子啊。」富辰列舉的因為婚姻導致國家滅亡的案例中，三例與楚國相關。一是息國迎娶息媯，後息國為楚文王所滅，息媯也成為文王夫人。二是楚武王從鄧國迎娶鄧曼為夫人，武王及鄧曼去世後，文王先是借道鄧國伐申，返回時順道滅鄧。三是楚王娶盧戎君的女兒媯氏，媯氏嫁到楚國，故稱為荊媯。盧戎君把女兒嫁給楚王並未換來國家的平安，盧戎後來仍然被楚國所滅。盧戎國被滅的時間大致在楚武王晚期，即在屈瑕鄢北失利之後至武王第三次伐隨之前。由此推斷，荊媯也與鄧曼一樣，是嫁給楚武王為妻。

【出處】

　　王德狄人，將以其女為后，富辰諫曰：「不可。夫婚姻，禍福之階也。利內則福由之，利外則取禍。今王外利矣，其無乃禍階乎？昔摯、疇之國也由大任，杞、繒由大姒，齊、許、申、呂由大姜，陳由

大姬,是皆能內利親親者也。昔鄢之亡也由仲任,密須由伯姞,鄶由叔妘,聃由鄭姬,息由陳媯,鄧由楚曼,羅由季姬,盧由荊媯,是皆外利離親者也。」(《國語》〈周語中〉)

恃力虐老

　　楚文王討伐鄧國,讓王子革和王子靈一起去挖野菜。兩位王子在田野裡見到一個老人,菜筐裡裝著野菜,就向他討要。老人不給,兩人就搶奪過來。文王聽說後,令人拘捕了兩位王子,準備殺死他們。大夫勸諫說:「搶奪別人的野菜確實有罪,但是罪不至死啊,大王何必要殺死他們呢?」話剛說完,那位老人來到軍營前說:「鄧國因為不行仁道,所以國君討伐他們。如今國君的兒子打了我,還搶走我的菜筐,這種不仁道比鄧國還嚴重啊!」說完呼天號地大哭。文王和眾臣聽說後都很恐懼。文王於是召見老人說:「討伐有罪的人卻橫奪其性命,這並不是剷除暴力的好辦法;依仗強力虐待老人,這不是教育孩子的好辦法;偏愛自己的兒子而廢棄法律的公正,這不是保有國家的好辦法。如果我偏愛兩個兒子而拋棄以上三種德行,就無法治理國家。老人家寬恕我,我要在軍門外斬殺二子,向您謝罪。」

【出處】

　　楚文王伐鄧,使王子革、王子靈共捃菜。二子出採,見老丈人載畚,乞焉,不與,搏而奪之。王聞之,令皆拘二子,將殺之。大夫辭曰:「取畚信有罪,然殺之非其罪也!君若何殺之?」言卒,丈人造

軍而言曰：「鄧為無道，故伐之。今君公之子搏而奪吾畚，無道甚於鄧！」呼天而號。君聞之，群臣恐。君見之，曰：「討有罪而橫奪，非所以禁暴也；恃力虐老，非所以教幼也；愛子棄法，非所以保國也；私二子，滅三行，非所以從政也。丈人舍之矣，謝之軍門之外耳。」（《說苑》〈至公〉）

極言之功

楚文王得到名叫如黃的獵狗和竹子做的利箭，就跑到雲夢打獵，三個月也不回朝。不久又得到美女丹姬，終日淫樂，一整年都不怎麼上朝理政。他的老師保申實在看不過去，勸諫文王說：「先王占卜讓我做你的老師，認為會帶來吉利。如今大王得到如黃之狗、箘簬之箭，在雲澤打獵，三個月不回朝。得到美女丹姬之後，更是淫樂不休，一年也不理朝政。按先王的律法，大王當受鞭刑。」保申讓文王脫去上衣，匍匐在地上接受處罰。文王說：「如今我已不是小孩子了，身為君王，就請老師以別的方式處罰我吧。」保申說：「成法不可更。臣是秉承先王之命，大王不肯接受處罰，就是違背先王的意願。臣寧可得罪大王，也不敢辜負先王的囑託。」文王無奈，只得匍匐在地，接受保申的鞭笞。保申捆了一紮荊條，跪在文王身邊，輕輕地打了五十下，讓文王起身。文王笑著說：「老師並未用力，一點兒也不疼啊。」保申神色嚴肅地說：「臣聽說，對於鞭刑，小人只覺得是肌膚之痛，君子卻以為是恥辱。如果感到羞恥卻不思改正，即便痛至骨髓，又有什麼用呢？」保申以未能履行職責向文王請罪，而後快步趨出，準備流放自己以自罰。文王趕忙出去攔住保申說：「都是我

的不是，老師何罪之有？」文王決定痛改前非。他讓人殺掉如黃之狗，折斷箇篛之箭，又放逐丹姬，從此專注朝政，像先王一樣致力開疆拓土，一連兼併了三十多個國家，這都是保申的勸諫之功啊！

【出處】

荊文王得如黃之狗，箇篛之矰，以畋於雲夢，三月不反；得丹之姬，淫，期年不聽朝。保申諫曰：「先王卜以臣為保吉，今王得如黃之狗，箇篛之矰，畋於雲夢，三月不反；得丹之姬，淫，期年不聽朝。王之罪當笞，俯伏，將笞王！」王曰：「不穀免於襁褓，托於諸侯矣，願請變更而無笞。」保申曰：「臣承先王之命，不敢廢；王不受笞，是廢先王之命也。臣寧得罪於王，無負於先王。」王曰：「敬諾。」乃席王，王伏，保申束細箭五十，跪而加之王背，如此者再，謂王：「起矣！」王曰：「有笞之名一也，遂致之。」保申曰：「臣聞之，君子恥之，小人痛之。恥之不變，痛之何益？」保申趨出，欲自流，乃請罪於王。王曰：「此不穀之過，保將何罪？」王乃變行從保申，殺如黃之狗，折箇篛之矰，逐丹之姬，務治乎荊，兼國三十。今荊國廣大至於此者，保申敢極言之功也。（《說苑》〈正諫〉）

文王得奇鷹

楚文王年輕時喜歡打獵。一天，有人獻給他一隻獵鷹。文王見這只獵鷹爪子非常鋒利，與普通的獵鷹不同，就帶上它去雲夢打獵。將士們圍住獵場，放火燒荒，成群的野獸四處逃散。其他的獵鷹爭著捕捉獵物，新得的獵鷹卻高昂著頭，瞪眼望著天空，沒有捕獵的意

思。文王對獻鷹者說：「我的鷹捕獲的獵物數以百計，你的鷹卻毫無動作，你是欺騙我嗎？」獻鷹者說：「如果只是抓幾隻小兔子，臣怎麼敢獻給大王呢？」過了一會兒，高空中有飛翔物出現，看不清它的樣子。這隻鷹突然展翅奮起，直上蒼穹，快如閃電一般。不一會兒，空中有羽毛像雪片一樣飛落，伴隨著淅淅血雨，接著一隻大鳥轟然墜地。測量它兩隻翅膀的長度，大約有數十里長。在場的人都不知道這是只什麼鳥，還是一位博學的士人告訴大家說：「這是只未成年的鵬鳥。」文王很高興，重賞了獻鷹者。

【出處】

楚文王少時好獵，有一人獻一鷹，文王見之，爪距神爽，殊絕常鷹。故為獵於雲夢，置網雲布，煙燒張天，毛群羽族，爭噬競搏。此鷹軒頸瞪目，無搏噬之志。王曰：「吾鷹所獲以百數，汝鷹曾無奮意，將欺余耶？」獻者曰：「若效於雉兔，臣豈敢獻？」俄而，雲際有一物凝翔，鮮白不辨其形，鷹便竦翮而升，蠢若飛電。須臾，羽墮如雪，血下如雨，有大鳥墮地，度其兩翅，廣數十里，眾莫能識。時有博物君子曰：「此大鵬雛也。」文王乃厚賞之。（劉義慶：《幽明錄》）

不明武備

王孫厲對楚文王說：「徐偃王好行仁義之道，現在漢水以東三十二個諸侯國都歸附徐國了。大王如果不早作打算，恐怕楚國也會淪

為徐國的附庸呢。」楚文王說:「如果徐國真的奉行仁義之道,就不能討伐他了。」王孫厲說:「大國討伐小國,強國攻打弱國,就像大魚吃小魚,又好比老虎吃小豬,哪有什麼道理可講呢?」文王點頭稱是,於是興師伐徐,將徐國滅亡。徐偃王臨死之前感嘆說:「我仰賴於文教德政而忽視軍隊建設,喜好宣傳仁義之道卻不瞭解人心的奸詐,落到今天的下場真是活該。」[19]

【出處】

王孫厲謂楚文王曰:「徐偃王好行仁義之道,漢東諸侯三十二國盡服矣!王若不伐,楚必事徐。」王曰:「若信有道,不可伐也。」對曰:「大之伐小,強之伐弱,猶大魚之吞小魚也,若虎之食豚也,惡有其不得理?」文王遂興師伐徐,殘之。徐偃王將死,曰:「吾賴於文德而不明武備,好行仁義之道而不知詐人之心,以致於此。」夫古之王者,其有備乎?(《說苑》〈指武〉)

和氏之璧

楚國有個叫卞和的人在山中得到一塊未經加工的璞玉,捧著去獻給楚厲王。厲王讓玉匠鑑定,玉匠說:「這是塊石頭。」厲王以為卞和欺騙自己,就讓人砍掉了他的左腳。厲王死後,武王繼位,卞和又捧著玉石獻給武王。武王又讓玉匠鑑定,玉匠仍然堅持原來的說法:

---

19. 徐偃王講仁義應該也是虛偽的。據《山海經》卷一注引《尸子》:「徐偃王好怪,沒深水而得怪魚,入深山而得怪獸者,多列於庭。」

「這就是一塊石頭。」武王也認為卞和行騙，讓人砍掉了他的右腳。武王死後，文王繼位，卞和抱著璞玉在荊山腳下哭得天昏地暗，整整三天三夜，眼淚哭乾直到流出血來。文王聽說後，派人去詢問他哭泣的原因，對他說：「天下被砍掉雙腳的人很多，為什麼唯獨你如此悲傷呢？」卞和說：「我並不完全是為砍掉雙腳悲傷，明明是寶玉，卻被說成石頭，明明是忠於君王的誠民，卻被指斥為騙子，這才是最令我悲傷的啊！」文王於是指派新的玉匠重新鑑定，果然得到一塊價值連城的寶玉，於是命名為「和氏之璧」。[20]

【出處】

楚人和氏得玉璞楚山中，奉而獻之厲王。厲王使玉人相之，玉人曰：「石也。」王以和為誑，而刖其左足。及厲王薨，武王即位。和又奉其璞而獻之武王。武王使玉人相之，又曰：「石也。」王又以和為誑，而刖其右足。武王薨，文王即位。和乃抱其璞而哭於楚山之下，三日三夜，泣盡而繼之以血。王聞之，使人問其故，曰：「天下之刖者多矣，子奚哭之悲也？」和曰：「吾非悲刖也，悲夫寶玉而題之以石，貞士而名之以誑，此吾所以悲也。」王乃使玉人理其璞而得寶焉，遂命曰：「和氏之璧。」（《韓非子》〈和氏〉）

追怨之歌

卞和因為進獻「和氏之璧」被文王封為陵陽侯。卞和沒有接受，

20.《新序》〈雜事第五〉借進獻寶玉之難來感慨推舉人才的艱難：「夫欲使奸臣進其仇於不合意之君，其難萬倍於和氏之璧。」

辭別時作《追怨之歌》說：「悠悠沂水到荊山，精氣凝聚在半山。中有神寶發光明，欲採碧玉難登攀。進獻璞玉楚先王，先王昏昧信人讒。紫之亂朱粉墨同，俯仰嗟嘆心難安。一片忠心天可鑒，沂水滾滾淚如泉。進寶得刑體離分，斷腿難續實太冤。」

【出處】

成王剖卞和之璞，封和為陵陽侯。和不就而去，作《追怨之歌》，曰：「悠悠沂水到荊山兮，精氣鬱決谷岩岩兮。中有神寶灼爍明兮，冗山采玉難為上兮。於何獻之楚先王兮，遇王暗昧信讒言兮。紫之亂朱粉墨同兮，俯仰嗟嘆心摧傷兮。天監孔明竟以彰兮，沂水滂滂流於汶兮。進寶得刑體離分兮，斷者不續豈不冤兮！」（《渚宮舊事》〈周代上〉）

實不血食

魯莊公六年，楚文王討伐申國，途經鄧國。文王的母親鄧曼是鄧國人。鄧祁侯說：「外甥來了，應該盛情款待。」於是設宴款待文王。這時，鄧祁侯的三名近臣騅甥、聃甥、養甥請求鄧祁侯殺掉文王。鄧祁侯說：「他是我外甥啊。」三甥都說：「滅亡鄧國的，肯定是你這個外甥。如果不儘快圖謀，後悔就來不及了。現在下手是最好的時機。」鄧祁侯仍然搖頭說：「如果這樣做，世人都會唾棄我，誰還會與我同餐共飲呢？」三甥說：「如果不聽從我們的意見，土地和五穀的神明都得不到祭享，又有誰還會與您同餐共飲呢？」鄧祁侯還

是不為所動。文王滅亡申國後，把申國變成了楚國的一個縣。返回經過鄧國的時候，順便滅亡了鄧國。[21]

【出處】

　　楚文王伐申，過鄧。鄧祁侯曰：「吾甥也。」止而享之。騅甥、聃甥、養甥請殺楚子，鄧侯弗許。三甥曰：「亡鄧國者，必此人也。若不早圖，後君噬齊。其及圖之乎？圖之，此為時矣。」鄧侯曰：「人將不食吾余。」對曰：「若不從三臣，抑社稷實不血食，而君焉取余？」弗從。還年，楚子伐鄧。十六年，楚復伐鄧，滅之。（《左傳》〈莊公六年〉）

哀侯弗賓

　　蔡哀侯與息侯都娶陳國女子為妻。蔡娶在前，息娶在後。息侯夫人媯氏有絕世之貌，因新婚歸寧途經蔡國。蔡哀侯說：「小姨子經過，豈能不見？」與夫人蔡媯在宮中設宴款待。蔡侯乍見息媯美貌，心裡頗不平衡。喝多了酒，酒席上言行有挑逗之意。息媯又羞又怒，返回息國時就繞道黃國。息侯年輕氣盛，非常憤怒，想出借刀殺人之計，於是遣使入貢楚國，密告楚文王說：「蔡侯自恃是中原國家，一直輕慢楚國。不如楚國出兵討伐息國，我向蔡國求援，蔡君託大，必然率兵相救。那時息楚合兵夾擊，蔡兵必敗，蔡侯被俘，貴國就不愁

---

21. 鄧國的滅亡留下了「假途伐申」「噬臍莫及」的成語。楚國民間「外甥不認舅」的俗語也出於此處。

沒有貢品了。」楚文王日夜圖謀中原，得信大喜，於是依計而行，果然大敗蔡軍，俘獲蔡侯而歸。

【出處】

蔡哀侯娶於陳，息侯亦娶焉。息媯將歸，過蔡。蔡侯曰：「吾姨也。」止而見之，弗賓。息侯聞之，怒，使謂楚文王曰：「伐我，吾求救於蔡而伐之。」楚子從之。秋九月，楚敗蔡師於莘，以蔡侯獻舞歸。（《左傳》〈莊公十年〉）

三年不語

息媯入楚宮三年，為文王連生二子，長子熊艱，次子熊惲（即楚成王）。雖然生了兩個兒子，但息媯卻從來不與文王說話。文王非常鬱悶，問她原因，息媯垂淚不答，文王再三追問，才回答說：「我一個婦人，卻嫁了兩個丈夫，縱然不能守節而死，又有何面目與人說話呢？」說完熱淚盈眶。文王說：「這一切都是因蔡侯而起。我現在就出兵伐蔡，為夫人報仇。」於是親自率兵伐蔡。大軍逼近蔡都，蔡侯赤裸著上身下跪請罪，盡出其庫藏寶玉獻給文王，文王這才打道回國。君子評論說：「《商書》中說：『惡的蔓延，就像火在荒原上燃燒，不能接近，更別說撲滅它了。』蔡哀侯的下場，不就是這樣嗎？」

蔡哀侯為莘故，繩息媯以語楚子。楚子如息，以食入享，遂滅息。以息媯歸，生堵敖及成王焉，未言。楚子問之，對曰：「吾一婦人而事二夫，縱弗能死，其又奚言？」楚子以蔡侯滅息，遂伐蔡。秋七月，楚入蔡。君子曰：「《商書》所謂『惡之易也，如火之燎於原，不可鄉邇，其猶可撲滅』者，其如蔡哀侯乎！」（《左傳》〈莊公十四年〉）

罪莫大焉

楚文王俘虜蔡侯回國，準備拿他祭祖。大臣鬻拳進諫說：「楚國正想進圖中原，如果殺了蔡侯，中原各國一定會恐懼不安。不如放還蔡侯，彰顯大王的寬容美德。」文王不滿蔡侯態度傲慢，堅持要殺他洩憤。鬻拳苦諫無效，憤氣勃發，情急中上前抓住文王的衣袖，右手拔出佩刀，抵近文王的脖頸說：「臣寧願與大王同死，也不忍見大王失信於諸侯。」文王面有懼色，連忙說：「寡人依你。」鬻拳收回佩刀，而後下跪說：「大王採納臣的諫言，是楚國的福氣。臣在朝堂上脅迫君主，罪該萬死。」文王示意鬻拳起身說：「愛卿忠心貫日，我不怪你。」鬻拳說：「大王雖赦臣不死，臣豈敢自免？」手起刀落，竟將自己的雙腳砍斷，仰頭大叫說：「人臣有像我一樣無禮的，以此為戒！」文王命人將鬻拳抬下去救治，又令將鬻拳雙足收藏於大府，以提醒自己採納諍言。鬻拳雙腳致殘，不能行走，文王任命他為看守郢都大門的大閽，尊為太伯，並釋放蔡侯回國。

初，鬻拳強諫楚子，楚子弗從，臨之以兵，懼而從之。鬻拳曰：「吾懼君以兵，罪莫大焉。」遂自刖也。楚人以為大閽，謂之大伯，使其後掌之。君子曰：「鬻拳可謂愛君矣，諫以自納於刑，刑猶不忘納君於善。」（《左傳》〈莊公十九年〉）

文王有疾

楚文王生病了，就對身邊的近臣說：「筦饒用義來約束我，用禮限制我，和他在一起，心中就感到惶恐不安，看不到他也不想念他，但我從他身上獲益良多。一定要在我活著的時候給他爵位。對申侯伯的感覺正好相反。我想做什麼，他一定慫恿我做。我喜歡什麼，他就想方設法滿足我的心願。和他在一起感覺很舒服，很開心，見不到他時就會想念他，但我從他那兒得到的只是過失。一定要在我活著的時候讓他離開楚國。」令尹按照文王的要求，賜給筦饒大夫爵位，贈給申侯伯一份不菲的財禮並打發他去了鄭國。申侯伯來辭行的時候，文王對他說：「引以為戒吧。如果做人不講仁義，即使謀到好的職位也不一定是好事，千萬不要把你的壞毛病帶到別的國家去啊。」申侯伯並沒有牢記文王的勸誡，去到鄭國三年，謀到一份理想的職位，但僅僅在任五個月，就被鄭人殺掉了。

【出處】

楚文王有疾，告大夫曰：「筦饒犯我以義，違我以禮，與處不

安，不見不思，然吾有得焉，必以吾時爵之。申侯伯，吾所欲者，勸我為之；吾所樂者，先我行之。與處則安，不見則思，然吾有喪焉，必以吾時遣之。」大夫許諾，乃爵筦饒以大夫，贈申侯伯而行之。申侯伯將之鄭，王曰：「必戒之矣，而為人也不仁，而欲得人之政，毋以之魯、衛、宋、鄭。」不聽，遂之鄭，三年而得鄭國之政，五月而鄭人殺之。（《說苑》〈君道〉）

鬻拳弗納

　　魯莊公十九年春季，楚文王親率楚軍抵禦巴國軍隊入侵。閻敖族人在楚軍內部配合作亂，使巴軍在津地大敗楚軍。文王頭部中箭，率殘部返回郢都。守城官鬻拳以敗軍不得入城的先王律令閉門不納。文王只得以重傷之軀，率兵轉道攻打黃國。楚軍在踖陵打敗黃國後折返回國，文王因箭傷感染沒得到及時救治，走到湫地就死了。鬻拳得知消息，含淚對家人說：「我冒犯大王兩次，新王即位後縱然不殺我，我也沒臉苟活於世了，我將跟隨文王而去。我死之後，請將我葬在大王陵前的甬道口，使楚國後人知道我曾經看守都城的大門。」隨後自刎而死。

【出處】

　　十九年春，楚子禦之，大敗於津。還，鬻拳弗納。遂伐黃，敗黃師於踖陵。還，及湫，有疾。夏六月庚申，卒。鬻拳葬諸夕室，亦自殺也，而葬於絰皇。（《左傳》〈莊公十九年〉）

人生一死而已

　　息君夫人，指的是息國國君的夫人。楚國攻打息國，滅掉息國之後，俘虜息君讓他看守城門，並將息夫人納入宮中。一次楚王出遊，夫人出宮找到息君，對他說：「人生總有一死，何必要忍受痛苦？我無時無刻不思念著你，絕對不會再嫁。我們與其活著分開，還不如死在一起。」於是做詩說：「活則異室，死則同穴。你若不信，皎日作證。」息君不讓她死，夫人執意不聽，於是自殺殉情。息君隨後也跟著自殺了。楚王認為息君夫人賢惠貞潔，有情有義，就按照諸侯的禮節將兩人合葬。君子稱讚息君夫人忠貞愛情，因此做詩頌揚她。君子以義動，小人以利動，息君夫人重義輕利。《詩經》裡說：「相約誓言不能忘，與你相伴到始終。」說的正是她啊！

【出處】

　　夫人者，息君之夫人也。楚伐息，破之。虜其君，使守門，將妻其夫人而納之於宮。楚王出游，夫人遂出見息君，謂之曰：「人生要一死而已，何至自苦！妾無須臾而忘君也，終不以身更貳醮。生離於地上，豈如死歸於地下哉！」乃作詩曰：「穀則異室，死則同穴。謂予不信，有如皦日。」息君止之，夫人不聽，遂自殺。息君亦自殺，同日俱死。楚王賢其夫人守節有義，乃以諸侯之禮合而葬之。君子謂夫人說於行善，故序之於詩。夫義動君子，利動小人，息君夫人不為利動矣。《詩》云：「德音莫違，及爾同死。」[22]此之謂也。（《古列女傳》〈貞順傳〉）

22.「德音莫違，及爾同死」，出自《詩經》〈邶風·谷風〉。

鎮爾南方

楚成王即位之初，用子文為令尹，布德施惠，結好中原各國，並派使者向天子進貢。周天子看到楚國日益強大，不得不默認楚國的王位，賜給成王祭祀時供神的肉，說：「你就專心管好南方夷越的事情吧，不來騷擾中原國家就行。」楚國從此擁有南方數以千里的國土。

【出處】

成王惲元年，初即位，布德施惠，結舊好於諸侯。使人獻天子，天子賜胙，曰：「鎮爾南方夷越之亂，無侵中國。」於是楚地千里。（《史記》〈楚世家〉）

尋諸仇讎

楚國的令尹子元想勾引文王夫人，就在她居住的桃花宮旁建造館舍，在裡邊搖鈴鐸跳萬舞。文王夫人聽到了，哭著說：「先君讓人跳這個舞蹈，是用來演習戰備的。現在令尹不思報仇，卻在一個寡婦旁邊跳萬舞，不是很奇怪嗎？」侍者把文王夫人的話轉告子元。子元說：「連婦人都不忘記報仇，我反倒忘了。」秋季，子元帶領六百輛戰車討伐鄭國，進入遠郊的橘柣城門。子元、鬬御彊、鬬梧、耿之不比率領前軍，鬬班、王孫游、王孫喜率軍隨後。車隊從外城的純門進入，來到城郭內大道旁的集市。內城的閘門沒有放下，子元與眾將商量後就退兵了。子元說：「鄭國有人才啊。」諸侯救援鄭國，楚軍趁

夜色逃走了。鄭國人本來準備逃往桐丘，打探消息的諜報說：「楚國的帳篷上有烏鴉，已經人去營空。」於是就停止了逃跑。

【出處】

楚令尹子元欲蠱文夫人，為館於其宮側，而振萬焉。夫人聞之，泣曰：「先君以是舞也，習戎備也。今令尹不尋諸仇讎，而於未亡人之側，不亦異乎！」御人以告子元。子元曰：「婦人不忘襲仇，我反忘之！」秋，子元以車六百乘伐鄭，入於橘秩之門。子元、鬭御彊、鬭梧、耿之不比為旆，鬭班、王孫游、王孫喜殿。眾車入自純門，及逵市。縣門不發，楚言而出。子元曰：「鄭有人焉。」諸侯救鄭，楚師夜遁。鄭人將奔桐丘，諜告曰：「楚幕有烏。」乃止。（《左傳》〈莊公二十八年〉）

鬭穀於菟

若敖在邧國娶妻，生子鬭伯比。若敖死後，鬭伯比跟隨他的母親回娘家居住。就在邧宮，鬭伯比與邧子的女兒產生了感情。邧子的女兒未婚先孕，不久產下一個男嬰。邧夫人自覺管教不嚴，讓人將嬰兒悄悄丟棄於雲夢之澤，沒想到嬰兒命大，竟有母虎主動前來餵奶。邧子外出打獵，恰好見到這驚奇的一幕，感到恐慌，回來告訴夫人。兩人都覺得這孩子有若神助，於是讓人趕緊抱回嬰兒。邧國屬於多民族雜居之地，「穀」，古越語為「乳」；「於菟」，古彝語，意為老虎，於是為孩子取名為鬭穀於菟，意思是母虎奶過的孩子。邧子把女兒嫁給了鬭伯比，鬭穀於菟就是令尹子文。

初，若敖娶於鄖[23]，鄖生鬬伯比。若敖卒，從其母畜於鄖，淫於鄖子之女，生子文焉。鄖夫人使棄諸夢中，虎乳之。鄖子田，見之，懼而歸。夫人以告，遂使收之。楚人謂乳穀，謂虎於菟，故命之曰鬬穀於菟。以其女妻伯比，實為令尹子文。（《左傳》〈宣公四年〉）

毀家紓難

子元當了八年令尹，外國不來進獻，他自己又揮金如土，結果弄得國庫空虛，家底衰竭。子文有鑒於此，對楚成王說：「國家之禍，都是因君弱臣強導致的。臣建議從今日起，凡百官世祿田邑的收入，都要交一半給國家。」成王傳令百官遵行。子文以身垂範，將家產儘數捐出。他又動員鬬氏家族帶頭響應，其他百官誰敢不從？於是楚國財力大增。子文還注意選賢任能，強化軍隊治理。齊桓公稱霸中原期間，子文也沒閒著，他率軍滅弦，使楚國的勢力到達淮南。隨國率漢東一些小國背叛楚國，子文果斷出兵，迫使隨國求和，很快穩定了漢東局勢。

【出處】

秋，申公鬬班殺子元，鬬穀於菟為令尹，自毀其家，以紓楚國之難。（《左傳》〈莊公三十年〉）

---

23. 鄖，一作䢵，一說在今湖北鄖縣，一說在今湖北安陸。

方正公平

　　子文做令尹的時候，鬬氏宗族中有人觸犯了法律，執掌刑法的廷理拘捕了這個人，聽說他是令尹家族的人，就釋放了他。子文召見廷理批評說：「設立廷理這個職務，就是用來督察觸犯王法和國法的人。正直的人執行法律，溫和而不枉曲，剛直而不屈服。如今你無視法律，違背君令放走犯法的人，這就是為官不正、持心不公啊。如今我的族人犯法，大家都知道，而廷理因為他是我的親戚而放了他，這就是告訴大家我在徇私舞弊。我身居高位，是大家的表率；士民們知道這件事後必然怨恨我，使我聲譽受損。我身為令尹，卻因徇私枉法而出名，與其讓我活著不遵守道義，還不如讓我死了好。」於是把犯罪的族人重新交回到廷理那裡。楚成王聽說了這件事，來不及穿好鞋就趕到子文家裡，向他致歉說：「我年少，任命刑獄官有失誤，以致於違背了先生的心意。」於是罷黜了廷理的職務。子文因為大義滅親受到朝野的推崇，成王又讓他兼管王室內部的事務。國人為之感動，作《子文歌》稱讚說：「子文之族，犯國法程。廷理釋之，子文不聽。恤顧怨萌，方正公平。」

【出處】

　　楚令尹子文之族有干法者，廷理拘之，聞其令尹之族也而釋之。子文召廷理而責之曰：「凡立廷理者，將以司犯王令，而察觸國法也。夫直士持法，柔而不撓，剛而不折。今棄法而背令，而釋犯法者，是為理不端，懷心不公也。豈吾營私之意也？何廷理之駁於法

也？吾在上位，以率士民，士民或怨，而吾不能免之於法。今吾族犯法甚明，而使廷理因緣吾心而釋之，是吾不公之心，明著於國也。執一國之柄而以私聞，與吾生不以義，不若吾死也。」遂致其族人於廷理，曰：「不是刑也，吾將死！」廷理懼，遂刑其族人。成王聞之，不及履而至於子文之室，曰：「寡人幼少，置理失其人，以違夫子之意。」於是黜廷理而尊子文，使及內政。國人聞之，曰：「若令尹之公也，吾黨何憂乎？」乃相與作歌曰：「子文之族，犯國法程。廷理釋之，子文不聽。恤顧怨萌[24]，方正公平。」（《說苑》〈至公〉）

人心不可及

　　楚成王在殿堂上讀書，工匠倫扁在殿堂下做工。倫扁問成王說：「不知道君主讀的是什麼書呢？」成王說：「是古代聖王的書。」倫扁說：「這只是古代聖王的糟粕罷了，不是精華。」成王說：「你為什麼這麼說呢？」倫扁說：「憑我製造車輪子的體會是這樣。用圓規畫個圓，用矩畫個方形，這個方法是可以傳授給子孫的。至於將三塊木料做成一樣東西，根據自己的心意，親自動手去做，這個手腦並用的過程是沒辦法傳承的。從這個意義上說，凡是書本記載下來的東西，不過是糟粕罷了。所以說，唐堯虞舜治國的方法可以記錄在案，但他們教化民眾用心思考的過程，卻是書本無法傳承的。」[25]《詩經》裡說：「上天厚德載物，但是卻默默無聞。」這又有誰能相比呢？

---

24. 恤顧怨萌：體恤顧及對徇私枉法有怨恨的百姓。萌，通「氓」。
25. 《莊子》〈天道〉指與倫扁對話者為齊桓公。

楚成王讀書於殿上，而倫扁在下，作而問曰：「不審主君所讀何書也？」成王曰：「先聖之書。」倫扁曰：「此直先聖王之糟粕耳，非美者也。」成王曰：「子何以言之？」倫扁曰：「以臣輪言之。夫以規為圓，矩為方，此其可付乎子孫者也。若夫合三木而為一，應乎心，動乎體，其不可得而傳者也。則凡所傳直糟粕耳。」故唐虞之法可得而考也。其喻人心不可及矣。《詩》曰：「上天之載，無聲無臭。」[26]其孰能及之？（《韓詩外傳》卷五，第六章）

直行不顧

鄭子瞀是楚成王夫人鄭姬的隨嫁侍女。當初，楚成王登臺駕臨後宮，宮女們都抬頭仰視，只有子瞀從成王面前經過卻不看他。成王招呼她說：「回頭看看本王。」子瞀不回頭。成王又說：「回頭看我，就封你為夫人，並封賞你的父親兄弟。」子瞀仍然低頭行路，不肯回頭。於是成王走下臺階，叫住她說：「夫人是很重要的身分，封賞土地可以獲得尊貴的爵位，只要回頭看一眼就能得到，為什麼你不肯回頭呢？」子瞀回答說：「我聽說婦人行為端莊才符合禮儀。君主在上，我抬頭去看就是失禮。君主以夫人之尊和封爵的許諾讓我回頭，如果我此時回頭，既失去禮節，又顯得貪圖利益，那還有什麼資格來事奉君主呢？」成王點頭說：「很好。」於是立子瞀為夫人。後來，成王打算立商臣為太子，令尹子上提出反對意見，成王沒有聽從令尹

26.「上天之載，無聲無臭」，出自《詩經》〈大雅・文王〉。

的勸告，仍然立商臣為太子。後來成王反悔，想改立王子職為太子。鄭子瞀進諫說：「驚動奸猾之人，是禍亂產生的根由。古人說，對敵人不果斷強硬，必然為其所傷。君主一定要換太子，不如趕快把太子殺掉。」成王不聽，子瞀回到房內，對身邊的侍女說：「君主要換太子，我擔心出現禍亂，勸君主殺掉太子，君主懷疑我在說壞話。忠信被懷疑，我活著還有什麼意思呢？我死之後，希望君主能醒悟，不要放過太子。」於是自縊而死。君子評價說：「如果不是大仁之人，怎麼會以死相諫呢？」子瞀的死並沒有喚醒成王，而他最終也因為沒有聽從子上和子瞀的勸告慘遭太子逼宮。

【出處】

　　鄭瞀者，鄭女之嬴媵，楚成王之夫人也。初成王登臺，臨後宮，宮人皆傾觀，子瞀直行不顧，徐步不變。王曰：「行者顧。」子瞀不顧，王曰：「顧，吾以女為夫人。」子瞀復不顧，王曰：「顧，吾又與女千金而封若父兄。」子瞀遂行不顧。於是王下臺而問曰：「夫人，重位也。封爵，厚祿也。壹顧可以得之，可得而遂不顧，何也？」子瞀曰：「妾聞婦人以端正和顏為容。今者，大王在臺上而妾顧，則是失儀節也。不顧，告以夫人之尊，示以封爵之重，而後顧，則是妾貪貴樂利以忘義理也。苟忘義理，何以事王？」王曰：「善。」遂立以為夫人。處期年，王將立公子商臣以為太子。王問之於令尹子上，子上曰：「君之齒未也，而又多寵子。既置而黜之，必為亂矣。且其人蜂目而豺聲，忍人也，不可立也。」王退而問於夫人。子瞀曰：「令尹之言信可從也。」王不聽，遂立之。……後王又欲立公子職。職，商臣庶弟也。子瞀退而與其保言曰：「吾聞信不見疑。今者王必將以

職易太子，吾懼禍亂之作也。而言之於王，王不吾應，其以太子為非吾子，疑吾譖之者乎？夫見疑而生，眾人孰知其不然？與其無義而生，不如死以明之。且王聞吾死，必寤太子之不可釋也。」遂自殺。保母以其言通於王。是時太子知王之欲廢之也，遂興師作亂，圍王宮。王請食熊蹯而死，不可得也，遂自經。君子曰：「非至仁，孰能以身誠？」《詩》曰：「捨命不渝。」此之謂也。（《古列女傳》〈節義傳〉）

風馬牛不相及

魯僖公四年春，齊桓公率領諸侯國的軍隊攻打蔡國。蔡國潰敗，齊桓公接著攻打楚國。楚成王派大夫屈完前往齊國軍帳交涉，向齊桓公轉達他的意思說：「齊國地處北方，楚國地處南方，相去甚遠即便牛馬走失，也不會跑到對方境內。現在您卻遠涉千山萬水，要進入我們的國土，這是為什麼呢？」齊相管仲代齊桓公回答說：「從前召康公命令我們先君太公說：『五等諸侯和九州長官，你都有權征討他們，從而共同輔佐周王室。』召康公還給了我們先君征討的範圍，東到海邊，西到黃河，南到穆陵，北到無隸。我們這次出師，其問罪的理由有二。一是你們很久不向天子進貢苞茅，天子不能濾酒，沒辦法舉行祭祀，所以我們奉命統率列國來催討貢品；其二就是當年周昭王三次伐楚，南征而不歸，你們把昭王弄到哪兒去了？」對於昭王的下落，屈完回答得很幽默：「昭王上了漢水的戰船就不知去向，你去問漢水好了。」關於很久不向天子進貢苞茅，以致周天子無法濾酒舉行祭祀，屈完說：「這是楚國的過失，馬上就會恢復向天子進貢苞茅的

慣例。」齊桓公將軍隊從陘後撤至召陵，讓諸侯國的軍隊擺開陣勢，與屈完同乘一輛戰車檢閱齊國的部隊及盟軍。齊桓公洋洋自得地誇耀說：「以齊軍及盟軍現有的戰力，誰能抵擋？以此軍隊攻城，什麼樣的城池攻不下？」屈完很平靜地回答說：「如果齊君用仁德來安撫諸侯，誰敢不服？如果齊君想用武力使楚國屈服的話，那楚國將以方城之山作城牆，以漢水為壕溝，齊君兵馬雖多，恐怕也未必打得進來。」見屈完不為威脅所動，齊桓公估計遠征軍未必能輕易打敗楚國。既然楚國已經認錯，答應進貢苞茅，也算有了面子。於是齊國率各諸侯國與楚國在召陵訂立盟約，而後各自打道回國。

【出處】

四年春，齊侯以諸侯之師侵蔡。蔡潰。遂伐楚。楚子使與師言曰：「君處北海，寡人處南海，唯是風馬牛不相及也。不虞君之涉吾地也，何故？」管仲對曰：「昔召康公命我先君大公曰：『五侯九伯，女實征之，以夾輔周室。』賜我先君履，東至於海，西至於河，南至於穆陵，北至於無棣。爾貢苞茅不入，王祭不共，無以縮酒，寡人是征。昭王南征而不復，寡人是問。」對曰：「貢之不入，寡君之罪也，敢不共給？昭王之不復，君其問諸水濱。」師進，次於陘。夏，楚子使屈完如師。師退，次於召陵。齊侯陳諸侯之師，與屈完乘而觀之。齊侯曰：「豈不穀是為？先君之好是繼，與不穀同好，如何？」對曰：「君惠徼福於敝邑之社稷，辱收寡君，寡君之願也。」齊侯曰：「以此眾戰，誰能禦之？以此攻城，何城不克？」對曰：「君若以德綏諸侯，誰敢不服？君若以力，楚國方城以為城，漢水以為池，雖眾，無所用之。」屈完及諸侯盟。（《左傳》〈僖公四年〉）

文芈勞兄

　　楚軍在泓水之戰中大勝宋襄公的仁義之師後凱旋。鄭文公攜夫人文芈、姜氏到柯澤向楚成王表示祝賀。文芈與楚成王是兄妹。楚成王讓考功官師縉展示俘虜及殺死的敵人的左耳以炫耀戰功。鄭文公又將楚成王接到鄭國國都舉辦慶功宴。鄭文公以事奉天子的禮儀向楚成王敬酒。宴會結束後，文芈親自送楚成王回軍營。隨行的還有兩名鄭國美女——文芈的女兒伯芈和叔芈。楚成王當晚將二女帶入寢室，成就枕席之歡。文芈徘徊於帳外，一夜難寐，因為畏懼楚成王的武威，也不敢出聲。鄭國的國相叔詹指責楚成王在柯澤和鄭國國都的行為不合禮義，詛咒他說：「楚成王做這種亂倫的事，恐怕不得善終吧。」諸侯得知楚成王在鄭國的言行舉止後，也認定他不可能成就霸業。

【出處】

　　丙子晨，鄭文夫人芈氏、姜氏勞楚子於柯澤。楚子使師縉示之俘馘。君子曰：「非禮也。婦人送迎不出門，見兄弟不逾閾，戎事不邇女器。」丁丑，楚子入饗於鄭，九獻，庭實旅百，加籩豆六品。饗畢，夜出，文芈送於軍，取鄭二姬以歸。叔詹曰：「楚王其不沒乎！為禮卒於無別，無別不可謂禮，將何以沒？」諸侯是以知其不遂霸也。（《左傳》〈僖公二十二年〉）

逃死非逃富

　　鬭子文曾經三次辭去令尹之職，家中沒有儲糧，這都是體恤百姓的緣故。成王聽說子文吃了上頓沒下頓，每天上朝時特意為他準備一束肉乾、一袋糧食送給他，以致後來國君準備肉食上朝贈予令尹成為慣例。成王每次要增加子文的俸祿時，子文就選擇辭官逃避，成王只得放棄。有人對子文說：「人生不就是為了追求財富嗎？你卻選擇逃避，這是為什麼呢？」子文回答說：「從政做官的本意是在保護民眾。眼下民眾還很貧困，我如果利用職位去謀取財富，就離死不遠了。我這是在逃避死亡，並非是逃避財富啊。」《論語》〈公冶長〉說：「鬭子文多次擔任楚國令尹，沒有顯出得意的樣子。多次被免職，也沒有怨恨的神色。每次免職，必定認真做好交接。」孔子因此稱讚他為忠臣。

【出處】

　　昔鬭子文三舍令尹，無一日之積，恤民之故也。成王聞子文之朝不及夕也，於是乎每朝設脯一束、糗一筐，以羞子文。至於今秩之。成王每出子文之祿，必逃，王止而後復。人謂子文曰：「人生求富，而子逃之，何也？」對曰：「夫從政者，以庇民也。民多曠者，而我取富焉，是勤民以自封也，死無日矣。我逃死，非逃富也。」故莊王之世滅若敖氏，唯子文之後在，至於今處鄖，為楚良臣。（《國語》〈楚語下〉）

　　昔令尹子文，緇帛之衣以朝，鹿裘以處，未明而立於朝，日晦而

歸食，朝不謀夕，無一日之積。故彼廉其爵，貧其身，以憂社稷者，令尹子文是也。（《戰國策》〈楚策一〉）

　　子張問曰：「令尹子文三仕為令尹，無喜色；三已之，無慍色。舊令尹之政，必以告新令尹。何如？」子曰：「忠矣。」（《論語》〈公冶長〉）

吾以靖國

　　子文從楚成王八年出任令尹，到楚成王三十五年讓位給弟弟子玉（成得臣），時間長達二十七年。在這二十七年間，他曾經「三仕」「三已」，一方面說明朝廷對他的依賴，另一方面，也有逃避加祿、主動讓賢的意思。比如他主動讓位給子玉，就是在子玉屢建戰功的情況下提出的。當司馬蔿呂臣提出反對意見時，子文理直氣壯地說：「我這是從國家利益考慮，為國建功得不到獎賞，誰還會繼續賣命？」

【出處】

　　秋，楚成得臣帥師伐陳，討其貳於宋也。遂取焦、夷，城頓而還。子文以為之功，使為令尹。叔伯曰：「子若國何？」對曰：「吾以靖國也。夫有大功而無貴仕，其人能靖者與有幾？」（《左傳》〈僖公二十三年〉）

剛而無禮

從前子文閱兵，只用一個早晨的時間，沒有懲罰過一名士卒。等到子玉上任後，竟用了一整天的時間閱兵。他用鞭子責打了七個士卒，用長箭刺穿了三名士卒的耳朵。一些老臣向子文道賀，說他薦舉子玉為令尹是知人善任。子文很高興，認為子玉比自己更有軍威，足以堪當大任。但蔿呂臣的兒子蔿賈卻對子玉出任令尹潑冷水。蔿賈說：「子玉性格急躁，既不適合治民，也不善於用兵，如帶兵超過三百乘，非打敗仗不可。堂堂楚國令尹，只能指揮這點軍隊，國人道憂還來不及，有什麼好道賀的？」蔿賈說這番話的時候只有十三歲。子文聽了很不高興，當即呵斥蔿賈說：「小孩子家，瞎摻和什麼！」

【出處】

楚子將圍宋，使子文治兵於睽，終朝而畢，不戮一人。子玉復治兵於蔿，終日而畢，鞭七人，貫三人耳。國老皆賀子文，子文飲之酒。蔿賈尚幼，後至，不賀。子文問之，對曰：「不知所賀。子之傳政於子玉，曰：『以靖國也。』靖諸內而敗諸外，所獲幾何？子玉之敗，子之舉也。舉以敗國，將何賀焉？子玉剛而無禮，不可以治民。過三百乘，其不能以入矣。苟入而賀，何後之有？」（《左傳》〈僖公二十七年〉）

瓊玉糞土

楚國的令尹子玉有一套用美玉裝飾的馬冠馬鞍，還沒有用過。晉楚城濮大戰前夜，子玉夢見河神對他說：「把這套馬冠馬鞍送給我，我賞賜給你宋國孟諸的水草地。」子玉不肯。他的兒子成大心和楚大夫子西派榮黃去勸子玉，子玉仍然不聽。榮黃說：「如果死對國家有利，也在所不惜，何況玉鞍呢！與國家相比，它們不過是糞土。如果軍隊能夠得勝，有什麼好吝惜的？」子玉還是不聽。榮黃出來告訴大心和子西說：「不是河神要讓令尹打敗仗，而是令尹不肯以國家利益為重，肯定會打敗仗的。」楚軍戰敗後，楚王派人譴責子玉說：「你回楚國，該怎麼對申、息兩地的父老鄉親交代呢？」到了連谷，子玉就自殺了。晉文公聽到子玉自殺的消息，喜形於色說：「今後沒有人危害我了！蒍呂臣做令尹，只會明哲保身，心思不會放在老百姓身上。」

【出處】

初，楚子玉自為瓊弁、玉纓，未之服也。先戰，夢河神謂己曰：「畀余，余賜女孟諸之麋。」弗致也。大心與子西使榮黃諫，弗聽。榮季曰：「死而利國，猶或為之，況瓊玉乎！是糞土也。而可以濟師，將何愛焉？」弗聽。出，告二子曰：「非神敗令尹，令尹其不勤民，實自敗也。」既敗，王使謂之曰：「大夫若入，其若申、息之老何？」子西、孫伯曰：「得臣將死。二臣止之，曰：『君其將以為戮。』」及連谷而死。晉侯聞之而後喜可知也，曰：「莫余毒也已！

蒍呂臣實為令尹，奉己而已，不在民矣。」（《左傳》〈僖公二十八年〉）

享而勿敬

當初，楚成王打算立商臣為太子，徵求令尹子上的意見。子上說：「君王的年紀還不算大，又多有寵愛。先立後廢就會出現動亂。楚國立太子，往往有立少子的習慣。況且商臣這個人，眼睛像胡蜂，聲音似狼嚎，一看就是個凶殘的人，不適宜做太子啊。」楚成王沒有採納子上的意見。後來後悔，想廢商臣改立王子職為太子。商臣聽到風聲，但不能確定，就去找老師潘崇商量。潘崇出主意說：「你姑姑江芈與你父王關係很好，一定知道這件事。你設宴請江芈吃飯，席間故意對她不敬。」商臣宴請江芈，故意對她不敬，江芈發怒說：「呸，你這個賤人，難怪君王要廢你立職為太子。」商臣把消息告訴潘崇。潘崇問他：「你能事奉王子職嗎？」商臣說：「不能。」潘崇又問：「能逃亡出國嗎？」商臣回答說：「不能。」潘崇又問：「能行大事嗎？」商臣說：「能！」潘崇點頭說：「那就好辦了。」

【出處】

初，楚子將以商臣為大子，訪諸令尹子上。子上曰：「君之齒未也，而又多愛，黜乃亂也。楚國之舉，恆在少者。且是人也，蜂目而豺聲，忍人也，不可立也。」弗聽。既，又欲立王子職而黜大子商臣。商臣聞之而未察，告其師潘崇曰：「若之何而察之？」潘崇曰：

「享江芊而勿敬也。」從之。江芊怒曰：「呼！役夫！宜君王之欲殺女而立職也。」告潘崇曰：「信矣。」潘崇曰：「能事諸乎？」曰：「不能。」「能行乎？」曰：「不能。」「能行大事乎？」曰：「能。」（《左傳》〈文公元年〉）

請食熊蹯

魯文公元年冬十月，太子商臣率領宮中警衛突然包圍了王宮，逼楚成王自殺。成王請求說：「讓我吃了熊掌後再去死吧。」商臣想熊掌難熟，知道成王是為了拖延時間，等待救兵，於是催逼成王速死。成王只得自縊而死。先提出以「靈」為諡，屍體不閉眼睛，諡為「成」，才閉上眼睛。

【出處】

冬十月，以宮甲圍成王。王請食熊蹯而死。弗聽。丁未，王縊。諡之曰「靈」，不瞑；曰「成」，乃瞑。（《左傳》〈文公元年〉）

鴟鴞食母而飛

楚國范邑有個巫師，名叫矞似。成王生下商臣後，范巫矞似給他看相，對成王說：「這孩子吉利，而您大凶。鴟鴞食母而飛，不是其子不吉利，實在是它母親釀成的災禍。」成王非常惱怒，當場殺死了范巫矞似。矞似曾經替楚成王和子玉、子西（鬬宜申）算命，預言君

臣三人均不得好死。城濮之戰時，成王想起巫師的預言，趕忙派人去阻止子玉自殺，可惜來不及了。同時又派人去阻止司馬子西自殺。子西已經上吊，但吊繩斷了，而成王的使者恰好趕到。成王讓子西去當商邑大夫。後來子西從商邑私自回郢都，正好被成王撞見。子西心虛，訕笑著說：「卑職蒙主公赦免，得以活命，可是外面又有人誣陷，說卑職打算叛國投敵，所以卑職想回朝廷投案，請求您處死卑職。」成王再次寬恕他，安排他出任工尹之職。然而，子西始終惑於巫師的預言無法擺脫，擔心不得好死，備受煎熬，最後索性與子家（仲歸）合謀暗殺楚穆王。消息敗露，穆王將子西、子家處死。

【出處】

　　成王生商臣，范巫矞似相之，曰：「子吉矣，而王不吉。鴟鴞食母而飛，非其子之不吉，其母為之災也。」王怒，殺范巫矞似。范巫矞似謂成王與子玉、子西皆將強死。城濮之役，王思之，故使止子玉曰：「毋死。」不及。止子西，子西縊而懸絕。王使適至，遂止之，使為商公。沿漢沂江，將入郢。王在渚宮下見之，懼而辭曰：「臣免於死，又有讒言謂臣將逃，臣歸死於司敗。」王使為工尹。至是，又與子家謀弒穆王。穆王聞之，殺鬥宜申及子家。（《渚宮舊事》〈周代上〉）

一鳴驚人

　　楚莊王繼位三年，不理朝政而喜歡隱語，還下令全國說：「我討

厭臣子總是不斷地勸諫君主。現在我做了君主，有人敢上朝進諫，我就判他死罪。」很多入朝進諫的臣子因此被處死。但成公賈卻面無懼色，坦然入朝進諫。[27]莊王站在鐘鼓之間，左邊摟著揚州美女，右邊抱著越國美女，對成公賈說：「我連聽音樂的時間都沒有，哪有時間納諫？再說，寡人已經下令進諫者死，為什麼你還要入朝進諫呢？」成公賈說：「臣不是來進諫的，臣只是來與大王講講隱語。」莊王點頭說：「好，你說吧。」成公賈說：「有一隻鳥，停留在南方的大山上，三年不飛，三年不鳴，大王猜猜看，這是只什麼鳥呢？」莊王說：「一隻鳥停留在南山不鳴不飛，是在磨煉自己的意志。三年不飛，是在生長羽翼；三年不鳴，是在觀察朝野的動靜。這隻鳥雖然不飛，但將一飛沖天；雖然不鳴，但將一鳴驚人。你出去吧，寡人知道你的意思了。」成公賈高興地點頭走了。次日早朝，楚莊王提拔了五名大臣，同時罷免了十人。群臣興奮不已，老百姓也爭相道賀。[28]

【出處】

荊莊王立三年，不聽而好讔。成公賈入諫，王曰：「不穀禁諫者，今子諫，何故？」對曰：「臣非敢諫也，願與君王讔也。」王曰：「胡不設不穀矣？」對曰：「有鳥止於南方之阜，三年不動不飛不鳴，是何鳥也？」王射之，曰：「有鳥止於南方之阜，其三年不動，將以定志意也。其不飛，將以長羽翼也。其不鳴，將以覽民則也。是鳥雖無飛，飛將衝天。雖無鳴，鳴將駭人。賈出矣，不穀知之矣。」明日

27. 向莊王進諫打啞語的人，《史記》《呂氏春秋》《新序》等說法各不相同，包括伍舉、伍參、成公賈、蘇從、申無畏、士慶、右司馬等。

28. 《史記》〈滑稽列傳〉記載了類似故事，但主題變成了淳于髡諫齊威王。

朝，所進者五人，所退者十人。群臣大說，荊國之眾相賀也。(《呂氏春秋》〈審應覽・重言〉)

錘琴而破

　　楚莊王的時候，曾有一架名為「繞梁」的古琴驚現於世。「繞梁」的典故出於《列子》，說是韓國有一位歌手，名喚韓娥，在去齊國參賽的路上盤纏用光，萬般無奈之下，只好於雍門賣唱求食。她的歌聲淒美動聽，聽者無不痴迷感動。韓娥離開三天之後，人們仍能感覺到她的歌聲在屋梁之間迴蕩，令人回味無窮。此琴以「繞梁」為名，可見其音質之優美世所罕見。宋國的右師華元得到「繞梁」之後，知道莊王很喜愛音樂，就把它獻給了莊王。莊王自從得到「繞梁」之後，整天陶醉在琴樂之中，連續七天不上朝，把國家大事都拋諸腦後。樊姬異常焦慮，於是規勸楚莊王說：「君王，您過於沉迷音樂了，過去夏桀酷愛妹喜之瑟，從而招致殺身之禍；紂王誤聽靡靡之音，因此失去了江山社稷。現在君王如此喜愛繞梁之琴，七日不臨朝，難道也想要喪失國家和性命嗎？」莊王聞言陷入沉思。他無法抗拒「繞梁」的誘惑，只得忍痛割愛，命人以鐵如意將琴身碎為數段。從此，令人垂涎三尺的名琴「繞梁」成為絕響。

【出處】

　　宋華元獻楚莊王以繞梁之琴，鼓之，其聲裊裊，繞於梁間，循環不已。楚王樂之，七日不聽朝，其音始歇。樊姬進曰：「君淫於樂

矣。昔桀好妹喜之瑟而亡其身,紂聽靡靡之音而喪其國。今君繞梁是樂,七日弗朝,君樂亡身喪國乎?」於是以鐵如意錘琴而破之。(《說郛》〈古琴疏〉)

樊姬之力

楚莊王很晚才退朝回到後宮,樊姬問他原因,莊王說:「今天與賢相談話,不知不覺就晚了。」樊姬說:「賢相是誰?」莊王說:「是虞丘子。」樊姬掩嘴而笑。莊王問她為什麼笑,樊姬說:「我有幸侍奉大王,並非不想獨享專寵,是恐怕傷害君王的大義。所以經我推薦和我地位相同的已有數人。現虞丘子身居相位十幾年了,卻沒見他推薦過一位賢人。知道賢人而不舉薦,算不上忠臣;不知道賢人在哪裡,是不明智。不忠不智,又怎麼稱得上賢相呢?」次日上朝,莊王將樊姬的話告訴虞丘子,虞丘子面有慚色,對莊王說:「樊姬說得對。」於是向莊王提出辭去相位,並推薦孫叔敖繼任。孫叔敖擔任令尹後,盡心儘力輔佐莊王。莊王能成就霸業,這其中也有樊姬的功勞。[29]

29.《渚宮舊事》〈周代中〉說樊姬入宮十年,沒生兒子。她自責「寢專寵,眾妾不進,繼嗣不孳。王有偏施之過,妾有專愛之罪,此非大王全國之福」。莊王覺得她說得有理,遂使六姬更侍,得子六人。樊姬因之作歌:「忠信言兮從正不邪,眾妾進兮繼嗣多。」虞丘子即沈尹筮或沈尹巫、沈尹莖等。參見《新序》〈雜事第一〉。

【出處】

　　王嘗聽朝罷晏，姬下殿迎曰：「何罷晏也，得無饑倦乎？」王曰：「與賢者語，不知饑倦也。」姬曰：「王之所謂賢者何也？」曰：「虞丘子也。」姬掩口而笑，王曰：「姬之所笑何也？」曰：「虞丘子賢則賢矣，未忠也。」王曰：「何謂也？」對曰：「妾執巾櫛十一年，遣人之鄭衛，求美人進於王。今賢於妾者二人，同列者七人。妾豈不欲擅王之愛寵哉！妾聞『堂上兼女，所以觀人能也。』妾不能以私蔽公，欲王多見知人能也。今虞丘子相楚十餘年，所薦非子弟，則族昆弟，未聞進賢退不肖，是蔽君而塞賢路。知賢不進，是不忠；不知其賢，是不智也。妾之所笑，不亦可乎！」王悅。明日，王以姬言告虞丘子，丘子避席，不知所對。於是避舍，使人迎孫叔敖而進之，王以為令尹。治楚三年，而莊王以霸。楚史書曰：「莊王之霸，樊姬之力也。」（《古列女傳》〈賢明傳〉）

可富而不可貴

　　楚莊王因士慶進諫有功，拜他為令尹。士慶很高興，走出宮門時，左右觀望的大臣們笑著說：「我們的大王肯定會成就霸業。」中庶子聽說這件事後，去向莊王下跪說：「臣掌供御服，事奉君主已經十三年了，打仗時在前面為您遮擋飛矢，撤退時在後面為您保駕護航。大王將相印授予士慶卻不賜給微臣，看來臣已經離死不遠了。」莊王說：「我從前處境卑微的時候，你跟我談論的事情，內不及國家政治，外不及諸侯大事。像你這樣的人，可以富有，卻不能享有尊

貴。」於是讓人取出珍貴的璧玉賞賜給他，教導他說：「忠信是士人的品行，善言是士人的道路。道路不修，士人就無路可走了。」

【出處】

王大悅士慶之問，而拜之以為令尹，授之相印。士慶喜，出門顧左右笑曰：「吾王成王也。」中庶子聞之，跪而泣曰：「臣尚衣冠御郎十三年矣，前為豪矢，而後為藩蔽。王賜士慶相印而不賜臣，臣死將有日矣。」王曰：「寡人居泥塗中，子所與寡人言者，內不及國家，外不及諸侯。如子者，可富而不可貴也。」於是乃出其國寶璧玉以賜之。曰：「忠信者，士之行也；言語者，士之道路也。道路不修，士無所行矣。」（《新序》〈雜事第二〉）

莊王好獵

楚莊王喜歡打獵。有大夫進諫說：「晉楚兩國為敵，楚不謀晉，晉必圖楚。大王似乎有點沉湎於享樂了吧。」莊王回答說：「我打獵是為了借此考察物色人才。那些在荊棘叢生的灌木中刺殺虎豹的，我因此判斷出他的英武勇敢；那些敢於抓鬥犀牛的，我由此得知他強勁有力；田獵結束把自己的獵物分給他人的，我能感受到他的仁義。通過一次打獵，我就得到了三個人才。人才濟濟，國家才能因此而安定啊。」[30]

30.《呂氏春秋》〈仲春紀・情欲〉對楚莊王好獵提出批評，指出莊王喜歡狩獵遊玩，騎馬射箭，縱情享樂，而將治國的辛勞和為君的憂慮全部推給令尹孫叔敖。孫叔敖日夜勞累，不能愛惜生命，才使得楚莊王功勳卓著，流芳百世。

【出處】

楚莊王好獵，大夫諫曰：「晉楚敵國也，楚不謀晉，晉必謀楚，今王無乃耽於樂乎？」王曰：「吾獵將以求士也，其榛藂刺虎豹者，吾是以知其勇也；其攫犀搏兕者，吾是以知其勁有力也；罷田而分所得，吾是以知其仁也。因是道也，而得三士焉，楚國以安。」故曰「苟有志則無非事者」，此之謂也。（《說苑》〈君道〉）

日中忘飯

楚莊王征服鄭國之後，又打敗了前來救援的晉國軍隊。其間將軍子重多次進言不當，莊王為此深感鬱悶和孤獨。回國的時候經過申侯的封地，申侯設宴招待莊王，莊王卻沒有食慾。申侯以為自己有錯，向莊王請罪。莊王嘆息說：「我聽說如果國君賢能，身邊又有賢臣輔佐，就可以實現王道；如果國君的才能中等，身邊有賢臣輔佐，可以成就霸業；如果國君的才能下等，而群臣的才幹反而不如君主，就有亡國的危險。現在我的才能屬於下等，身邊的臣子才幹還不如我，我擔心國家因此衰亡。世上的聖人從未滅絕，有才幹的人那麼多，怎麼只有我得不到呢？像我這樣提心吊膽地活著，哪還有心思吃飯呢？」莊王靠武力使大國降服、憑仁義使諸侯服從，仍然憂慮不安，嘆息自己不才，擔心聖明和才智遜於別人，渴望得到賢才的輔佐，甚至到了廢寢忘食的地步，這樣的君主，難道還稱不上明君嗎？

【出處】

　　楚莊王既服鄭伯，敗晉師，將軍子重三言而不當。莊王歸，過申侯之邑，申侯進飯，日中而王不食，申侯請罪，莊王喟然嘆曰：「吾聞之，其君賢者也，而又有師者王；其君中君也，而又有師者霸；其君下君也，而群臣又莫若君者亡。今我，下君也，而群臣又莫若不穀，不穀恐亡。且世不絕聖，國不絕賢，天下有賢而我獨不得，若吾生者，何以食為？」故戰服大國，義從諸侯，戚然憂恐，聖知不在乎身，自惜不肖，思得賢佐，日中忘飯，可謂明君矣。（《說苑》〈君道〉）

滅燭絕纓

　　楚莊王在漸臺大擺酒宴，邀請隨他出征的武將們暢飲，又讓後宮的嬪妃們歌舞助興。酒宴從傍晚一直延續到天黑掌燈。酒興正濃的時候，突然一陣風起，吹滅了蠟燭。有位大臣喝高了，趁著黑燈瞎火的機會上前拉拽莊王美姬的衣服。美姬情急之下，伸手扯下了這位大臣頭上的帽帶（冠纓），悄悄去向莊王投訴說：「剛才燭滅的時候，有人撕扯我的衣服，我把他的帽帶折斷了。待會兒燈亮的時候，看看大家的帽子，就知道是誰幹的了。」莊王說：「今天是我宴請群臣。酒醉失禮，情有可諒。怎麼能為了顯示婦人的貞節而讓勇士們受到羞辱呢？」於是傳令左右說：「今日群臣共飲，不扯掉帽帶就不算盡興。」於是群臣響應，一百多位赴宴者全部扯斷了帽帶。然後莊王吩咐重新掌燈。當晚赴宴者盡歡而散。過了兩年，楚國與晉國開戰。有位戰將

表現得異常勇武，每次上陣都衝到最前面，五次交戰五次斬獲敵人的首級。戰勝晉軍之後，莊王覺得奇怪，就問這位戰將說：「寡人德行淺薄，對你又沒有什麼特別的恩寵，為什麼你如此拚命而毫無畏懼呢？」戰將回答說：「臣本當死罪。大王還記得兩年前絕纓之宴的事嗎？微臣醉後失禮，大王卻寬恕臣的罪過不忍加誅。從那天起，臣一直心懷必死之心，只想肝腦塗地，以回報大王的恩德。」擊敗晉國後，楚國得以強大。

【出處】

楚莊王賜群臣酒，日暮，酒酣，燈燭滅，乃有人引美人之衣者，美人援絕其冠纓，告王曰：「今者燭滅，有引妾衣者，妾援得其冠纓，持之，趣火來上，視絕纓者。」王曰：「賜人酒，使醉失禮，奈何欲顯婦人之節而辱士乎？」乃命左右曰：「今日與寡人飲，不絕冠纓者不歡。」群臣百有餘人皆絕去其冠纓而上火，卒盡歡而罷。居二年，晉與楚戰，有一臣常在前，五合五獲首，卻敵，卒得勝之。莊王怪而問曰：「寡人德薄，又未嘗異子，子何故出死不疑如是？」對曰：「臣當死。往者醉失禮，王隱忍不暴而誅也。臣終不敢以蔭蔽之德而不顯報王也，常願肝腦塗地，用頸血濺敵，久矣。臣乃夜絕纓者。」遂斥晉軍，楚得以強。此有陰德者必有陽報也。（《說苑》〈復恩〉）

在德不在鼎

魯宣公三年，莊王發兵攻打陸渾的戎人，隨後到達洛水，在周王朝的轄地內陳兵示威。周定王派王孫滿前往慰勞。楚莊王向王孫滿詢問九鼎的大小輕重。王孫滿回答說：「鼎的大小輕重，在於德而不在鼎本身。從前夏朝有德的時候，繪出區分神明和奸邪的圖像，讓九州的長官進貢銅器，而後鑄造九鼎，把這些圖像都鑄在鼎上，讓老百姓知道神明和奸邪。所以老百姓進入川澤山林，知道怎樣躲避螭魅魍魎，因而能使上下和諧，以承受上天的福佑。夏桀昏亂，把鼎遷到了商朝，前後六百年。商紂暴虐，鼎又遷到了周朝。德行如果美善光明，鼎雖然小，也是重的；如果奸邪昏亂，鼎雖然大，也是輕的。上天賜福給明德的人，是有一定期限的。成王把九鼎固定在郟鄏，占卜的結果是傳世三十代，享國七百年，這是上天的安排。周朝的德行雖然衰微，天命並沒有改變。鼎的輕重，實在無可奉告。」

【出處】

楚子伐陸渾之戎，遂至於洛，觀兵於周疆。定王使王孫滿勞楚子。楚子問鼎之大小、輕重焉。對曰：「在德不在鼎。昔夏之方有德也，遠方圖物，貢金九牧，鑄鼎象物，百物而為之備，使民知神、奸。故民入川澤、山林，不逢不若。螭魅罔兩，莫能逢之。用能協於上下，以承天休。桀有昏德，鼎遷於商，載祀六百。商紂暴虐，鼎遷於周。德之休明，雖小，重也。其奸回昏亂，雖大，輕也。天祚明德，有所底止。成王定鼎於郟鄏，卜世三十，卜年七百，天所命也。

在德不在鼎

周德雖衰，天命未改。鼎之輕重，未可問也。」（《左傳》〈宣公三年〉）

若敖鬼餒

　　起初，子文得知弟弟司馬子良生子子越（鬭越椒），前往探望，一見嬰兒，不覺大吃一驚。子良見狀，忙問怎麼回事。子文說：「你看這孩子，有熊虎之狀而聲如豺狼，將來必有狼子野心，不可蓄養！」子文從家族的前途考慮，力勸子良殺子。子良嘗試再三，終於不忍下手。子越長大後，孔武有力，英勇善戰，成為鬭氏家族的一員驍將。子文臨死前對子越仍然耿耿於懷，對守在身邊的鬭氏成員說：「如果子越做了令尹，你們一定要趕快逃命，因為滅族之禍已經不遠。」子文最後以十分悲哀的語調說：「鬼尚且要求食，若敖氏家族的鬼魂恐怕會因無人祭祀而挨餓啊！」成王死後，繼立的楚穆王多次派子越出使列國。子越態度傲慢，性格強橫，令諸國不快。楚莊王繼立後，子越幾經周折，終於爬上了令尹的高位。魯宣公四年，楚莊王北伐渾戎、問鼎中原歸來，子越殺死孫叔敖的父親蒍賈，率領叛軍與莊王的凱旋之師在皋滸隔河相望。楚莊王提出以三王之子作人質，子越向莊王射出兩支利箭作為回答。第一箭飛過車轅，穿過鼓架，紮在銅鉦之上；第二箭飛過車轅，直透車蓋。莊王身邊一陣騷動，將士面有驚恐之色。莊王卻十分鎮定，讓侍從傳話說：「先君文王當年攻克息國，得到了三支利箭，被子越偷去兩支，已經用完，大家不必驚

慌。」這時，神箭手養由基出場，只一箭就射穿了子越的咽喉。[31]子越叛亂失敗，楚莊王趁勢掩殺若敖氏二宗[32]，百年權族頃刻覆滅，只有出使齊國的鬭克黃（子文之孫）一人倖免。鬭克黃坦然歸國覆命。莊王以「子文無後，何以勸善」為由，使其官復原職，避免了「若敖鬼餒」的預言成為殘酷的現實。[33]

【出處】

初，楚司馬子良生子越椒。子文曰：「必殺之。是子也，熊虎之狀而豺狼之聲，弗殺，必滅若敖氏矣。諺曰：『狼子野心。』是乃狼也，其可畜乎？」子良不可。子文以為大戚，及將死，聚其族，曰：「椒也知政，乃速行矣，無及於難。」且泣曰：「鬼猶求食，若敖氏之鬼，不其餒而？」及令尹子文卒，鬭般為令尹，子越為司馬。蔿賈為工正，譖子揚而殺之，子越為令尹，己為司馬。子越又惡之，乃以若敖氏之族圉伯嬴於轑陽而殺之，遂處烝野，將攻王。王以三王之子為質焉，弗受，師於漳澨。秋七月戊戌，楚子與若敖氏戰於皋滸。伯棼射王，汏輈，及鼓跗，著於丁寧。又射，汏輈，以貫笠轂。師懼，退。王使巡師曰：「吾先君文王克息，獲三矢焉，伯棼竊其二，盡於是矣。」鼓而進之，遂滅若敖氏。……其孫箴尹克黃使於齊，還及宋，聞亂。其人曰：「不可以入矣。」箴尹曰：「棄君之命，獨誰受

---

31. 一說子越椒為潘黨射殺。

32. 即鬭氏和成氏。

33. 據說項氏屬於鬭氏家族中分衍的一支，項梁、項羽、項伯等人皆為秦漢之際的風雲人物。另據應劭《風俗通》，鬭班的後代以班為姓。《漢書》作者班固也自稱「班氏之先，與楚同姓」。

之？尹，天也，天可逃乎？」遂歸，覆命，而自拘於司敗。王思子文之治楚國也，曰：「子文無後，何以勸善？」使復其所，改命曰生。（《左傳》〈宣公四年〉）

止戈為武

　　邲之戰大勝後，楚軍駐紮在衡雍。楚將潘黨對楚莊王說：「君王何不收集晉國人的屍首，在黃河岸邊築一座京觀？[34]臣聽說戰勝強敵一定要留下紀念物給子孫看，表示不忘武功。」楚莊王搖頭說：「不是你說的那樣。什麼叫武？武的意思就是『止戈』。國家用武是為了禁止強暴、消滅戰爭、保持強大、鞏固功業、安定百姓、調和大眾、豐富財物，做到了這七件事，才可以昭示後世子孫牢記武功。現在我讓兩國士兵暴屍野外，這是殘暴；出動軍隊威嚇諸侯，無助於平息戰爭。殘暴而戰事頻頻，哪能保持強大？強晉仍然存在，哪裡談得上大功告成？百姓的願望遠未滿足，又怎能說民心安定？自己無德還強行與諸侯征戰，又怎能讓列國信服？乘人危難而撈取好處，又何談致富？武有七德，我連一項都不具備，有什麼好向後世子孫炫耀的呢？不過可以為先君修建宗廟，祭告終於完成了先輩的夙願。用武並不是我的人生追求，古代聖明的君王征伐忤逆的國家，擇其首惡而懲戒，才會築京觀以儆傚尤。現在並不能明確晉國有多大罪惡，陣亡的戰士都是為自己的國家盡忠，怎麼能將他們築為京觀呢？」於是莊王下令

---

34. 所謂「築京觀」，就是將敵軍的屍體堆積一處，蓋土夯實，形成金字塔形的封堆，以紀念戰爭的勝利。

將晉軍陣亡的將士妥善埋葬，接著在黃河邊祭祀了河神，修建了先君的神廟，祭告戰爭勝利，然後返回楚國。

【出處】

丙辰，楚重至於邲，遂次于衡雍。潘黨曰：「君盍築武軍而收晉屍以為京觀？臣聞克敵必示子孫，以無忘武功。」楚子曰：「非爾所知也。夫文，止戈為武。武王克商。作《頌》曰：『載戢干戈，載櫜弓矢。我求懿德，肆於時夏，允王保之。』又作《武》，其卒章曰：『耆定爾功。』其三曰：『鋪時繹思，我徂維求定。』其六曰：『綏萬邦，屢豐年。』夫武，禁暴、戢兵、保大、定功、安民、和眾、豐財者也，故使子孫無忘其章。今我使二國暴骨，暴矣；觀兵以威諸侯，兵不戢矣。暴而不戢，安能保大？猶有晉在，焉得定功？所違民欲猶多，民何安焉？無德而強爭諸侯，何以和眾？利人之幾，而安人之亂，以為己榮，何以豐財？武有七德，我無一焉，何以示子孫？其為先君宮，告成事而已，武非吾功也。古者明王伐不敬，取其鯨鯢而封之，以為大戮，於是乎有京觀以懲淫慝。今罪無所，而民皆盡忠以死君命，又可以為京觀乎？」祀於河，作先君宮，告成事而還。（《左傳》〈宣公十二年〉）

師人多寒

楚莊王攻打蕭國的時候，申公巫臣告訴他說，戰士們都覺得天氣很寒冷。於是莊王巡視三軍，噓寒問暖，戰士們都覺得身上像披了絲綿一樣，感到心裡暖烘烘的。

【出處】

冬，楚子伐蕭，宋華椒以蔡人救蕭。蕭人囚熊相宜僚及公子丙。王曰：「勿殺，吾退。」蕭人殺之。王怒，遂圍蕭。蕭潰。申公巫臣曰：「師人多寒。」王巡三軍，拊而勉之，三軍之士皆如挾纊。遂傅於蕭。（《左傳》〈宣公十二年〉）

天雨雪，楚莊王披裘當戶，曰：「我猶寒，彼百姓賓客甚矣。」乃遣使巡國中，求百姓賓客之無居宿、絕糧者，賑之。國人大悅。（《尸子》下卷）

莊王射兕

楚莊王出獵雲夢，射中一頭隨兕[35]，莊王讓人上前收穫戰利品，發現隨兕已被申公子培搶先奪走，佔為己有。莊王非常生氣，說：「豈有此理！」傳令殺掉子培。一旁的大夫勸諫說：「子培是大家都知曉的賢人，又是大王忠心耿耿的大臣，他這樣做必有原因。請您察明事情真相後再作決斷吧。」不到三個月，子培生病而死。不久，晉楚邲之戰以楚軍大勝告終。得勝歸來論功行賞的時候，申公子培的弟弟也上前向莊王請賞：「別人在與晉國作戰時立下戰功，我哥哥也曾在大王車下立功。」莊王說：「你哥哥病死了也就算了，他過去冒犯我，我還沒追究呢，哪來的立功之說？」子培的弟弟回答說：「我哥哥曾經讀過古書《故記》，書中記載說，射中隨兕的人，不出三個月

---

35. 隨兕，傳說中的惡獸；一說科雉，謂尚在窠中的雛雉。

必死。我哥哥見您射中了隨兕，大為驚恐，所以搶在大王之前佔為己有。這正是他不出三月而病死的原因啊。」莊王深感驚異，令人打開王府的書庫查閱古籍，果然發現古書中載有此條禁忌，於是厚賞了申公家族。

【出處】

荊莊哀王獵於雲夢，射隨兕，中之。申公子培劫王而奪之。王曰：「何其暴而不敬也？」命吏誅之。左右大夫皆進諫曰：「子培，賢者也，又為王百倍之臣，此必有故，願察之也。」不出三月，子培疾而死。荊興師，戰於兩棠，大勝晉，歸而賞有功者。申公子培之弟進請賞於吏，曰：「人之有功也於軍旅，臣兄之有功也於車下。」王曰：「何謂也？」對曰：「臣之兄犯暴不敬之名，觸死亡之罪於王之側，其愚心將以忠於君王之身，而持千歲之壽也。臣之兄嘗讀故記曰：『殺隨兕者，不出三月。』是以臣之兄驚懼而爭之，故伏其罪而死。」王令人發平府而視之，於故記果有，乃厚賞之。申公子培，其忠也可謂穆行矣。穆行之意，人知之不為勸，人不知不為沮，行無高乎此矣。（《呂氏春秋》〈仲冬紀‧至忠〉）

上下離心

莊王想要攻打晉國，就派豚尹去打探消息。豚尹回來說：「晉國不適宜征伐。它的上層官員都有憂患意識，老百姓對生活很滿足，況且還有個賢臣叫沈駒。」第二年，莊王又派豚尹去打探。豚尹回來

說：「可以攻打晉國了。當初的賢人已死，現在君主身邊多是些阿諛奉承之人，晉君貪圖享樂而不知禮節，老百姓因生活艱難而怨聲重重，上下離心離德，出兵伐晉一定獲勝。」莊王於是出兵伐晉，果然取得勝利。

【出處】

莊王欲伐晉，使豚尹觀焉。返曰：「不可伐也。其憂在上，其樂在下，且有賢臣曰沈駒。」明年，又使豚尹觀焉。返曰：「可。初之賢人死矣，諂諛在君之廬，其君好樂而無禮，民危處以怨上。上下離心，伐之必克。」王從之，果然。（《渚宮舊事》〈周代上〉）

要其人不要其土

楚莊王打敗鄭國。鄭襄公光著上身，左手舉著旌旗，右手握著鸞刀迎接莊王。莊王親自用手揮動旌旗，左右指揮軍隊後退三十里。將軍子重進諫說：「南郢與鄭國，相距幾千里，戰死了好幾個大夫，士兵也死了幾百人。現在君王取勝而不佔有鄭國，豈不是白白浪費了人力嗎？」楚莊王說：「古時候盂不磨損，裘不敗壞，就不會出去征伐四方。因此君子重視禮義而輕視錢財，要的是對方服罪而不貪圖國土。人家表示服罪還不放過，是居心不良。如果我居心不良，上天就會降禍於我。」於是就與鄭國講和。

　　莊王敗鄭。鄭伯肉袒，左執旌旄，右執鸞刀以逆。王親手旄，左右麾軍退舍。將軍子重進曰：「南郢之與鄭，相去數千里，諸大夫死者數人，廝役扈養死者數百人。今君王勝而不有，無乃失人臣之力乎？」王曰：「古者盂不穿、皮不蠹，則不出於四方。是以君子重於禮而薄於利，要其人不要其土。告從不赦，不祥。吾以不祥災及吾身。」遂與之平。（《渚宮舊事》〈周代上〉）

肉其足食

　　邲之戰前，楚莊王率軍北上，準備飲馬黃河而歸。聽說晉軍渡過黃河，莊王想要退兵，寵臣伍參主戰，令尹孫叔敖主和。孫叔敖說：「去年攻打陳國，今年攻打鄭國，戰事頻頻。如果戰而不勝，吃了伍參的肉也沒用啊。」伍參反駁說：「如果戰而能勝，說明令尹無謀；如果戰而不勝，我的肉將在晉軍那裡，怎麼吃得到呢？」孫叔敖下令掉轉車頭，準備退兵。伍參仍不甘心，對莊王說：「晉軍主帥荀林父是個新人，沒有什麼威信，副手先縠剛愎不仁，其他三個統帥也專權行事，無所適從。如果開戰，晉軍必敗。再說大王親自出征，晉國以荀林父為主帥，楚軍撤退，是國君逃避臣下，大王豈能蒙受這種恥辱呢。」莊王聽了頗不高興，於是命令孫叔敖重新掉轉車頭，駐紮在管地等候晉軍。

【出處】

楚子北師次於郔。沈尹將中軍，子重將左，子反將右，將飲馬於河而歸。聞晉師既濟，王欲還，嬖人伍參欲戰。令尹孫叔敖弗欲，曰：「昔歲入陳，今茲入鄭，不無事矣。戰而不捷，參之肉其足食乎？」參曰：「若事之捷，孫叔為無謀矣。不捷，參之肉將在晉軍，可得食乎？」令尹南轅反旆，伍參言於王曰：「晉之從政者新，未能行令。其佐先縠剛愎不仁，未肯用命。其三帥者，專行不獲。聽而無上，眾誰適從？此行也，晉師必敗。且君而逃臣，若社稷何？」王病之，告令尹改乘轅而北之，次於管以待之。（《左傳》〈宣公十二年〉）

先聲奪人

鄭國為擇強而從，在晉楚兩邊挑唆，力促晉楚一戰。晉軍中的魏錡、趙旃出於私利，蓄意挑起戰事，晉國人害怕魏錡、趙旃惹怒楚軍，就派駐守的兵車前來接應。楚將潘黨遠望晉軍方向塵土飛揚，急忙派戰車回報莊王，說晉國的軍隊來了。此時孫叔敖顯得異常鎮定，果斷下達進攻命令說：「前進！寧可我軍迫近敵人，也不能讓敵人迫近我們。《詩經》和《軍志》[36]中都有先發制人的說法。」於是楚軍全部出動，戰車疾速奔馳，士卒奮勇爭先。晉軍主帥荀林父見楚軍銳不可當，在軍中擂鼓說：「先過河者有賞！」晉軍於是放棄抵抗，爭先恐後搶奪船隻過河，先上船的人用刀砍斷後來者攀著船舷的手指，船中砍斷的手指多得可以用手捧起來。……黃昏的時候，楚軍進駐邲

36.《軍志》是我國迄今為止發現的最早的兵書之一，但是早已散佚。

地。晉國殘存的部隊潰不成軍，渡河的聲音喧鬧了一整夜。

【出處】

　　潘黨既逐魏錡，趙旃夜至於楚軍，席於軍門之外，使其徒入之。楚子為乘廣三十乘，分為左右。右廣雞鳴而駕，日中而說；左則受之，日入而說。許偃御右廣，養由基為右；彭名御左廣，屈蕩為右。乙卯，王乘左廣以逐趙旃。趙旃棄車而走林，屈蕩搏之，得其甲裳。晉人懼二子之怒楚師也，使軘車逆之。潘黨望其塵，使騁而告曰：「晉師至矣！」楚人亦懼王之入晉軍也，遂出陣。孫叔曰：「進之！寧我薄人，無人薄我。《詩》云『元戎十乘，以先啟行』[37]。先人也。《軍志》曰『先人有奪人之心』，薄之也。」遂疾進師，車馳卒奔，乘晉軍。桓子不知所為，鼓於軍中曰：「先濟者有賞。」中軍、下軍爭舟，舟中之指可掬也。……及昏，楚師軍於邲。晉之餘師不能軍，宵濟，亦終夜有聲。（《左傳》〈宣公十二年〉）

射麋麗龜

　　邲之戰時，楚軍得知晉軍將帥不和，於是派使者向晉軍求和以麻痺晉軍。但在約定了會盟日期之後，又突遣許伯、樂伯、攝叔駕戰車衝入晉軍陣地挑戰。攝叔跳進軍壘，殺一人取其左耳，生俘一人而還。晉人奮力追趕，兩面夾攻。樂伯左右開弓，左邊射馬，右邊射人，使晉軍不敢貿然前進。只剩下一支箭的時候，樂伯看見前面出現

37.「元戎十乘，以先啟行」，出自《詩經》〈小雅・六月〉。

一隻麋鹿，於是一箭射中麋鹿背部。晉國將領鮑癸正在後面追趕，樂伯讓攝叔拿著麋鹿獻給他說：「今年還沒到狩獵的時候，大家都還沒吃野味，就把這只麋鹿送給你們打打牙祭吧。」鮑癸收下麋鹿，阻止部下繼續追趕，說：「他們的車左也善於射箭，車右則善於辭令，三人都是君子啊。」因此樂伯等三人免於被俘。

【出處】

楚子又使求成於晉，晉人許之，盟有日矣。楚許伯御樂伯，攝叔為右，以致晉師。許伯曰：「吾聞致師者，御靡旌、摩壘而還。」樂伯曰：「吾聞致師者，左射以菆，代御執轡，御下，兩馬、掉鞅而還。」攝叔曰：「吾聞致師者，右入壘，折馘、執俘而還。」皆行其所聞而復。晉人逐之，左右角之。樂伯左射馬而右射人，角不能進，矢一而已。麋興於前，射麋麗龜。晉鮑癸當其後，使攝叔奉麋獻焉，曰：「以歲之非時，獻禽之未至，敢膳諸從者。」鮑癸止之，曰：「其左善射，其右有辭，君子也。」既免。（《左傳》〈宣公十二年〉）

大國數奔

邲之戰，晉軍主帥荀林父擂動戰鼓催士兵們逃命。逃跑中有戰車陷入泥坑不能撤退，士兵們非常焦急。追趕的楚國士兵便教他們抽出車前的橫木。沒跑多遠，馬又盤旋無法前行。楚國士兵又讓他們拔掉大旗，扔掉車子轅頭上的橫木。晉軍士兵一一照辦。他們一邊逃跑，

一邊回頭感嘆說：「還是你們大國的人有逃跑的經驗啊。」[38]

【出處】

晉人或以廣隊不能進，楚人惎之脫扃。少進，馬還，又惎之拔旆投衡，乃出。顧曰：「吾不如大國之數奔也。」（《左傳》〈宣公十二年〉）

鄭昭宋聾

魯宣公十四年，楚莊王派申無畏（申舟）出使齊國，並告訴他，經過宋國時不要向宋國借路。又派公子馮出使晉國，也不許他向鄭國借路。申舟聽了莊王的安排，對莊王說：「鄭國明白，宋國糊塗。公子馮出使晉國不會有事，我則必死。」原來，魯文公十年的時候，楚穆王與宋昭公、鄭穆公曾經會獵於孟諸。申舟當時擔任左司馬，因為宋昭公未按規定攜帶取火工具，申舟認為有違司馬之命，當眾鞭笞了宋昭公的僕從並遍示全軍。有人責怪他不該當眾羞辱宋國國君，申舟說：「我是按照司馬的職責辦事，有什麼強橫？」因為有這一過節，所以申舟知道前程不妙。莊王安慰他說：「如果宋國人膽敢殺你，我一定為你報仇。」申舟回家辭行，含著眼淚對兒子申犀說：「大王讓我經過宋國不打招呼，是要尋找伐宋的理由。我此行必死。我死之後，你一定要敦促大王為我報仇。」

---

38. 在春秋晉楚兩國的爭霸戰中，晉軍一直佔據上風。好不容易大勝一回，揚眉吐氣的楚軍士兵終於可以盡情地忽悠和嘲弄晉軍士兵了。

楚子使申舟聘於齊，曰：「無假道於宋。」亦使公子馮聘於晉，不假道於鄭。申舟以孟諸之役惡宋，曰：「鄭昭宋聾，晉使不害，我則必死。」王曰：「殺女，我伐之。」見犀而行。（《左傳》〈宣公十四年〉）

宋公違命，無畏抶其僕以徇。或謂子舟曰：「國君不可戮也。」子舟曰：「當官而行，何強之有？《詩》曰：『剛亦不吐，柔亦不茹。』『毋縱詭隨，以謹罔極。』是亦非辟強也。敢愛死以亂官乎？」（《左傳》〈文公十年〉）

投袂而起

楚莊王派文無畏[39]出使齊國，途經宋國，沒有事先借道。等他返回的時候，華元對宋昭公說：「楚王派文無畏出使齊國，經過宋國而不借路，是因為從前您與楚王一起打獵，文無畏曾經鞭打過您的車伕，楚王想借此激怒您。過境不打招呼是故意羞辱宋國，把宋國視為滅亡之國；殺死楚國使者必然遭到攻擊，最壞的結果也是亡國，兩者之間沒什麼不同。陛下沒必要再饒恕文無畏了。」於是宋昭公派人截住文無畏，將他殺死於揚梁之堤。楚莊王正悠閒地把手攏在衣袖裡，聽到消息後說：「哼！」之後拂袖而出，來不及穿鞋、佩劍、乘車。奉鞋的侍從追到庭院中才給他穿上鞋，奉劍的侍從追到寢門才給他佩

---

39. 文無畏，即申無畏。

上劍，駕車的馭者追到蒲疏街市上才讓他乘上車。接著住到郊外，發兵圍困宋國九個月。宋國人彼此交換孩子殺死充飢，劈開屍骨來燒火做飯。宋國君主脫去衣服，露出臂膀，牽著純色牲口來表示屈服，述說困苦狀況說：「貴國如果打算赦免我的罪過，我將唯命是從。」莊王說：「宋國君主的話很誠懇啊！」因此就後退了四十里，駐紮在盧門，兩國議和以後返回楚國。大凡事情的根本在於君主，君主的弊病在於重事而輕人。輕視人，就會處於困境。現在臣子死得冤枉，楚莊王親自統率士兵出征，可以說是不輕視人了。宋國君主表示屈服，述說困苦狀況後莊王就退軍了，可以說是走出了困境。楚莊王在漢水之北盟會諸侯，回國之後用飲至之禮[40]向祖先報功。之所以能如此，大概是因為他一進一退都根據義的原則吧，單憑武力強大是不足以達到這種地步的。

【出處】

楚莊王使文無畏於齊，過於宋，不先假道。還反，華元言於宋昭公曰：「往不假道，來不假道，是以宋為野鄙也。楚之會田也，故鞭君之僕於孟諸。請誅之。」乃殺文無畏於揚梁之堤。莊王方削袂，聞之曰：「嘻！」投袂而起，履及諸庭，劍及諸門，車及之蒲疏之市，遂舍於郊，興師圍宋九月。宋人易子而食之，析骨而爨之。宋公肉袒執犧，委服告病，曰：「大國若宥圖之，唯命是聽。」莊王曰：「情矣宋公之言也！」乃為卻四十里，而舍於盧門之闔，所以為成而歸也。凡事之本在人主，人主之患，在先事而簡人，簡人則事窮矣。今

---

40. 飲至之禮：上古諸侯朝會盟伐完畢，祭告宗廟並飲酒慶祝的典禮。後代指出征奏凱，至宗廟祭祀宴飲慶功之禮。

人臣死而不當，親帥士民以討其故，可謂不簡人矣。宋公服以病告而還師，可謂不窮矣。夫舍諸侯於漢陽而飲至者，其以義進退邪？強不足以成此也。（《呂氏春秋》〈恃君覽・行論〉）

承命為信

　　晉大夫解揚路過鄭國時，被鄭國人囚禁起來獻給了楚國。楚莊王給予他很多賄賂，讓他把話反過來說。解揚先不答應，經反覆勸說後才答應。楚國人把解揚帶到城牆邊，讓他登上樓車，按楚國人的要求向宋國人喊話。解揚卻乘機傳達了晉君的命令。楚莊王非常憤怒，斥責解揚說：「你既然答應我了，為什麼又出爾反爾？既然你不講信用，那就去接受你應有的處罰吧！」解揚辯解說：「臣聽說，國君的命令就是道義，下臣遵照命令去做就是信用。道義只有一種，也不可能有接受兩種命令的信用。君王賄賂下臣，要下臣放棄原有的道義和信用，臣寧可一死也做不到。下臣答應您，只是為了藉機完成國君的使命。因完成使命而死，這是下臣的福氣。我們的國君有忠誠可信的臣子，我又能完成使命而死，還有什麼可遺憾的呢？」楚莊王本來想處死解揚，聽了他的一番話，便赦免了他並放他回國。

【出處】

　　使解揚如宋，使無降楚，曰：「晉師惡起，將至矣。」鄭人囚而獻諸楚。楚子厚賂之，使反其言。不許。三而許之。登諸樓車，使呼宋人而告之。遂致其君命。楚子將殺之，使與之言曰：「爾既許不

穀而反之，何故？非我無信，女則棄之。速即爾刑。」對曰：「臣聞之，君能制命為義，臣能承命為信，信載義而行之為利。謀不失利，以衛社稷，民之主也。義無二信，信無二命。君之賂臣，不知命也。受命以出，有死無霣，又可賂乎？臣之許君，以成命也。死而成命，臣之祿也。寡君有信臣，下臣獲考死，又何求？」楚子舍之以歸。（《左傳》〈宣公十五年〉）

築室反耕

　　魯宣公十五年夏五月，楚莊王打算撤軍，申犀在莊王馬前哭泣說：「我父親無畏知道必死也不敢違背君王的命令，君王卻食言了。」莊王無語。謀臣申叔時提出建議說：「不如我們做出長期駐紮的姿態，宋人看見我們修築房屋，翻地耕種，一定會聽從我們的命令。」莊王採納了申叔時的意見。宋人果然十分恐懼。華元於深夜翻越城牆潛入楚帥子反的寢室，將其挾持，對他說：「我們的國君使我以實際困難相告。雖然易子而食，析骨而炊，但要宋國簽訂喪權辱國的城下之盟，臨死不從。但若楚軍退後三十里，宋國將唯命是聽。」子反被華元所制，也以實相告說：「我們的糧食也僅夠吃七天了。」子反與華元訂立盟約後向莊王匯報。莊王很生氣，說：「你怎麼能把我軍的底細告訴宋人呢？」子反說：「區區宋國猶有不欺之臣，楚國難道反而不能以誠相待嗎？」莊王說：「雖然如此，我們還是應該戰勝宋國再收兵。」子反說：「我已與華元訂立盟約。大王堅持要戰，臣只能請辭回國。」莊王無奈說：「既然如此，那就收兵吧。」於是傳令退

後三十里，與宋國達成盟約。後人稱讚華元以實情告知子反，終於解宋楚之圍，當記首功。

【出處】

　　夏五月，楚師將去宋。申犀稽首於王之馬前，曰：「毋畏知死而不敢廢王命，王棄言焉。」王不能答。申叔時僕，曰：「築室反耕者，宋必聽命。」從之。宋人懼，使華元夜入楚師，登子反之床，起之，曰：「寡君使元以病告，曰：『敝邑易子而食，析骸以爨。雖然，城下之盟，有以國斃，不能從也。去我三十里，唯命是聽。』」子反懼，與之盟，而告王。退三十里，宋及楚平。華元為質。盟曰：「我無爾詐，爾無我虞。」（《左傳》〈宣公十五年〉）

蹊田奪牛

　　陳靈公與夏姬淫亂，被夏姬的兒子夏徵舒射殺於馬廄。一同參與淫亂的孔寧、儀行父逃亡楚國，向楚莊王隱瞞合夥淫亂的真相，只講司馬夏徵舒犯上作亂殺死了陳靈公。魯宣公十一年冬，楚莊王出兵陳國，將夏徵舒車裂於栗門，並傚傚以往滅申、滅息的例子，趁勢將陳國變為楚國的一個縣。申叔時出使齊國回來，進宮向莊王匯報出使情況後退下。莊王使人責備他說：「夏徵舒無道殺死他的國君，我號令諸侯討伐他將他處死，列國諸侯和楚國縣公都向我稱賀，你卻不聞不問，是什麼緣故呢？」申叔時返回朝堂對莊王說：「可以辯解一下嗎？」莊王說：「請講吧。」申叔時說：「夏徵舒殺死國君，罪惡很

大；討伐他殺死他，這是君王在主持正義。但君王接下來的行為，就好比蹊田奪牛了。」莊王問說：「什麼叫蹊田奪牛？」申叔時說：「意思是牛踩踏了莊稼，莊稼的主人就要把這頭牛牽走。牛踩踏莊稼當然有錯，但奪走人家的耕牛，這懲罰也未免太重了。諸侯跟隨君王去討伐有罪的人，現在君王把陳國變成楚國的一個縣，不外乎貪圖它的富有。以伐罪的名義號令諸侯，而以貪婪的行為結束，這有什麼好祝賀的呢？」莊王尷尬地笑著說：「講得好，看來是我錯了。那就聽從你的建議，馬上還牛，可以嗎？」於是讓陳國復國，派人接回逃往晉國的太子嬀午回國繼位，就是後來的陳成公。[41]

【出處】

申叔時使於齊，反，覆命而退。王使讓之，曰：「夏徵舒為不道，弒其君，寡人以諸侯討而戮之，諸侯、縣公皆慶寡人，女獨不慶寡人，何故？」對曰：「猶可辭乎？」王曰：「可哉！」曰：「夏徵舒弒其君，其罪大矣，討而戮之，君之義也。抑人亦有言曰：『牽牛以蹊人之田，而奪之牛。』牽牛以蹊者，信有罪矣；而奪之牛，罰已重矣。諸侯之從也，曰討有罪也。今縣陳，貪其富也。以討召諸侯，而以貪歸之，無乃不可乎？」王曰：「善哉！吾未之聞也。反之，可乎？」對曰：「吾儕小人所謂取諸其懷而與之也。」乃復封陳。鄉取一人焉以歸，謂之夏州。（《左傳》〈宣公十一年〉）

十六年，伐陳，殺夏徵舒。徵舒弒其君，故誅之也。已破陳，即

---

41. 楚莊王不甘心兩手空空，於是吩咐從陳國每鄉抽取一戶人家來楚國，將他們歸積一處管理，取地名為夏州。武漢古稱江夏，大概與這次遷徙有關。

縣之。群臣皆賀，申叔時使齊來，不賀。王問，對曰：「鄙語曰，牽牛徑人田，田主取其牛。徑者則不直矣，取之牛不亦甚乎？且王以陳之亂而率諸侯伐之，以義伐之而貪其縣，亦何以復令於天下！」莊王乃復國陳後。（《史記》〈楚世家〉）

陳國可伐

楚莊王想要攻打陳國，派使者到陳國去探看情況。使者回來匯報說：「不可以攻打陳國。」莊王問：「為什麼呢？」使者回答說：「陳國的城牆高而堅固，保護都城的護城河又寬又深，都城內的積蓄也比較充裕。」聽了使者的話，寧國卻提出完全相反的意見說：「臣以為陳國可以攻打。陳國只是個小國，貯存的糧食和財物很多，說明賦稅沉重，民間一定怨聲重重。高築城牆，深挖溝洫，老百姓一定疲憊不堪。大王出兵攻打陳國，肯定能夠獲勝。」莊王覺得寧國的話很有道理，於是出兵陳國，果然得勝。

【出處】

荊莊王欲伐陳，使人視之。使者曰：「陳不可伐也。」莊王曰：「何故？」對曰：「城郭高，溝洫深，蓄積多也。」寧國曰：「陳可伐也。夫陳，小國也，而蓄積多，賦斂重也，則民怨上矣；城郭高，溝洫深，則民力罷矣。興兵伐之，陳可取也。」莊王聽之，遂取陳焉。（《呂氏春秋》〈似順論‧似順〉）

桑中之喜

　　楚莊王以夏徵舒殺死陳靈公為由出兵陳國，殺死了夏徵舒。楚莊王想納夏姬入宮。申公巫臣說：「不行。君王召集諸侯，是為了討伐有罪；現在收納夏姬，就是貪戀她的美色了。像這種淫蕩的女人，大王千萬不要親近。」楚莊王於是放棄了。司馬子反也想要娶夏姬，巫臣說：「這是個不吉利的女人。她使子蠻早死，殺了御叔，弒了靈侯，誅了夏南，使孔寧、儀行父逃亡，陳國因此滅亡。人生在世很不容易，天下多的是漂亮女人，為什麼一定要娶她呢？」子反也就放棄娶夏姬的念頭。楚莊王把夏姬給了連尹襄老。襄老在邲地戰役中死去，沒有找到屍首。夏姬又和襄老的兒子黑要私通。楚國多次要求晉國歸還襄老的屍體，但晉國不同意。夏姬於是請求親自去晉國討要丈夫的遺體。這時申公巫臣要出使齊國，私下裡找到夏姬，和她謀劃一起逃離楚國。等到夏姬出發之後，申公巫臣便放棄使命追上夏姬，兩人一起逃到了晉國。晉國人讓申公巫臣做了邢地的大夫。子反想給晉國送巨款，要求晉國永不錄用申公巫臣，楚共王說：「別那樣做！他為自己打算是錯誤的，他為我的先君打算則是忠誠的。國家是靠忠誠來鞏固的。如果他能有利於晉國，即使送去重禮，晉國會同意永不錄用嗎？如果對晉國沒有好處，晉國也不會要他，何必求其永不錄用呢？」

【出處】

　　楚之討陳夏氏也，莊王欲納夏姬。申公巫臣曰：「不可。君召諸侯，以討罪也；今納夏姬，貪其色也。貪色為淫，淫為大罰。《周書》

曰：『明德慎罰。』文王所以造周也。明德，務崇之之謂也；慎罰，務去之之謂也。若興諸侯，以取大罰，非慎之也。君其圖之！」王乃止。子反欲取之，巫臣曰：「是不祥人也！是夭子蠻，殺御叔，弒靈侯，戮夏南，出孔、儀，喪陳國，何不祥如是？人生實難，其有不獲死乎？天下多美婦人，何必是？」子反乃止。王以予連尹襄老。襄老死於邲，不獲其屍。其子黑要烝焉。巫臣使道焉，曰：「歸！吾聘女。」又使自鄭召之，曰：「屍可得也，必來逆之。」姬以告王，王問諸屈巫。對曰：「其信！知罃之父，成公之嬖也，而中行伯之季弟也，新佐中軍，而善鄭皇戌，甚愛此子。其必因鄭歸王子與襄老之屍以求之。鄭人懼於邲之役，而欲求媚於晉，其必許之。」王遣夏姬歸。將行，謂送者曰：「不得屍，吾不反矣。」巫臣聘諸鄭，鄭伯許之。及共王即位，將為陽橋之役，使屈巫聘於齊，且告師期。巫臣盡室以行。申叔跪從其父，將適郢，遇之，曰：「異哉！夫子有三軍之懼，而又有桑中之喜，宜將竊妻以逃者也。」及鄭，使介反幣，而以夏姬行。將奔齊，齊師新敗，曰：「吾不處不勝之國。」遂奔晉，而因郤至，以臣於晉。晉人使為邢大夫。子反請以重幣錮之，王曰：「止！其自為謀也則過矣，其為吾先君謀也則忠。忠，社稷之固也，所蓋多矣。且彼若能利國家，雖重幣，晉將可乎？若無益於晉，晉將棄之，何勞錮焉。」（《左傳》〈成公二年〉）

觀人之友

　　楚國有個相術大師，給人看相很準，在民間名氣很大。莊王召見

他，向他請教相術方面的知識。大師對莊王說：「我並不擅長給人看相，但我善於觀察人的朋友。我觀察平民百姓，如果他身邊的朋友友善孝悌，遵紀守法，敬畏王命，我就會覺得這種人的家境將日益興旺，身分和地位也會得到改善。這就是相術中所謂的吉人。我觀察侍奉君主的臣子，如果他身邊的朋友都很講誠信，品行端正，待人友善而富有進取心，我就會覺得這樣的臣子會贏得君主的信賴，他的官職也會得到提升。這就是相術中所說的吉臣。我觀察君主，最主要看他任用的大臣是否賢能，看他身邊的人是否忠誠，對於君主的過失，是否爭相勸諫。如果是這樣的君主，他的社稷就會日益安穩，也會受到天下百姓的擁戴，各國的諸侯也會表示敬服。這也就是相術中所說的吉主。我說的並不擅長看相，但能觀人之友，就是這個意思。」莊王從相術大師的話中得到啟發，於是廣招天下賢士，虛心聽取臣子們的不同意見，終於稱霸天下。

【出處】

荊有善相人者，所言無遺策，聞於國。莊王見而問焉，對曰：「臣非能相人也，能觀人之友也。觀布衣也，其友皆孝悌純謹畏令，如此者，其家必日益，身必日榮矣，所謂吉人也。觀事君者也，其友皆誠信有行好善，如此者，事君日益，官職日進，此所謂吉臣也。觀人主也，其朝臣多賢，左右多忠，主有失，皆交爭証諫，如此者，國日安，主日尊，天下日服。此所謂吉主也。臣非能相人也，能觀人之友也。」莊王善之，於是疾收士，日夜不懈，遂霸天下。（《呂氏春秋》〈不苟論・貴當〉）

德薄之人

楚莊王戰勝晉國之後，擔心諸侯各國畏懼楚國，回國後修建了一座高達五仞的高臺。樓臺建成後，莊王邀請各國諸侯前來聚會。諸侯請莊王主持訂立盟約。莊王推辭說：「我德行淺薄，配不上當盟主啊。」諸侯向他敬酒，他仰臉一乾而盡，對大家說：「高大雄偉的盟臺，見證共謀同好的盛會。如果我的行為有什麼不妥，各位儘管出兵討伐我。」於是遠者來朝，近者入貢。

【出處】

莊王與晉戰，勝之，慮諸侯畏己，歸築五仞之臺。臺成，觴諸侯。諸侯請約。王曰：「我德薄之人也。」諸侯請為觴，王仰而曰：「將將之臺，窅窅其謀，我言而不當，諸侯伐之。」於是遠者來朝，近者入貢。（《渚宮舊事》〈周代上〉）

善在太子

楚莊王派士亹教導太子葴（審），士亹推辭說：「我這點才能，夠不上做太子的老師。」莊王說：「就以您的仁德善行教導他吧。」士亹回答說：「向善的主動權在太子。太子想學善，他就是一個善人，如果他拒絕向善，就不能成為善人。堯有丹朱，舜有商均，啟有五觀，商湯有太甲，周文王有管叔、蔡叔。這五位君王個個品德高尚，子女卻邪惡不肖。他們也很想子孫學好，但卻沒有做到。一般的

老百姓躁動不安，可以教育訓導。但要教化蠻、夷、戎、狄等少數民族，就沒那麼容易。這些戎人對中原國家一直不那麼順服，中原國家卻拿他們沒有辦法。」莊王堅持讓士亹擔任太子的老師，士亹去向申叔時請教。申叔時說：「可以多給他講講歷史，使他懂得以史為鑑，褒善抑惡；然後給他講講楚王的世系，使他知道有德行的君主受人敬戴，昏庸的君主則被唾棄，用先王的訓典來鞭策他該怎麼做。要給他講解各國的詩歌，看哪些德行是受到讚美謳歌的；要教給他禮儀，使他知道尊卑上下的規則和道義；還要教給他音樂，以蕩滌他心靈的污垢，陶冶他的情操；要教育他熟悉法令，使他懂得百官的職事。如果諄諄教誨而不聽從，舉止失當又不願改正，有時候還必須嚴辭訓斥讓他感到畏懼，同時安排一些賢良之士來開導、影響他。如果他的改正不穩固，那就要身體力行來推動他。要讓他明白忠恕、誠信、謙虛、孝順、慈愛的內涵，教導他具備文武之德，做事要專注，獎懲要公允。如果這樣的教育還不能成功，那太子即位後您就趕快引退吧，否則您將非常尷尬和慚愧。」

【出處】

莊王使士亹傅大子葴，辭曰：「臣不才，無能益焉。」王曰：「賴子之善善之也。」對曰：「夫善在大子，大子欲善，善人將至；若不欲善，善則不用。故堯有丹朱，舜有商均，啟有五觀，湯有大甲，文王有管、蔡。是五王者，皆元德也，而有奸子。夫豈不欲其善，不能故也。若民煩，可教訓。蠻、夷、戎、狄，其不賓也久矣，中國所不能用也。」王卒使傅之。問於申叔時，叔時曰：「教之春秋，而為之聳善而抑惡焉，以戒勸其心；教之世，而為之昭明德而廢幽昏焉，以

休懼其動；教之詩，而為之導廣顯德，以耀明其志；教之禮，使知上下之則；教之樂，以疏其穢而鎮其浮；教之令，使訪物官；教之語，使明其德，而知先王之務，用明德於民也；教之故志，使知廢興者而戒懼焉；教之訓典，使知族類，行比義焉。若是而不從，動而不悛，則文詠物以行之，求賢良以翼之。悛而不攝，則身勤之，多訓典刑以納之，務慎惇篤以固之。攝而不徹，則明施捨以導之忠，明久長以導之信，明度量以導之義，明等級以導之禮，明恭儉以導之孝，明敬戒以導之事，明慈愛以導之仁，明昭利以導之文，明除害以導之武，明精意以導之罰，明正德以導之賞，明齊肅以耀之臨。若是而不濟，不可為也。且夫誦詩以輔相之，威儀以先後之，體貌以左右之，明行以宣翼之，制節義以動行之，恭敬以臨監之，勤勉以勸之，孝順以納之，忠信以發之，德音以揚之，教備而不從者，非人也。其可興乎！夫子踐位則退，自退則敬，否則赧。」（《國語》〈楚語上〉）

茅門之法

　　楚莊王急招太子入朝。楚律「茅門之法」規定：「群臣大夫及諸公子入朝，如果馬蹄踐踏到屋簷下的滴水之處，就砍斷他的車轅，殺死車伕。」當時天下著大雨，庭院中滿是積水，太子於是讓車子直接駛進茅門。值班的廷理上前攔住車駕，砍斷了太子的車轅，並殺死了車伕。太子大怒，入朝向莊王哭訴說：「請父王殺死廷理替孩兒出氣。」莊王說：「法令是使宗廟受到敬仰、國家獲得尊嚴的工具。能維護法律尊嚴、秉公執法的臣子是國家的忠臣。怎麼能殺死廷理呢？犯法廢令，無視國家的尊嚴，這是臣子對君王的背叛，是以下犯上。

臣子背叛君主，君主就失去了威望，以下犯上，君主的地位不穩，老祖宗的基業都保不住，我還拿什麼傳位給你呢？」太子知道自己錯了，就到廷理那兒誠懇認罪，請求處理。

【出處】

　　楚莊王有茅門者法，曰：「群臣大夫諸公子入朝，馬蹄踐溜者，斬其輈而戮其御。」太子入朝，馬蹄踐溜，廷理斬其輈而戮其御。太子大怒，入為王泣曰：「為我誅廷理。」王曰：「法者，所以敬宗廟、尊社稷，故能立法從令、尊敬社稷者，社稷之臣也。安可以加誅？夫犯法廢令，不尊敬社稷，是臣棄君、下陵上也。臣棄君則主威失，下陵上則上位危。社稷不守，吾何以遺子？」太子乃還走避舍，再拜請死。（《說苑》〈至公〉）

安不忘危

　　楚莊王見上天沒有顯示怪異，地上沒有發生災禍，就向山川祈禱說：「上天難道忘記我了嗎？」君子說：「這說明楚莊王能向上天請求譴責，一定不會違背天意。國家安定時不忘危險，所以他最終能成就霸業。」

【出處】

　　莊王見天不見妖，地不出孽，則禱於山川曰：「天其忘予？」君子曰：「此能求過於天，必不逆天矣。安不忘危，故能終成霸功焉。」（《渚宮舊事》〈周代上〉）

披裘當戶

楚國下了雪，楚莊王披著皮裘站在門口說：「我尚且覺得寒冷，那些百姓賓客就更冷了。」於是派出使者巡視國中，賑濟那些沒有口糧的百姓和賓客。諸侯各國聞訊後都很畏懼楚莊王。

【出處】

楚雨雪，莊王披裘當戶曰：「我猶寒，彼百姓賓客甚矣。」乃使巡國中，賑百姓、賓客無糧者。諸侯聞而畏之。（《渚宮舊事》〈周代上〉）

遺老忘死

令尹子佩請莊王登荊臺遊玩。莊王說：「我不能去。我聽說荊臺周邊的景色美不勝收，其樂趣會叫人遺忘年老和死亡。我德行淺薄，擔當不起這種享受啊。」

【出處】

令尹子佩請莊王登強颱，王不往，曰：「吾聞臺南望獵山下臨方淮，其樂使人遺老忘死。吾德薄，不可當也。」（《渚宮舊事》〈周代上〉）

何以為忠

　　令尹虞丘子對楚莊王說：「臣以為只有奉公守法者可以執掌大權，品行淺薄的人則不能出任要職。臣擔任令尹已經十年了，國家卻沒有得到有效的治理，隱士不肯出仕，官司爭訟不停，卻達不到懲惡揚善的效果。我久居高位，妨礙了眾多賢人的晉陞之路，法律應該追究我的罪過。我私下看中了住在鄉下的一名士子，名叫孫叔敖，他雖然其貌不揚，卻清心寡欲，卓有才幹。如果讓他來接替我的職位，國家將得到有效治理，士子百姓也會誠心歸附。」莊王說：「因為你的輔佐，楚國政令暢通，寡人在中原各國中聲望日顯，楚國要雄霸諸侯，沒有你不行啊。」虞丘子說：「長久居於高官厚祿的位置，是貪心；不薦賢舉能，是欺騙；不讓位於更能勝任者，是不廉。有此三者，就是對君主的不忠。臣子不忠於君主，又怎麼能任用呢？」虞丘子再三請辭，莊王只得答應，並賞賜給他采田三百戶，號稱「國老」。

【出處】

　　楚令尹虞丘子復於莊王曰：「臣聞奉公行法，可以得榮；能淺行薄，無望上位；不名仁智，無求顯榮；才之所不著，無當其處。臣為令尹十年矣，國不加治，獄訟不息，處士不升，淫禍不討，久踐高位，妨群賢路，尸祿素餐，貪欲無厭，臣之罪當稽於理。臣竊選國俊下里之士孫叔敖，秀羸多能，其性無欲，君舉而授之政，則國可使治，而士民可使附。」莊王曰：「子輔寡人，寡人得以長於中國，令行於絕域，遂霸諸侯，非子如何？」虞丘子曰：「久固祿位者，貪

也；不進賢達能者，誣也；不讓以位者，不廉也；不能三者，不忠也。為人臣不忠，君王又何以為忠？臣願固辭。」莊王從之，賜虞丘子采地三百，號曰「國老」。以孫叔敖為令尹。（《說苑》〈至公〉）

期思鄙人

沈尹筮[42]與孫叔敖交好。孫叔敖來到郢都，三年默默無聞。沈尹筮說：「讓君主上至於稱王、下至於稱霸，我不如你。輔佐政務、繼承風俗、解釋禮義以適合君主的心意，你不如我。你還能回去耕田種地嗎？」沈尹筮來到郢都五年，楚莊王很賞識他，想讓他做令尹。沈尹筮推辭說：「期思邑有個鄉下農夫孫叔敖，他是個聖人。大王一定要用他，我不如他。」虞丘子（沈尹筮）把孫叔敖進薦給楚莊王。莊王親自去迎接孫叔敖，讓他出任令尹。

【出處】

沈尹筮、孫叔敖相與交。叔敖至郢，三年聲聞不知。沈尹筮曰：「令主上至於王，下至於霸，我不如子；偶世接俗說義均以適主心，子不如我。子可歸耕乎？」尹筮至郢五年，王悅之，欲以為令尹。辭曰：「期思之鄙人有孫叔敖者，彼聖人也。王必用之，臣不若也。」虞丘子亦進之王。王乃以王輿迎叔敖為令尹。（《渚宮舊事》〈周代上〉）

---

42. 沈尹筮，又名沈筮、沈尹巫，亦名沈尹竺、沈尹莖，簡稱「沈尹」，因封於虞丘，號稱「虞丘子」。

見兩頭蛇

　　孫叔敖很小的時候，有一次出門遊玩，看見一條兩頭蛇，就殺了它埋起來。回家見到母親便哭起來。母親問他為什麼傷心，孫叔敖抽泣著說：「我聽說見了兩頭蛇的人會死，剛才我看見一條兩頭蛇，我恐怕活不長了。」母親問：「現在蛇在哪裡？」孫叔敖回答說：「我怕別人又見到那條蛇，就殺死它，把它埋了。」母親愛憐地撫摸著兒子的頭，讚賞說：「我聽說暗中做好事的人，上天會給他福氣的，不要擔心，你不會死的。」孫叔敖長大後做到楚國的令尹，他還沒開始治國，國人已經相信他是一個仁愛的人。

【出處】

　　孫叔敖為嬰兒之時，出游，見兩頭蛇，殺而埋之。歸而泣，其母問其故，叔敖對曰：「吾聞見兩頭之蛇者死，向者吾見之，恐去母而死也。」其母曰：「蛇今安在？」曰：「恐他人又見，殺而埋之矣。」其母曰：「吾聞有陰德者，天報之以福，汝不死也。」及長，為楚令尹，未治，而國人信其仁也。（《新序》〈雜事第一〉）

狐丘丈人

　　孫叔敖擔任楚國令尹的時候，前來恭賀的官吏和老百姓很多。有一位老頭，穿著粗布衣服，頭上戴著白帽子，彷彿參加喪禮前來弔唁似的，也來到孫叔敖府上。孫叔敖見他衣著特別，不敢怠慢，誠懇地

對老人家說：「楚王不知道我愚昧不肖，讓我擔任如此重要的職務。大家都來祝賀，只有您老人家彷彿弔喪似的，是有什麼特別的話要教導晚輩嗎？」狐丘丈人對孫叔敖說：「我聽說，有三利必有三害，你知道嗎？」孫叔敖說：「我不聰明，怎麼會知道呢？請問什麼是三利，什麼是三害呢？」狐丘丈人回答說：「身分高貴的人，人們會嫉妒他；地位顯赫的人，君主會厭惡他；俸祿豐厚的人，怨恨會集中到他身上。這就是三利三害。」孫叔敖說：「不是這樣的。我爵位越高，心志就越在下層；官越做大，做事就越小心謹慎；俸祿越高，布施就越廣泛。這樣做可以免於禍患嗎？」狐丘丈人說：「說得好，這種事連堯、舜都擔心做不到呢。」

【出處】

孫叔敖遇狐丘丈人。狐丘丈人曰：「僕聞之，有三利必有三患，子知之乎？」孫叔敖蹴然易容曰：「小子不敏，何足以知之？敢問何謂三利？何謂三患？」狐丘丈人曰：「夫爵高者，人妒之。官大者，主惡之。祿厚者，怨歸之。此之謂也。」孫叔敖曰：「不然。吾爵益高，吾志益下。吾官益大，吾心益小。吾祿益厚，吾施益博。可以免於患乎？」狐丘丈人曰：「善哉言乎！堯舜其猶病諸。」（《韓詩外傳》卷七，第十二章）

執而戮之

孫叔敖擔任令尹後，虞丘子的族人犯了法，孫叔敖將其處以死

刑。虞丘子很高興，進宮對莊王說：「孫叔敖果然很有執政魄力。他嚴格執法而不結黨營私，不冤屈好人也絕不放過壞人，人們都稱讚他執法公正呢。」莊王高興地說：「這都是拜先生的舉薦啊。」

【出處】

虞丘子家干法，孫叔敖執而戮之。虞丘子喜，入見於王曰：「臣言孫叔敖，果可使持國政。奉國法而不黨，施刑戮而不骫，可謂公平。」莊王曰：「夫子之賜也已！」（《說苑》〈至公〉）

皆樂其生

孫叔敖擔任令尹後，施行教化引導百姓，朝野上下和睦同心，社會風氣煥然一新。孫叔敖動員百姓利用秋冬農閒時節上山採伐竹木，待春夏時節河裡漲水後再將竹木走水路運出去，老百姓因此獲益良多。先前楚莊王認為錢幣太輕，於是廢小錢改鑄大錢，給老百姓的生活帶來不便。郢都管理市場的市令向孫叔敖投訴說：「改用大錢造成市場混亂，老百姓都感到無所適從。」孫叔敖問說：「這種情況持續多久了？」市令回答：「有三個多月了。」孫叔敖說：「待我請示君主，重新用回小錢吧。」孫叔敖深入市場做了一些調查，之後請求莊王下令恢復小錢流通，市場於是重新活躍起來。

【出處】

孫叔敖者，楚之處士也。虞丘相進之於楚莊王，以自代也。三月

為楚相，施教導民，上下和合，世俗盛美，政緩禁止，吏無奸邪，盜賊不起。秋冬則勸民山採，春夏以水，各得其所便，民皆樂其生。莊王以為幣輕，更以小為大，百姓不便，皆去其業。市令言之相曰：「市亂，民莫安其處，次行不定。」相曰：「如此幾何頃乎？」市令曰：「三月頃。」相曰：「罷，吾今令之復矣。」後五日，朝，相言之王曰：「前日更幣，以為輕。今市令來言曰『市亂，民莫安其處，次行之不定』。臣請遂令復如故。」王許之，下令三日而市復如故。（《史記》〈循吏列傳〉）

自高其車

　　楚國人習慣乘坐輪子較小的矮車，雖然舒適穩當，卻不方便駕馬。楚莊王想改變國人的習慣，於是下令將車輪加大，車座升高。朝廷多次下令但收效甚微。孫叔敖對莊王說：「大王一定要推行大車，不必依靠行政命令，只需要將都城各里巷的門檻升高就可以了。乘車的都是有身分的君子，不可能每次都下車幫忙推車的。」莊王覺得可以一試。於是不到半年，老百姓都自動把車子造高了。

【出處】

　　楚民俗好庳車，王以為庳車不便馬，欲下令使高之。相曰：「令數下，民不知所從，不可。王必欲高車，臣請教閭里使高其梱。乘車者皆君子，君子不能數下車。」王許之。居半歲，民悉自高其車。（《史記》〈循吏列傳〉）

自高其車

共定國是

　　楚莊王問孫叔敖說：「國家的基本國策、大政方針該怎樣來確定呢？」孫叔敖回答說：「制定基本國策，確定大政方針，會遇到種種阻礙，僅憑大王的一己之力是不夠的。」莊王說：「那你覺得關鍵是在君主，還是臣子呢？」孫叔敖說：「往往會出現這樣的情況：國君看不起士人，說『士人沒有我就不會富貴』；士人瞧不起國君，說『國家沒有我們就不能安定富強』。有些國君直到亡國也不肯覺悟，有些士子到了饑寒交迫的窮境也不求上進。因為君臣不合，所以國家大事無法確定。有些國君，譬如夏桀、殷紂，他們從不考慮國家的大政方針，而是以自己的意願為取捨，合意即是，不合意即非，所以一直到亡國也沒弄明白怎麼回事。」莊王點頭說：「很好。寡人豈敢以小小的楚國君主而瞧不起士人呢？希望與令尹、士大夫們一起共定國是。」

【出處】

　　楚莊王問於孫叔敖曰：「寡人未得所以為國是也。」孫叔敖曰：「國之有是，眾非之所惡也。臣恐王之不能定也。」王曰：「不定獨在君乎？亦在臣乎？」孫叔敖曰：「國君驕士曰：『士非我無逌富貴。』士驕君曰：『國非士無逌安強。』人君或失國而不悟，士或至饑寒而不進，君臣不合，國是無逌定矣。夏桀殷紂，不定國是，而以合其取捨者為是，以不合其取捨者為非，故致亡而不知。」莊王曰：「善哉！願相國與諸侯士大夫共定國是，寡人豈敢以褊國驕士民哉！」（《新序》〈雜事第二〉）

無德以勝之

孫叔敖擔任令尹，妻子身著布衣，馬廄的草料從來不添加糧食。他乘坐的車子非常簡陋，拉車的也是老瘦的劣馬。他身邊的人勸他說：「車子新，駕馭安全；馬匹肥壯，就跑得快；冬天穿裘皮衣服，身體就很暖和。您身為令尹，應該懂得享受啊。」孫叔敖不以為然地說：「我聽說君子穿著華麗會顯得謙恭，小人穿得漂亮就越加傲慢。我不具備勝任令尹的賢德，所以沒必要改變自己的生活方式。」

【出處】

孫叔敖為令尹，妻不衣帛，馬不食粟，常乘棧車牝馬，披羖羊之裘。從者曰：「車新則安，馬肥則疾，狐裘則溫。」叔敖曰：「吾聞君子服美益恭，小人服美益倨。吾無德以勝之，遂終身不變。」（《渚宮舊事》〈周代上〉）

請寢之丘

孫叔敖病重將死，對守在床邊的兒子說：「大王數次封地賞賜，我一直沒有接受。我死之後，大王肯定要封一塊土地給你。好的和比較好的土地都不要接受。在楚越交界的地方，有塊地名叫寢丘，不僅土質貧瘠，地名也不大吉利。楚人怕鬼，而越國人也迷信鬼神和災祥。如果想長久擁有朝廷的封地，只有這塊地是比較可靠的。」孫叔敖死後，楚莊王果然以京畿外肥美的土地賜給孫叔敖的兒子。孫叔敖

的兒子按照父親的遺言推辭，提出想要寢丘之地。莊王明白孫叔敖的意思，於是滿足了孫叔敖兒子的要求。莊王去世後，很多大臣的封地被陸續追回，只有寢丘之地一直為孫叔敖的家族保有。孫叔敖的高明之處，在於他懂得化不利為利，變他人所惡為自己之喜，這就是高人與俗人的區別所在。

【出處】

孫叔敖疾，將死，戒其子曰：「王數封我矣，吾不受也。為我死，王則封汝，必無受利地。楚、越之間有寢之丘者，此其地不利，而名甚惡，荊人畏鬼而越人信禨。可長有者，其唯此也。」孫叔敖死，王果以美地封其子而子辭，請寢之丘，故至今不失。孫敖叔之知，知不以利為利矣，知以人之所惡為己之所喜，此有道者之所以異乎俗也。（《呂氏春秋》〈孟冬紀‧異寶〉）

王之所愛

優孟是楚國著名藝人，身高八尺，能言善辯，時常以詼諧的說笑方式達到勸諫的目的。楚莊王寵一匹愛馬，給它穿著華服，養在麗室，睡在乾淨的露床上，餵食上等的棗脯。馬因為養尊處優，得肥胖病死了。莊王很傷心，傳令群臣前往弔喪，還準備以棺槨盛殮，依照大夫的禮儀來安葬牠。莊王身邊的臣子議論紛紛，都認為不妥。莊王下令說：「有誰敢以葬馬的事來進諫，就處以死刑。」優孟得知消息後，走進殿門仰天大哭。莊王吃驚地問他為什麼哭。優孟說：「馬是

大王的最愛，憑我堂堂大國，有什麼事情辦不到的，卻用大夫的禮儀來埋葬它，待遇太低了，應該以人君的禮儀來安葬它。」莊王說：「然後呢？」優孟說：「臣請求用雕琢過的美玉做棺材，用雕刻花紋的梓木做槨室，用上好的楩、楓、樟木為題湊[43]，差遣甲士為它挖掘墓穴，老弱人丁背土築墳，齊趙等國的使者侍坐在前，韓魏等國的使者護衛在後，為它建廟宇，讓它享受牛、羊、豬三牲祭祀，並封以萬戶之邑給它守墓。這樣，諸侯列國聽說後，就都知道大王以人為賤、以馬為貴了。」莊王尷尬地笑了笑，說：「寡人真的錯到這種地步嗎？該怎麼辦呢？」優孟於是收斂笑容，嚴肅地說：「請大王將它作為普通的六畜來安葬。用土灶做槨室，用銅鍋做內棺，用薑棗來調味，用木蘭來解羶，用糧食稻穀來祭祀，用火光做它的衣服，將它安葬在人的肚腸之中。」[44]於是莊王便將馬交給了主管膳食的太官，令大家不再議論這件事。

【出處】

優孟，故楚之樂人也。長八尺，多辯，常以談笑諷諫。楚莊王之時，有所愛馬，衣以文繡，置之華屋之下，席以露床，啗以棗脯。馬病肥死，使群臣喪之，欲以棺槨大夫禮葬之。左右爭之，以為不可。王下令曰：「有敢以馬諫者，罪至死。」優孟聞之，入殿門。仰天大哭。王驚而問其故。優孟曰：「馬者王之所愛也，以楚國堂堂之大，何求不得，而以大夫禮葬之，薄，請以人君禮葬之。」王曰：「何

---

43. 題湊：上古一種葬式。槨室用大木累積而成，木頭皆內向為槨蓋，上尖下方，猶如屋簷四垂，謂之「題湊」。

44. 簡單說來，就是煮了吃。

如？」對曰：「臣請以彫玉為棺，文梓為槨，梗楓豫章為題湊，發甲卒為穿壙，老弱負土，齊趙陪位於前，韓魏翼衛其後，廟食太牢，奉以萬戶之邑。諸侯聞之，皆知大王賤人而貴馬也。」王曰：「寡人之過一至此乎？為之奈何？」優孟曰：「請為大王六畜葬之。以壟灶為槨，銅歷為棺，齎以薑棗，薦以木蘭，祭以糧稻，衣以火光，葬之於人腹腸。」於是王乃使以馬屬太官，無令天下久聞也。（《史記》〈滑稽列傳〉）

廉吏安可為

　　孫叔敖與優孟惺惺相惜。孫叔敖患病臨終前，叮囑兒子說：「我死後，你一定會陷於貧困。非常艱難的時候，你可以去拜見優孟，就說你是孫叔敖的兒子。」孫叔敖死後，他兒子的生活果然陷入貧困，靠賣柴為生。一次路上見到優孟，就對他說：「我是孫叔敖的兒子。父親臨終前曾囑咐我，遇到困難的時候就去拜見您。」優孟說：「你暫時不要搬到遠處去，否則君王會找不到你的。」優孟回家之後，立即縫製了孫叔敖常穿的衣服帽子穿戴起來，而後模仿孫叔敖的言談舉止、音容笑貌，這樣過了一年多，形神都酷似孫叔敖，連莊王身邊的人都分辨不出來。一次莊王過生日，設置酒宴，優孟打扮成孫叔敖的樣子前往敬酒拜壽。莊王大吃一驚，以為孫叔敖又復活了，想讓他出任令尹。優孟說：「請讓我回去和妻子商量一下，爭取三天後就任令尹。」莊王答應了他。三天後，優孟又來見莊王。莊王問：「你妻子什麼態度？」優孟說：「妻子要我謹慎點，說令尹不值得做。孫叔敖

為令尹，忠正廉潔地治理楚國，使楚王得以稱霸。如今死了，他兒子竟身無立錐之地，貧困到每天靠打柴謀生。如果像孫叔敖那樣做令尹，還不如自殺。」接著唱道：「住在山野耕田辛苦，食不果腹；出外做官，不顧廉恥、貪贓卑鄙的人積有餘財，自己死後家室雖然富足，但又恐懼貪贓枉法，幹過非法之事，犯下大罪，自己被殺，家室也遭誅滅。貪官哪能做呢？可要做個清官，就必須遵紀守法，忠於職守，到死都不能做非法之事。清官哪能做呢？像楚相孫叔敖，一生堅持廉潔的操守，現在妻兒老小卻貧困到靠打柴為生。清官也不值得做啊！」莊王明白了優孟的深意，對他說：「謝謝你，我知道該怎麼做了。」當即召見孫叔敖的兒子，封以寢丘四百戶，以供祭祀孫叔敖之用。

【出處】

楚相孫叔敖知其賢人也，善待之。病且死，屬其子曰：「我死，汝必貧困。若往見優孟，言我孫叔敖之子也。」居數年，其子窮困負薪，逢優孟，與言曰：「我，孫叔敖子也。父且死時，屬我貧困往見優孟。」優孟曰：「若無遠有所之。」即為孫叔敖衣冠，抵掌談語。歲餘，像孫叔敖，楚王及左右不能別也。莊王置酒，優孟前為壽。莊王大驚，以為孫叔敖復生也，欲以為相。優孟曰：「請歸與婦計之，三日而為相。」莊王許之。三日後，優孟復來。王曰：「婦言謂何？」孟曰：「婦言慎無為，楚相不足為也。如孫叔敖之為楚相，盡忠為廉以治楚，楚王得以霸。今死，其子無立錐之地，貧困負薪以自飲食。必如孫叔敖，不如自殺。」因歌曰：「山居耕田苦，難以得食。起而為吏，身貪鄙者餘財，不顧恥辱。身死家室富，又恐受賕枉法，為奸

觸大罪，身死而家滅。貪吏安可為也！念為廉吏，奉法守職，竟死不敢為非。廉吏安可為也！楚相孫叔敖持廉至死，方今妻子窮困負薪而食，不足為也！」於是莊王謝優孟，乃召孫叔敖子，封之寢丘四百戶，以奉其祀。後十世不絕。此知可以言時矣。（《史記》〈滑稽列傳〉）

容膝之安

楚國郢城外有個北郭先生，楚王知道他的賢名後，就讓使者攜帶百金去聘請他為朝廷做事。北郭先生說：「這事我得進去跟我那糟糠之妻商量一下。」進去跟夫人說：「楚王想請我出山做令尹，從此行則車馬成行，吃則山珍海味，可以去嗎？」夫人說：「先生吃稀飯穿木屨，無憂無慮。車馬成群，安身不過一膝之地；山珍海饈，所美不過一肉之味。但你要擔負的卻是國家的安危，你覺得有必要嗎？」見夫人態度堅決，北郭先生於是出來辭謝使者，而後與妻子離開了。[45]

【出處】

北郭先生，郢人。王聞其賢，使使齎金百斤往聘之。先生曰：「臣有箕帚之婦，願以計之。」即謂其婦曰：「楚以我為相，則結駟列騎，食前方丈，可乎？」婦曰：「夫子食粥毚履，無忧惕之憂，何

---

45. 從老萊子妻、接輿妻到北郭先生之妻，她們不約而同地認為丈夫出仕是一種高風險的選擇。民間多隱士，有道教風氣盛行的因素，也可能是因為朝廷昏暗，高人賢士披覽歷朝故事，參透了官場的險惡而選擇隱居。

哉？與物無治也。今結駟列騎，所安不過容膝；食方丈之前，所甘不過一肉。以容膝之安、一肉之味而狥楚國之憂，其可乎？」遂不應聘，與其婦去之。(《渚宮舊事》〈周代上〉)

為國之本在於為身

楚莊王問詹何說：「治理國家應該怎樣？」詹何回答說：「我知道修養身心，不知道治理國家。」楚莊王說：「我能成為祀奉宗廟社稷的人，希望學到怎樣保持它的辦法。」詹何回答說：「我沒有聽說過身心修養好了而國家反而混亂的事，也沒有聽說過身心煩亂而能把國家治理好的事。所以，治理國家的根本在於修養自身，自身修養好了，家庭就能治理好。家庭治理好了，國家就能治理好。國家治理好了，天下就能治理好。」楚王說：「說得好。」

【出處】

楚莊王問詹何曰：「治國奈何？」詹何對曰：「臣明於治身而不明於治國也。」楚莊王曰：「寡人得奉宗廟社稷，願學所以守之。」詹何對曰：「臣未嘗聞身治而國亂者也，又未嘗聞身亂而國治者也。故本在身，不敢對以末。」楚王曰：「善。」(《列子》〈說符〉)

楚王問為國於詹子，詹子對曰：「何聞為身，不聞為國。」詹子豈以國可無為哉？以為為國之本在於為身，身為而家為，家為而國為，國為而天下為。故曰：以身為家，以家為國，以國為天下。此四者，異位同本。故聖人之事，廣之則極宇宙，窮日月，約之則無出乎

身者也。慈親不能傳於子，忠臣不能入於君，唯有其材者為近之。
（《呂氏春秋》〈審分覽・執一〉）

唯魚是念

　　詹何以善於垂釣聞名全國。他只用一根細繭絲作釣線，一根細長的針作釣鉤，用細細的荊條作釣竿，剖開一粒米飯作釣餌，從百丈深淵、湍急流水之中，很快就釣滿一車魚。釣絲拉不斷，釣鉤不伸直，釣竿不會彎。楚王聽說後覺得驚奇，召來詹何詢問其中的緣故。詹何回答說：「先父說過，蒲且子射鳥，用柔弱的弓和纖細的絲，順風開弓射箭，一箭在青雲之際同時射中兩隻天鵝。這是用心專注，手的力量使用均衡的緣故。我從這件事情得到啟發，就傚傚著去學垂釣，用了五年時間才完全掌握其中的規律。每當我來到河邊拿著魚竿垂釣的時候，心中沒有任何雜念，只有釣魚的心思。魚看見我的釣餌，就像沉入水中的塵埃和聚集的泡沫一樣，一點不懷疑地吞下去，因此我能以細弱制勝強大，以輕柔引來重物。大王治理國家，也能像這樣的話，天下就可以在你的掌握之中，還有什麼事做不到呢！」

【出處】

　　詹何以善釣聞於國。以獨繭絲為綸，芒鍼為鉤，荊蓧為竿，剖粒為餌。引盈車之魚於百仞之淵、汨流之中。綸不絕，鉤不申，竿不撓。王聞而異之，召問其故。何答曰：「先大夫之言，蒲且子之弋，弱弓纖繳，乘風振之，連雙鶬於青雲之際。用心專勤，手均之也。臣

因其事放而學釣，五年始盡其道。當臣之臨河持竿，心無雜慮，唯魚之念。投綸沉鉤，手無輕重，物莫能亂。魚見臣之鉤餌，猶沉埃聚沫，吞之不疑，所以能以弱制強，以輕致重也。大王治國，誠能若此，則天下可運於一握，將亦奚事哉！」（《渚宮舊事》〈周代上〉）

白在其蹄

詹何坐在堂上，他的學生在一旁侍候。有頭牛在門外叫喚。學生說：「這是一頭黑牛但蹄子是白的。」詹何說：「是的。這是一頭黑牛，但白色部分在蹄子上。」派人出去查看，果然是一頭用白布裹住蹄子的黑牛。詹何的觀察力非常精準。

【出處】

詹何坐堂上，弟子侍。有牛鳴於門外。弟子曰：「是黑牛而白蹄。」何曰：「然。是黑牛而白在其蹄。」使人視之，果黑牛以布裹其蹄。其精察如此。（《渚宮舊事》〈周代上〉）

師強王堅

蔡國派使者師強、王堅出使楚國。楚王見到兩名使者的名字，對左右說：「人起名字往往藉以表達某種用意。取『師強』『王堅』這麼響亮的名字，一定有特別的原因，趕快傳召他們。」等見到兩名使者，見二人不僅相貌難看，聲音也非常難聽。楚王於是大怒說：「蔡

國是沒人可派呢，還是有人卻故意不派，又或者是故意用這種方式來試探楚國？蔡國必須受到處罰！」於是出兵討伐蔡國。因為派出兩個使者而招致三條討伐理由的國家，就是蔡國啊！

【出處】

　　蔡使師強、王堅使於楚，楚王聞之曰：「人名多章者，獨為『師強』『王堅』乎？趣見之，無以次。」視其人狀，疑其名，而醜其聲，又惡其形。楚王大怒曰：「今蔡無人乎？國可伐也。有人不遣乎？國可伐也。端以此試寡人乎？國可伐也。」故發二使見三謀伐者，蔡也。（《說苑》〈奉使〉）

心中有箭

　　楚國大山裡有一隻白猿，已修練化為神猿，楚國很多技藝精湛的箭手都不能射中牠。楚莊王親眼見識過養由基的本領，就讓養由基帶著弓箭去射這隻白猿。利箭發出，白猿一聲悲鳴應聲而倒。養由基介紹說，他在發箭之前，心裡已經射中了牠。楚莊王又讓養由基射蜻蜓。為顯示自己箭術高超，養由基說：「我想要活捉牠。」於是開弓射箭，箭桿輕輕拂過蜻蜓左邊的翅膀，蜻蜓因折翅而就擒。

【出處】

　　荊廷嘗有神白猿，荊之善射者莫之能中。荊王請養由基射之。養由基矯弓操矢而往，未之射而括中之矣，發之則猿應矢而下，則養由

基有先中中之者矣。(《呂氏春秋》〈不苟論・博志〉)

楚庭有神白猿,射之則搏矢而嬉,莫能中。莊王命養由基,始矯弓操矢,未之射,猿擁柱而號。由基發之,猿應矢而下,則由基以其矢先之也。王又使射蜻蛉,曰:「吾欲生得之。」由基開弓,拂其左翼。(《渚宮舊事》〈周代上〉)

百步穿楊

養由基,又稱「養一箭」,他年輕的時候就射術精湛。一次,養由基與人比試箭法,他讓人在百步之外的楊柳葉上塗上特殊標記,一箭就將那片樹葉射穿。與他比試的人不服氣,認為這只是巧合,於是他讓人再選定十片樹葉,仍是在百步之外,他連發十箭,箭箭都命中目標。人們這才為養由基「百步穿楊」「百發百中」的本領所折服,紛紛拍手喝采。當時有一名圍觀的路人說:「箭術不錯,可以教你射箭的方法了。」養由基聽了頗不服氣,說:「人家都大聲叫好,你卻說可以教我射箭的方法,不如你來射幾箭吧。」路人不客氣地說:「你射擊楊柳葉百發百中,但卻不懂得見好就收,等一會兒疲憊了,弓拉不直,箭身彎曲,一次都射不中,就前功盡棄了。」

【出處】

楚有養由基者,善射;去柳葉者百步而射之,百發百中。左右皆曰善。有一人過曰,善射,可教射也矣。養由基曰,人皆善,子乃曰可教射,子何不代我射之也。客曰,我不能教子支左屈右。夫射柳葉

者，百發百中，而不已善息，少焉氣力倦，弓撥矢鉤，一發不中，前功盡矣。（《戰國策》〈西周策〉）

一矢覆命

　　鄢陵之戰前夜，養由基與潘黨比試箭法，在百步之外一箭射穿了七層皮甲，軍中盛讚說：「楚國有如此厲害的神射手，何懼晉軍百萬？」共王聽了，訓斥養由基說：「帶兵打仗靠的是智謀，豈能寄希望於一箭僥倖取勝？你自恃箭術高超，今後一定會死在你的技藝上！」[46]於是將養由基的箭矢全部沒收。第二天交戰時，楚共王的兒子熊茷被晉軍活捉，救子心切的楚共王急著搶人，卻被晉國大將魏錡發暗箭射中眼睛。楚共王又怒又怕，這時想起了養由基，急呼他前來救駕。共王抽出兩支箭讓他射那個穿綠衣服、長鬍子的將領，養由基領箭後，飛車趕入晉軍陣中，只一箭就射中了魏錡的脖子，魏錡當即斃命。養由基將剩餘的一支箭歸還共王，共王非常高興，將自己身上的錦袍脫下來給他披上，並賜狼牙箭百支。「養一箭」的威名由此盛傳開來。

【出處】

　　癸巳，潘尪之黨與養由基蹲甲而射之，徹七札焉。以示王，曰：「君有二臣如此，何憂於戰？」王怒曰：「大辱國！詰朝爾射，死藝。」呂錡夢射月，中之，退入於泥。占之，曰：「姬姓，日也；異

---

46. 參見《東周列國志》第六十六回。養由基隨令尹屈建伐舒鳩，死於亂箭之下。

姓，月也，必楚王也。射而中之，退入於泥，亦必死矣。」及戰，射
共王，中目。王召養由基，與之兩矢，使射呂錡，中項，伏弢。以一
矢覆命。（《左傳》〈成公十六年〉）

竭力致死，無有二心

　　邲之戰後，晉國人提出以楚公子穀臣和連尹襄老的屍首交換被俘
的知罃。當時知罃的父親荀首已升任中軍副帥。楚國人答應了。臨別
時，楚共王問知罃說：「你怨恨我嗎？」知罃回答說：「兩國交戰，
下臣不能勝任職務，被貴國俘虜，君王的部下沒有用我的血來祭鼓，
而讓我回國接受處罰，這是君王的恩惠啊。是下臣自己無能，哪裡敢
埋怨他人？」楚共王又問：「那你感激我嗎？」知罃回答說：「兩國
為百姓的安寧，克制仇怨，相互體諒，釋放被俘的囚犯以結友好。下
臣並沒有參與籌劃，不知道該感激誰。」楚共王說：「那你回去後用
什麼報答我呢？」知罃回答說：「下臣既無所謂怨恨，君王也無所謂
恩德，無怨無德，也就談不上報答。」楚共王說：「雖然如此，也把
你心裡的想法告訴我吧。」知罃說：「承蒙君王的福佑，下臣能帶著
這把骨頭活著回國，無論是死於朝廷還是祖廟，都算得上死而不朽。
如果幸而活命，得以繼承宗子的地位，有朝一日率師守衛疆土，即便
碰到君王的部下，我也會竭盡全力以死效忠國家，盡到為臣的職責，
這就是我心裡的想法。」楚共王感嘆說：「不可以和晉國爭霸啊。」
於是以厚禮送知罃回國。

【出處】

　　晉人歸楚公子穀臣與連尹襄老之屍於楚，以求知罃。於是荀首佐中軍矣，故楚人許之。王送知罃，曰：「子其怨我乎？」對曰：「二國治戎，臣不才，不勝其任，以為俘馘。執事不以釁鼓，使歸即戮，君之惠也。臣實不才，又誰敢怨？」王曰：「然則德我乎？」對曰：「二國圖其社稷，而求紓其民，各懲其忿，以相宥也。兩釋累囚，以成其好。二國有好，臣不與及，其誰敢德？」王曰：「子歸，何以報我？」對曰：「臣不任受怨，君亦不任受德，無怨無德，不知所報。」王曰：「雖然，必告不穀。」對曰：「以君之靈，累臣得歸骨於晉，寡君之以為戮，死且不朽。若從君之惠而免之，以賜君之外臣首；首其請於寡君，而以戮於宗，亦死且不朽。若不獲命，而使嗣宗職，次及於事，而帥偏師，以修封疆。雖遇執事，其弗敢違，其竭力致死，無有二心，以盡臣禮，所以報也。」王曰：「晉未可與爭。」重為之禮而歸之。（《左傳》〈成公三年〉）

疲於奔命

　　子重自恃在圍困宋國的戰役中有功，向莊王請求以申、呂二地為賞田。莊王本來已經答應，申公巫臣聽說後，向莊王進諫說：「申、呂為楚國邊境重鎮，有徵發兵賦、抵禦北方國家的重要作用，不可以輕易賜給臣子。」莊王覺得有理，於是收回成命，子重因此深恨巫臣。楚軍進入陳國殺死夏徵舒、帶回夏姬之後，莊王、子反（公子側）都很想得到夏姬，但巫臣指夏姬為紅顏禍水，極力勸阻，結果莊

王將夏姬賜給了連尹襄老。後來巫臣攜夏姬投奔晉國，子反覺得被騙，痛恨不已。楚共王即位後，子重和子反聯手報復巫臣，殺死他的族人子閻、子蕩以及清尹弗忌、襄老的兒子黑要等，並瓜分了他們的財產。巫臣在晉國聽到消息，寫信給二人說：「你們以邪惡貪婪事奉國君，濫殺無辜，我一定要讓你們疲於奔命而死。」巫臣向晉景公請求出使吳國。吳王子壽很喜歡巫臣，於是巫臣讓吳晉兩國通好，派教練到吳國教他們使用兵車、列陣和戰法，讓他們與楚國為敵。巫臣還把自己的兒子狐庸派到吳國擔任外交官。於是吳國開始崛起，與中原諸國的交往日益頻繁。吳國不斷侵擾楚國，每當子重、子反與北方諸國有戰事時，吳軍就在吳楚邊境挑起事端，以致子重、子反不得不從遙遠的北方折返馳援東南，一年之中竟有七次往返，果然是疲於奔命。

【出處】

楚圍宋之役，師還，子重請取於申、呂以為賞田，王許之。申公巫臣曰：「不可。此申、呂所以邑也，是以為賦，以禦北方。若取之，是無申、呂也，晉、鄭必至於漢。」王乃止。子重是以怨巫臣。子反欲取夏姬，巫臣止之，遂取以行，子反亦怨之。及共王即位，子重、子反殺巫臣之族子閻、子蕩及清尹弗忌及襄老之子黑要，而分其室。子重取子閻之室，使沈尹與王子罷分子蕩之室，子反取黑要與清尹之室。巫臣自晉遺二子書，曰：「爾以讒慝貪婪事君，而多殺不辜，余必使爾罷於奔命以死。」巫臣請使於吳，晉侯許之。吳子壽夢說之。乃通吳於晉，以兩之一卒適吳，舍偏兩之一焉。與其射御，教吳乘車，教之戰陳，教之叛楚。置其子狐庸焉，使為行人於吳。吳始

伐楚、伐巢、伐徐，子重奔命。馬陵之會，吳入州來，子重自鄭奔命。子重、子反於是乎一歲七奔命。（《左傳》〈成公七年〉）

敬其父不兼其子

　　楚共王做太子的時候，一次出門去雲夢，路上遇見大夫工尹。工尹見到太子的車駕，快步躲進鄰近人家的屋子裡。太子下車，跟著他進入這戶人家，對工尹說：「您是大夫，為什麼要這樣做呢？我聽說：尊敬某人的父親，並不需要同時尊敬他的兒子。同時尊敬他的兒子，沒什麼比這樣做更不吉祥的了。身為大夫，您真的不必要這麼做。」共王的仁德和誠意令工尹很感動，工尹說：「過去我只是看到您的外表，從今天起，我會記住您的胸懷。」

【出處】

　　楚恭王之為太子也，將出之雲夢，遇大夫工尹，工尹遂趨避家人之門中，太子下車，從之家人之門中，曰：「子大夫，何為其若是？吾聞之，敬其父者不兼其子，兼其子者不祥莫大焉。子大夫，何為其若是？」工尹曰：「向吾望見子之面，今而後記子之心。審如此，汝將何之？」（《說苑》〈敬慎〉）

金奏作於下

　　晉國的郤至到楚國訪問並參加盟約，楚共王設宴招待他。司馬子

反作為相禮的主持者，指令樂隊在地下室懸掛樂器。郤至將要登堂的時候，地下室突然鐘鼓齊鳴，編磬、編鐘發出震耳欲聾的樂聲，郤至沒經歷過這種場面，嚇得掉頭就跑。他不知道楚國當時已發明了樂池，還以為宮中發生了地震呢。

【出處】

晉郤至如楚聘，且蒞盟。楚子享之，子反相，為地室而縣焉。郤至將登，金奏作於下，驚而走出。（《左傳》〈成公十二年〉）

大忠之賊

楚軍與晉屬公率領的晉軍在鄢陵交戰。楚軍初戰告負，共王也受了傷。回到軍帳，司馬子反口渴，讓年輕的僕從豎陽谷取水來喝。豎陽谷知道子反嗜酒，端來一碗酒遞給他。子反聞到酒香，叱責豎陽谷說：「去，拿下去。這是酒。」豎陽谷說：「這不是酒。」子反發怒說：「趕快拿下去，遞水來。」豎陽谷堅持說：「這真的不是酒，是水。」子反於是接過來一飲而盡。子反覺得酒味甘美，不能自已，於是讓豎陽谷繼續上酒，終於大醉。共王想重新組織戰鬥，派人來通知子反去商討作戰計劃。子反讓豎陽谷回答說他心口痛不能前往。共王得知消息，趕忙乘車來看他。進帳聞到酒氣，轉身就走了。共王對眾將說：「今天交戰，我自己受了傷，現在就依靠司馬了，司馬醉成這樣，他這是置國家大事及諸位於不顧啊。」於是宣布退兵。令尹子重與子反不和，乘機斥責子反。子反延誤軍機，自覺難辭其咎，於是引

頸自刎。豎陽谷向主人進酒，並不是想把主人灌醉，而是投其所好，想贏得主人的歡心，最終卻害了主人。《呂氏春秋》因此評價說：「小忠是大忠的禍害啊。」

【出處】

昔荊龔王與晉厲公戰於鄢陵，荊師敗，龔王傷。臨戰，司馬子反渴而求飲，豎陽谷操黍酒而進之。子反叱曰：「訾，退。酒也。」豎陽谷對曰：「非酒也。」子反曰：「亟退卻也。」豎陽谷又曰：「非酒也。」子反受而飲之。子反之為人也，嗜酒，甘而不能絕於口，以醉。戰既罷，龔王欲復戰而謀，使召司馬子反，子反辭以心疾。龔王駕而往視之，入幄中，聞酒臭而還，曰：「今日之戰，不穀親傷，所恃者司馬也，而司馬又若此。是忘荊國之社稷，而不恤吾眾也，不穀無與復戰矣。」於是罷師去之，斬司馬子反以為戮。故豎陽谷之進酒也，非以醉子反也，其心以忠也，而適足以殺之。故曰：「小忠，大忠之賊也。」（《呂氏春秋》〈慎大覽・權勳〉）

<h2 style="text-align:center">戰所由克</h2>

晉楚鄢陵之戰前，楚國司馬子反路過申地，去拜見申叔時，請他分析此戰的形勢：「這次出兵會怎麼樣？」申叔時回答說：「德、刑、詳（祥）、義、禮、信，是作戰的武器。德行用以普施恩惠，刑罰用來懲治邪惡，和祥用來事奉神靈，道義用來建立利益，禮法用來調和時序，信用用以守護基業。人民生活改善了，品行自然端正；民眾的利益得到保障了，神靈就不愁得不到虔誠的敬奉。四時有序，萬物生

長，上下和睦，社會和諧，自然有求必應，人盡其責。所以《詩經》〈周頌·思文〉裡說：『立我烝民，莫匪爾極。』意思是恩澤天下民眾，誰能不銘刻心田？這樣，神靈就會降福於他，四時都沒有災害，老百姓的生活得到改善，沒有後顧之憂，就會聽從國家召喚，齊心協力、前仆後繼。這就是戰爭能夠取勝的原因。現在楚國內不重民生，外不結盟友，褻瀆盟約，不講信譽，發動不合時令的戰爭，驅使疲憊的百姓以逞強。民眾喪失了信念，進退失措。戰士們顧慮重重，還有誰肯為國家賣命？司馬好自為之，我不一定會再見到您了。」

【出處】

過申，子反入見申叔時，曰：「師其何如？」對曰：「德、刑、詳、義、禮、信，戰之器也。德以施惠，刑以正邪，詳以事神，義以建利，禮以順時，信以守物。民生厚而德正，用利而事節，時順而物成。上下和睦，周旋不逆，求無不具，各知其極。故《詩》曰：『立我烝民，莫匪爾極。』是以神降之福，時無災害，民生敦厖，和同以聽，莫不儘力以從上命，致死以補其闕，此戰之所由克也。今楚內棄其民，而外絕其好；瀆齊盟，而食話言；奸時以動，而疲民以逞。民不知信，進退罪也。人恤所底，其誰致死？子其勉之！吾不復見子矣。」（《左傳》〈成公十六年〉）

君命以共

楚共王病重的時候，告訴守在身邊的臣子說：「我德行淺薄，十

歲時死了父親，尚未接受老師更多的教誨便擔當大任。因為在鄢陵之戰中失敗，失去了先君的霸業，使國家蒙受恥辱，讓諸位大夫承擔了太多的憂慮。託大家的福，我得以善終，能夠進祖廟與先君同享祭祀，已經很滿足了。我死之後，請謚為『靈』或『厲』好了。拜託各位。」在場的大夫誰也不敢吭聲。共王一連五次下令，大夫們才應允了。共王去世之後，令尹子囊主持商量謚號。眾大臣說：「君主已經有過命令了。」子囊說：「我覺得君王應該謚為『共』。楚國聲名赫赫，先君主政期間，撫征南海，訓及諸夏，有這麼大的貢獻，而又能檢討自己的過錯，還不能謚為『共』嗎？」大夫們都表示贊成。

【出處】

楚子疾，告大夫曰：「不穀不德，少主社稷。生十年而喪先君，未及習師保之教訓而應受多福，是以不德，而亡師於鄢；以辱社稷，為大夫憂，其弘多矣。若以大夫之靈，獲保首領以歿於地，唯是春秋窀穸之事，所以從先君於禰廟者，請為『靈』若『厲』。大夫擇焉！」莫對。及五命，乃許。秋，楚共王卒。子囊謀謚。大夫曰：「君有命矣。」子囊曰：「君命以共，若之何毀之？赫赫楚國，而君臨之，撫有蠻夷，奄征南海，以屬諸夏，而知其過，可不謂共乎？請謚之『共』。」大夫從之。（《左傳》〈襄公十三年〉）

本絕則撓亂

楚共王的兒子不少，但都不是正妻所生。他對這些孩子並無偏

愛，所以一直沒有確立太子。令尹屈建深感憂慮，對共王說：「楚國一定會出很多內亂。這就好比一隻野兔在大街上跑，上萬人都可以去追，因為這隻兔子沒有名分，事先不屬於任何人。兔子一旦被誰抓到，其他的人就不會再跑了；名分確定下來，再貪婪的人也會止步。現在大王有那麼多寵愛的兒子，但是太子卻沒有明確。這就是內亂的根源。太子是社稷延續的基礎，也是百姓的希望，國家缺失基礎，民眾沒有希望，等於斷絕了國家的根本。根本斷絕則禍亂滋生，就好像有野兔在大街上奔跑一樣。」共王聽了令尹的勸告，就立了熊招為太子。但後來還是出了令尹子圍、公子棄疾作亂的事情，莊王開創的楚國霸業也因之毀於一旦。

【出處】

　　楚恭王多寵子，而世子之位不定。屈建曰：「楚必多亂。夫一兔走於街，萬人追之，一人得之，萬人不復走。分未定，則一兔走，使萬人擾；分已定，則雖貪夫知止。今楚多寵子而嫡位無主，亂自是生矣。夫世子者，國之基也，而百姓之望也。國既無基，又使百姓失望，絕其本矣。本絕則撓亂，猶兔走也。」恭王聞之，立康王為太子。其後猶有令尹圍，公子棄疾之亂也。（《說苑》〈建本〉）

當璧而拜

　　楚共王的優柔寡斷，突出表現在確定接班人上。楚共王沒有嫡長子，五個寵子皆為庶出，一時不知道應該立誰。於是他以一塊玉璧遍

祭名山大川的神明，禱告說：「請求神靈在五個人中作出選擇，讓他來管理國家。正對著玉璧下拜的，就是神的選擇，誰敢違背？」禱告完畢後，共王和巴姬祕密地把玉璧埋在太廟正廳祭祀的地方，隨後通知五個兒子前來齋祭，按長幼次序下拜。共王和巴姬躲在一旁偷看誰能接觸玉璧。大公子招率先祭拜，膝蓋跪上玉璧；二公子圍祭拜時，胳膊肘壓住了玉璧；三公子比和四公子皙祭拜時無緣接觸玉璧；倒是年幼的五公子棄疾，被人抱入祖廟兩次跪拜，都壓在玉璧的璧紐上。大夫鬪韋龜不久就得知了內幕，於是把自己的兒子鬪成然囑託給棄疾。共王去世後，仍然指定長子招繼承王位，這就是楚康王。鬪韋龜說：「拋棄禮義而違背天命，楚國大概危險了。」

【出處】

初，共王無冢適，有寵子五人，無適立焉。乃大有事於群望，而祈曰：「請神擇於五人者，使主社稷。」乃遍以璧見於群望，曰：「當璧而拜者，神所立也，誰敢違之？」既，乃與巴姬密埋璧於大室之庭，使五人齊，而長入拜。康王跨之，靈王肘加焉，子干、子皙皆遠之。平王弱，抱而入，再拜，皆厭紐。鬪韋龜屬成然焉，且曰：「棄禮違命，楚其危哉！」（《左傳》〈昭公十三年〉）

退而伏劍

楚吳兩軍對壘，楚軍人少而吳軍眾多。楚國將軍子囊說：「如果要與吳軍硬拚，我們一定會吃敗仗，那樣不僅國君受辱，國土也會受

損，這是忠臣不忍心做的事。」於是下令撤兵。軍隊退到國都近郊的時候，子囊使人向楚王覆命說：「臣未經請示而退兵，請大王賜死。」楚王說：「你之所以選擇退兵，是從國家利益考慮，現在看來確實如此，免死。」子囊回應說：「如果逃跑無罪的話，則後世為臣者，都可以借對國家有利的名義像臣一樣不戰而退，楚國終將淪為弱國，臣必須死。」於是伏劍自殺。楚王得知，唏噓不已說：「既然如此，就讓我來成全你的高義吧。」於是為子囊定做了厚僅三寸的銅棺，並在上面放置斧鑕等刑具，以告示國人。[47]

【出處】

　　楚人將與吳人戰，楚兵寡而吳兵眾，楚將軍子囊曰：「我擊此國必敗，辱君虧地，忠臣不忍為也。」不復於君，黜兵而退。至於國郊，使人復於君曰：「臣請死。」君曰：「子大夫之遁也，以為利也。而今誠利，子大夫毋死！」子囊曰：「遁者無罪，則後世之為君臣者，皆入不利之名而效臣遁，若是，則楚國終為天下弱矣。臣請死。」退而伏劍。君曰：「誠如此，請成子大夫之義。」乃為桐棺三寸，加斧質其上，以徇於國。（《說苑》〈立節〉）

叔向受金

　　楚康王的弟弟公子午在秦國，秦國不放他回來。有個中射士說：

---

47. 子囊在分析敵我力量之後果斷撤兵，屬於知難而退，不能理解為逃跑。吳兵正在勢頭上，避其鋒芒是必要的，這跟打敗仗是兩碼子事，子囊沒必要拘泥於戰敗自裁的祖訓。楚王成全他的高義，實屬無奈之舉。

「資助我百金，我能夠使他出來。」於是運了百金到晉國去，拜見叔向並告訴他這件事說：「請允許我用這百金來委託您辦這件事。」叔向接受百金後，去見晉平公說：「可以在壺丘築城了。」晉平公問：「為什麼呢？」叔向說：「秦國不放出楚王的弟弟，秦楚兩國的關係就惡化了，秦國一定不敢禁止我國在壺丘築城。秦國如果阻止築城，我們就說：『為我們放出楚王的弟弟，我們就不築城了。』他們如果放出楚王的弟弟，楚國就會感激我們；如果不放出楚王的弟弟，表明秦國深恨楚國，一定不敢阻止我們在壺丘築城。」晉平公聽從叔向的建議，秦國果然放出了公子午。楚王十分高興，以純金一百鎰贈送給晉國。

【出處】

康王弟午在秦，秦不出也。申射士[48]曰：「資臣百金，臣能出之。」因載之晉，見叔向而告之，且曰：「請以百金委子。」叔向受金，見晉平公曰：「可以城壺丘矣。」公曰：「何也？」曰：「秦不出楚王之弟，是秦楚惡也，必不敢禁我城壺丘。彼如禁之，我曰：『為出楚王之弟，吾不城也。』彼如出之，可以德楚。不出是卒惡，必不敢禁城壺丘。」晉從之。秦果出公子午。王大悅，以煉金百鎰遺晉。（《渚宮舊事》〈周代中〉）

48.《韓非子》〈說林下〉作「中射士」，指戰國時諸侯宮中的宿衛。

蒍子馮裝病

魯襄公二十一年夏天，楚國的子庚死了，楚康王指派蒍子馮做令尹。蒍子馮與申叔豫商議，申叔豫說：「朝廷內寵臣很多，君王年輕勢弱，治理國家的難度很大啊。」於是蒍子馮就用裝病來推辭。當時正好是大熱天，蒍子馮在家裡挖了個地窖，放上冰，用冷水澆身子，把自己搞成了重感冒，而後身穿厚棉衣，外套皮袍子，躺在床上好幾天不吃東西。楚康王派御醫前往診視，回來報告說：「蒍子馮瘦弱到了極點，不過血氣還算正常。」康王無奈，只好任命子南為令尹。

【出處】

夏，楚子庚卒。楚子使蒍子馮為令尹，訪於申叔豫。叔豫曰：「國多寵而王弱，國不可為也。」遂以疾辭。方暑，闕地，下冰而床焉。重繭衣裘，鮮食而寢。楚子使醫視之。復曰：「瘠則甚矣，而血氣未動。」乃使子南為令尹。（《左傳》〈襄公二十一年〉）

蒍子馮退寵

殺死子南之後，楚康王起用蒍子馮為令尹，公子齮為司馬，屈建為莫敖。蒍子馮並未吸取前任令尹子南的教訓，當時整天圍著他轉的有八個人，個個得到寵信，雖然沒有俸祿，車駕駿馬卻不少。一天上朝，蒍子馮見到申叔豫，跟他打招呼，申叔豫沒搭理他。蒍子馮以為申叔豫沒聽見，趕上去再問他，申叔豫卻快步鑽入人群。蒍子馮緊

追不捨，申叔豫乾脆掉頭回家了。蔿子馮退朝後，專程上門找到申叔豫，問他說：「先生在上朝路上三次不理我，讓我內心很不安。我有什麼過錯，不妨直接告訴我，為什麼嫌棄我呢？」申叔豫回答說：「我只是害怕受牽連。」蔿子馮說：「到底什麼原因呢？」申叔豫回答說：「從前子南寵信觀起，子南有罪，觀起也被車裂，所以我感到害怕。」蔿子馮從申叔豫家裡出來，自己駕車回家，謹慎得都不敢走正道。到家之後，立即叫來八個寵信者說：「我剛剛去見申叔豫，這個人就是所謂能使死者復生、使白骨長肉的高人啊。你們之中，能夠像申叔豫一樣幫我的就留下，否則可以走人了。」得知蔿子馮辭退八名寵信者的消息後，楚康王非常高興。

【出處】

　　有寵於蔿子者八人，皆無祿而多馬。他日朝，與申叔豫言，弗應而退。從之，入於人中。又從之，遂歸。退朝，見之，曰：「子三困我於朝，吾懼，不敢不見。吾過，子姑告我，何疾我也？」對曰：「吾不免是懼，何敢告子？」曰：「何故？」對曰：「昔觀起有寵於子南，子南得罪，觀起車裂，何故不懼？」自御而歸，不能當道。至，謂八人者曰：「吾見申叔，夫子所謂生死而肉骨也。知我者，如夫子則可。不然，請止。」辭八人者，而後王安之。（《左傳》〈襄公二十二年〉）

楚野辯女

　　楚野辯女是昭氏的妻子。有一次，鄭簡公派大夫到楚國求婚，鄭國大夫的馬車與昭氏妻子的馬車狹路相逢。兩車相撞，撞斷了鄭大夫車的車軸。鄭大夫非常生氣，把昭氏妻子抓起來要鞭打她。昭氏妻子據理爭辯說：「君子不應該遷怒於人，更不應該冤枉人。兩車狹路相逢，我已經退讓了，你的僕人不肯稍稍退後，才損壞了你的車子。現在你不責備僕人，反而遷怒於我，這不是冤枉人嗎？《周書》上說：「不要欺負老弱孤苦而害怕顯貴的人。」如今你貴為大夫卻不能做出表率，反而原諒僕人而怪罪於我，你這種行為怎能說得上不欺負老弱孤苦呢？你想打就打吧，只是你已喪失了大夫的德行。」鄭大夫聽後非常慚愧，於是把昭氏妻子放了，又詢問她的來歷。昭氏妻子回答說：「我只是楚國郊野的普通百姓而已。」大夫又問：「你願意跟隨我回鄭國嗎？」昭氏妻子回答說：「我已經嫁人了，夫家是昭氏。」說完上車走了。君子評價說：「辯女靠言辭免禍，是因為道理在她這邊。」

【出處】

　　楚野辯女者，昭氏之妻也。鄭簡公使大夫聘於荊，至於狹路，有一婦人乘車與大夫轂擊而折大夫車軸，大夫怒，將執而鞭之，婦人曰：「妾聞君子不遷怒，不貳過。今於狹路之中，妾已極矣，而子大夫之僕不肯少引，是以敗子大夫之車，而反執妾，豈不遷怒哉？既不怒僕，而反怒妾，豈不貳過哉？《周書》曰：『毋侮鰥寡，而畏高

明。』今子列大夫而不為之表，而遷怒貳過，釋僕執妾，輕其微弱，豈可謂不侮鰥寡乎！吾鞭則鞭耳，惜子大夫之喪善也！」大夫慚而無以應，遂釋之而問之。對曰：「妾楚野之鄙人也。」大夫曰：「盍從我於鄭乎？」對曰：「既有狂夫，昭氏在內矣。」遂去。君子曰：「辯女能以辭免。」（《古列女傳》〈辯通傳〉）

班荊道故

　　楚國的伍參和蔡國的太師子朝是要好的朋友，他倆的兒子伍舉（椒舉）和聲子也很要好。伍舉娶了王子牟的女兒，子牟為申公而逃亡，有人向楚康王舉報說子牟是伍舉放走的，伍舉因此出逃鄭國，又打算逃到晉國去。聲子出使晉國，在鄭國的郊外碰見伍舉，兩人扯了一把茅草鋪在地上，一起吃東西，回憶過去的情誼。聲子說：「我倆的先人在天之靈都會幫助你，你應該能事奉晉君成為諸侯盟主的。」伍舉辭謝說：「這不是我的心願。如果屍骨能回歸楚國，死了也瞑目了。」聲子很感動，說：「我一定會想辦法讓你回到楚國。」伍舉向聲子再三拜謝，並送給聲子四匹馬，聲子接受了。

【出處】

　　初，楚伍參與蔡太師子朝友，其子伍舉與聲子相善也。伍舉娶於王子牟，王子牟為申公而亡，楚人曰：「伍舉實送之。」伍舉奔鄭，將遂奔晉。聲子將如晉，遇之於鄭郊，班荊相與食，而言復故。聲子曰：「子行也，吾必復子。」及宋向戌將平晉、楚，聲子通使於晉，還如楚。（《左傳》〈襄公二十六年〉）

雖楚有材，不能用也

　　聲子回到楚國後拜見令尹子木，子木和他談話，問他說：「蔡國雖然和晉國是同姓兄弟，但蔡君也是我們大王的外甥，你覺得晉楚兩國，哪個更好呢？」聲子回答說：「晉國的正卿不如楚國的令尹，但晉國的大夫很賢明，他們都是可以勝任卿位的人才。就像杞木、梓木和皮革一樣，都是楚國拱手送給晉國的。楚國雖然人才濟濟，卻不善使用。」子木說：「晉國有公族和甥、舅之類的親戚，為什麼還要用楚國的人才呢？」聲子回答說：「以前令尹子元遇難，有人就在楚成王面前說子元兒子王孫啟的壞話，成王聽信讒言，王孫啟就逃到晉國去了。城濮之戰時，晉軍準備撤退，王孫啟對先軫說：『這次出兵，只是子玉想打，他和楚王的想法不一致，所以只有東宮和西廣兩支部隊前來參戰。諸侯隨從來的，一半都不會賣力。連子玉的同族若敖氏都撤離了，只要交戰，楚軍必敗，何必撤退呢？』先軫聽從了他的意見，果然大敗楚軍，這都是王孫啟的主意。楚莊王初繼位的時候，有人在莊王面前說析公臣的壞話，莊王不能正確判斷，於是析公逃亡晉國，為晉國所用。晉國後來用析公之計，使楚國失去了東夏。以前雍子的父兄對共王說雍子的壞話，共王分辨不明，雍子便逃往晉國。鄢陵之戰時，晉軍將要撤退，參與軍事謀劃的雍子對欒書說：『楚軍的主力只是在中軍的王族親兵罷了。如果我們調換中軍和下軍的位置，楚軍必然貪利中計。兩軍交戰，楚軍將會遭遇我們的中軍，我們上下兩軍必然打敗他們的左右兩軍，然後我們再結集中軍、上軍、下軍和新軍攻打他們的王族親兵，一定能大敗楚軍。』欒書依計而行，果然

大敗楚軍，共王的眼睛也被射傷，這都是雍子幹的。[49]再說莊王殺死子南後將夏姬帶回楚國，讓襄老娶她。襄老在邲地戰役中死去，巫臣帶著夏姬逃亡晉國，為晉國所用，為報復子反誅滅他的家族，他發誓說要讓楚國的軍隊疲於奔命。巫臣讓晉國與吳國結盟，並把他的兒子狐庸留在吳國，巫臣教吳人駕車射箭，引導吳國進攻楚國。直到今天，吳國還是楚國的大患，這都是申公巫臣幹的。如今伍舉娶了子牟的女兒，子牟犯罪逃跑了，執政的不能正確審理，卻說是伍舉放跑的。伍舉害怕法律處罰而逃到鄭國，伸長了脖子遠望南方說：『什麼時候才能證明我的清白呢？』如果楚國不妥善處理這件事，一旦伍舉逃往晉國，必獲重用，他如果想謀取楚國，必將給楚國造成重大損失。」子木聽了，心裡很是犯愁，對聲子說：「該怎麼辦，召他能回來嗎？」聲子回答說：「逃亡的人得到生路，怎麼會不回來？」子木說：「萬一他不肯回來怎麼辦？」聲子回答說：「如果他執意不肯回來，那就出錢買通東陽大盜殺死他。」子木搖頭說：「不行。我身為楚國令尹，卻要出錢僱用專業殺手到晉國殺人，這太不仁義了。不如您替我召他回來，我加倍賞賜他家產。」於是聲子聯手伍舉的兒子伍鳴將伍舉召回，使他官復原職。

【出處】

（聲子）還，見令尹子木，子木與之語，曰：「子雖兄弟於晉，

---

49. 鄢陵之戰中還有一個苗賁皇，即鬪越椒之子，又名鬪賁皇。莊王滅若敖氏之族後他逃往晉國，被譽為晉國八大良臣之一。鄢陵之戰中，苗賁皇先告訴晉厲公楚軍精良在中軍，如果晉以精兵攻其左右軍，三軍往中軍聚集，楚軍必敗。楚軍失利當晚，決定進行休整，補充兵員，明晨再戰；苗賁皇也通告全軍作好準備，並有意讓楚國俘虜跑回楚營，報告晉軍加強備戰的情況，以向楚軍施壓。

然蔡吾甥也，二國孰賢？」對曰：「晉卿不若楚，其大夫則賢，其大夫皆卿材也。若杞梓、皮革焉，楚實遺之，雖楚有材，不能用也。」子木曰：「彼有公族甥舅，若之何其遺之材也？」對曰：「昔令尹子元之難，或譖王孫啟於成王，王弗是，王孫啟奔晉，晉人用之。及城濮之役，晉將遁矣，王孫啟與於軍事，謂先軫曰：『是師也，唯子玉欲之，與王心違，故唯東宮與西廣實來。諸侯之從者，叛者半矣，若敖氏離矣，楚師必敗，何故去之！』先軫從之，大敗楚師，則王孫啟之為也。昔莊王方弱，申公子儀父為師，王子燮為傅，使師崇、子孔帥師以伐舒。燮及儀父施二帥而分其室。師還至，則以王如盧，盧戢黎殺二子而復王。或譖析公臣於王，王弗是，析公奔晉，晉人用之。實譖敗楚，使不規東夏，則析公之為也。昔雍子之父兄譖雍子於恭王，王弗是，雍子奔晉，晉人用之。及鄢之役，晉將遁矣，雍子與於軍事，謂欒書曰：『楚師可料也，在中軍王族而已。若易中下，楚必歆之。若合而陷吾中，吾上下必敗其左右，則四萃以攻其王族，必大敗之。』欒書從之，大敗楚師，王親面傷，則雍子之為也。昔陳公子夏為御叔娶於鄭穆公，生子南。子南之母亂陳而亡之，使子南戮於諸侯。莊王既以夏氏之室賜申公巫臣，則又畀之子反，卒與襄老。襄老死於邲，二子爭之，未有成。恭王使巫臣聘於齊，以夏姬行，遂奔晉。晉人用之，實通吳、晉。使其子狐庸為行人於吳，而教之射御，導之伐楚。至於今為患，則申公巫臣之為也。今椒舉娶於子牟，子牟得罪而亡，執政弗是，謂椒舉曰：『女實遣之。』彼懼而奔鄭，緢然引領而望，曰：『庶幾赦吾罪。』又不圖也，乃遂奔晉，晉人又用之矣。彼若謀楚，其亦必有豐敗也哉！」子木愀然，曰：「夫子何如，召之其來乎？」對曰：「亡人得生，又何來為。」子木曰：「不來，

則若之何？」對曰：「夫子不居矣，春秋相事，以還軫於諸侯。若資東陽之盜使殺之，其可乎？不然，不來矣。」子木曰：「不可。我為楚卿，而賂盜以賊一夫於晉，非義也。子為我召之，吾倍其室。」乃使椒鳴召其父而復之。（《國語》〈楚語上〉）

上下其手

魯襄公二十六年，楚國出兵討伐鄭國。鄭將皇頡被楚將穿封戌俘虜。戰鬥結束後，公子圍想冒認俘獲皇頡的功勞，硬說皇頡是他抓獲的。放在一般人也就算了，偏偏穿封戌是個較真的人，不肯拱手相讓。兩人爭執起來，彼此都不肯讓步，於是找伯州犁作公證人，由他來判定是誰的功勞。伯州犁的判決辦法貌似很公正，他說：「要知道這是誰的功勞，問問被俘的皇頡不就得了。」於是命人帶上皇頡，讓他站在中庭，面向公子圍和穿封戌。伯州犁抬手向上介紹說：「這位是公子圍，是當今君主的弟弟。」然後又放手向下介紹說：「此人為穿封戌，是方城外的縣尹。現在我問你，到底是誰擒獲了你呢？」伯州犁在提問之前，故意把爭功人雙方的身分顯示給皇頡，並採用了「上下其手」的不同手勢，將他要討好權貴的心意暗示給皇頡。皇頡心領神會。作為楚國戰俘，他急於求釋，為討好楚國當權者，當即手指公子圍說：「我是被這位將軍俘虜的。」於是，伯州犁便將功勞判給了公子圍，而皇頡也果然得到寬赦，不久就被釋放歸國。[50]

---

50. 一說皇頡因被穿封戌俘虜，十分恨他，便故意手指公子圍，說是被他俘獲的。伯州犁雖然討好公子圍，公子圍卻不領情。後來公子圍殺姪篡位，並沒有因此放過曾是康王親信的伯州犁。

　　遂侵鄭。五月，至於城麇。鄭皇頡戍之，出，與楚師戰，敗。穿封戌囚皇頡，公子圍與之爭之，正於伯州犂。伯州犂曰：「請問於囚。」乃立囚。伯州犂曰：「所爭，君子也，其何不知？」上其手，曰：「夫子為王子圍，寡君之貴介弟也。」下其手，曰：「此子為穿封戌，方城外之縣尹也。誰獲子？」囚曰：「頡遇王子，弱焉。」戌怒，抽戈逐王子圍，弗及。楚人以皇頡歸。（《左傳》〈襄公二十六年〉）

松柏之下，其草不殖

　　魯襄公二十九年，楚康王死，其子熊麇即位，任命他的叔父公子圍為令尹。鄭國的使者子羽對這一安排發表評論說：「這種安排欠妥。令尹很可能取代侄子。枝繁葉茂的松柏樹下，小草是不可能繁殖的。」

【出處】

　　夏四月，葬楚康王。公及陳侯、鄭伯、許男送葬，至於西門之外，諸侯之大夫皆至於墓。楚郟敖即位，王子圍為令尹。鄭行人子羽曰：「是謂不宜，必代之昌。松柏之下，其草不殖。」（《左傳》〈襄公二十九年〉）

辭官而歸

太宰子朱侍候令尹子圍進餐。子圍喝了一口湯，覺得燙口，於是端起杯子，將杯中的涼水倒進湯裡。第二天，子朱辭官回家。子朱的僕人覺得奇怪，問他為什麼辭官。子朱說：「令尹舉止輕浮，簡慢無禮，他想刁難侮辱人的話，隨時都可以。」果不其然，第二年，令尹子圍就找岔子將接任的郎尹打了三百大板。

【出處】

太宰子朱侍飲於令尹子圍。子圍啜羹熱，援匜漿波之。明日，子朱辭官而歸。其僕怪，問之。朱曰：「令尹輕行而簡禮，其辱人不難。」明年，伏郎尹笞之三百。（《渚宮舊事》〈周代中〉）

令尹將有大事

魯襄公三十年春，楚王派蒍罷去魯國訪問，穆叔問蒍罷：「王子圍執政的情況怎麼樣？」蒍罷支支吾吾，答非所問，穆叔據此告訴大夫們說：「楚國的令尹將有大動作，子蕩也會參與其中，因為他在幫著隱瞞情況。」不久，王子圍就殺死大司馬蒍掩，強佔了他的家財。申無宇評論此事說：「王子圍今後不會有好下場的。司馬是令尹的輔佐，也是國君的手足，身為令尹，不多做善事，反而折斷國家的棟梁，去掉自己的輔佐，斬除國君的手足，沒有比這再大的不吉利了。」

三十年春王正月，楚子使薳罷來聘，通嗣君也。穆叔問王子圍之為政何如。對曰：「吾儕小人食而聽事，猶懼不給命而不免於戾，焉與知政？」固問焉，不告。穆叔告大夫曰：「楚令尹將有大事，子蕩將與焉助之，匿其情矣。」……楚公子圍殺大司馬蒍掩而取其室。申無宇曰：「王子必不免。善人，國之主也。王子相楚國，將善是封殖，而虐之，是禍國也。且司馬，令尹之偏，而王之四體也。絕民之主，去身之偏，艾王之體，以禍其國，無不祥大焉！何以得免？」（《左傳》〈襄公三十年〉）

終之實難

魯襄公三十一年，北宮文子見到令尹子圍的神情，對時在楚國的衛襄公說：「令尹的言行就像國君一樣，他可能想取而代之。雖然可能得逞，但我斷言他不會有好下場。《詩經》說：『凡事沒有不能善始的，卻很少有能善終的。』堅持到最後是很難的，令尹也肯定不會有好結果的。」

【出處】

衛侯在楚，北宮文子見令尹圍之威儀，言於衛侯曰：「令尹似君矣，將有他志。雖獲其志，不能終也。《詩》云：『靡不有初，鮮克有終。』[51]終之實難，令尹其將不免。」（《左傳》〈襄公三十一年〉）

51.「靡不有初，鮮克有終」，出自《詩經》〈大雅・蕩〉。

終之實難

入問王疾

魯昭公元年，公子圍出使鄭國，並娶妻於公孫段氏。公子圍從鄭國迎親之後，立即與諸大夫相會於虢地，其住所、服飾、器物、陳設及儀仗、警衛等，都採用楚王的排場與規格。參加聚會的大夫們知其必將篡位，且一旦弒君，必將凌暴於諸侯，因而心存戒懼。同一年冬天，公子圍準備到晉國訪問，以伍舉為副手。尚未出境，得知楚王生病的消息，於是折返回都城，以進宮探望病情為由，將楚王勒死，並乘機殺死楚王的兒子子幕和平夏。子干逃往晉國，子晳逃往鄭國，子圍如願以償地登上了王位。

【出處】

冬，楚公子圍將聘於鄭，伍舉為介。未出竟，聞王有疾而還。伍舉遂聘。十一月己酉，公子圍至，入問王疾，縊而弒之，遂殺其二子幕及平夏。右尹子干出奔晉，宮廄尹子晳出奔鄭，殺大宰伯州犂於郟。葬王於郟，謂之郟敖。（《左傳》〈昭公元年〉）

章華之臺

靈王建造傾宮，三年尚未完工，接著修築章華臺，然後又為自己建造石室、壅導漢水，以摹仿帝舜的陵墓。老百姓不堪忍受，人人思亂。翟人到楚國朝拜，靈王向他們誇耀章華臺的壯美。他與翟國使者一起登臺參觀，中途休息了好幾次才到達臺頂。靈王得意地問：「你

們的大王也有這樣的檯子嗎？」翟國使者回答說：「我們國君的朝堂臺階只有三尺高，茅草屋頂幾乎不加修剪，房椽也不怎麼砍削，就這樣國君還認為修建朝堂的人太過勞累，而居住的人過於舒適，又怎麼會有這樣的檯子呢？」聽了翟國使者的話，靈王心裡感到很慚愧。

【出處】

靈王作傾宮，三年未息而為章華之臺，又自為石櫑陂漢以象帝舜，民始思亂矣。翟人來朝，靈王誇之。與客登章華臺，三休乃至。王曰：「翟王亦有臺乎？」使者曰：「翟堂高三尺，茅茨不剪，采椽不斫，猶謂為之者勞，居之者佚，又惡得有此？」王甚愧之。（《渚宮舊事》〈周代中〉）

靈王好細腰

從前，楚靈王喜歡士人有纖細的腰身，所以朝中的大臣們為了迎合靈王的喜好，都不敢多吃，每天都只吃一頓飯。每天起床更衣時，都先屏住呼吸，然後再把腰帶束緊，扶著牆壁才能站起來。這樣過了一年，楚國滿朝臣子的臉色都發黑，顯出病態。

【出處】

昔者楚靈王好士細要，故靈王之臣，皆以一飯為節，脅息然後帶，扶牆然後起。比期年，朝有黧黑之色。（《墨子》〈兼愛中〉）

安民以為樂

　　楚靈王與伍舉登章華臺，讚美它的壯美宏大。伍舉不以為然，趁機勸諫說：「臣聽說國君以上下信服為美，以安定百姓為樂，耳邊喜歡聽到仁德的聲音，眼睛愛看到遠近歸服的情景。沒聽說國君以建造雕梁畫棟的高樓大廈為美，以鐘磬齊鳴、歌姬亂舞為樂，也沒有聽說哪個國君眼見奢侈淫色而沉迷，耳聽靡靡之音而陶醉。過去莊王建匏居之臺，一切以實用為原則。徵用的木材不影響都城的防務建設，費用支出不動用官府的儲備，徵用民夫也不耽誤農時，連官府正常的公務都不受影響。匏居之臺建成之後，宴請的多是列國諸侯，並得到各國諸侯的稱讚。現在大王建造這座高臺，百姓疲憊不堪，收成受到影響，府庫財用枯竭，百官上下奔忙。君主希望列國諸侯前來登臺恭賀讚賞，人家卻不肯賞臉。只有一個魯侯受到恐嚇勉強前來，我不知道這有什麼可讚美的。」

【出處】

　　靈王為章華之臺，與伍舉升焉，曰：「臺美夫！」對曰：「臣聞國君服寵以為美，安民以為樂，聽德以為聰，致遠以為明。不聞其以土木之崇高彤鏤為美，而以金石匏竹之昌大囂庶為樂；不聞其以觀大、視侈、淫色以為明，而以察清濁為聰也。先君莊王為匏居之臺，高不過望國氛，大不過容宴豆，木不妨守備，用不煩官府，民不廢時務，官不易朝常。問誰宴焉，則宋公、鄭伯；問誰相禮，則華元、駟騑；問誰贊事，則陳侯、蔡侯、許男、頓子，其大夫侍之。先君以是

除亂克敵，而無惡於諸侯。今君為此臺也，國民罷焉，財用盡焉，年穀敗焉，百官煩焉，舉國留之，數年乃成。願得諸侯與始升焉，諸侯皆距，無有至者。而後使大宰啟疆請於魯侯，懼之以蜀之役，而僅得以來。使富都那豎贊焉，而使長鬣之士相焉，臣不知其美也。夫美也者，上下、內外、小大、遠近皆無害焉，故曰美。若周於目觀則美，縮於財用則匱，是聚民利以自封而瘠民也，胡美之為？夫君國者，將民之與處，民實瘠矣，君安得肥？且夫私欲弘侈，則德義鮮少；德義不行，則邇者騷離而遠者距違。天子之貴也，唯其以公侯為官正，而以伯子男為師旅。其有美名也，唯其施令德於遠近，而小大安之也。若斂民利以成其私欲，使民蒿焉忘其安樂，而有遠心，其為惡也甚矣，安用目觀？故先王之為臺榭也，榭不過講軍實，臺不過望氛祥。故榭度於大卒之居，臺度於臨觀之高。其所不奪穡地，其為不匱財用，其事不煩官業，其日不廢時務。瘠磽之地，於是乎為之；城守之木，於是乎用之；官僚之暇，於是乎臨之；四時之隙，於是乎成之。故《周詩》曰：『經始靈臺，經之營之。庶民攻之，不日成之。經始勿亟，庶民子來。王在靈囿，麀鹿攸伏。』夫為臺榭，將以教民利也，不知其以匱之也。若君謂此臺美而為之正，楚其殆矣！」（《國語》〈楚語上〉）

伍舉說魯君

　　章華臺建成之後，楚靈王遍邀諸侯登臺慶賀飲酒。參加聚會的諸侯中，有分量的只有一個魯侯。靈王喝多了，就把宮中寶物大曲之弓

和不琢之璧賞賜給他。酒醒之後又後悔了，讓伍舉想辦法幫他討要回來。伍舉找到魯君，對他說：「大曲之弓和不琢之璧是楚國的上等寶物，吳國君主幾次想要都沒有如願。現在到了給您手裡，吳國、秦國和齊國大概都不會善罷甘休，這不是明擺著想嫁禍給您嗎？」魯君聽完，連忙把兩件寶物退還給了楚王。

【出處】

靈王成章華之臺，與諸侯觴之，偏悅魯君。既醉，賜以大曲之弓、不琢之璧。既而悔之。伍舉說魯君曰：「弓、璧，楚之上寶，吳君求不得。今屬魯，吳與秦、齊聞之，是徒禍於魯。」魯君懼而反之。（《渚宮舊事》〈周代中〉）

簡賢務鬼

靈王輕慢賢臣，卻迷信鬼神，好巫術。祭祀群神時，經常親執羽帔，在祭壇下舞蹈。吳國軍隊已經兵臨城下，大臣們前來告急，靈王不去組織抵抗，卻跑到祭壇下跳起了大神，在鼓聲中神態自若地說：「我正在取樂神明，哪有時間安排救援，老天爺會保佑楚國的。」吳軍攻破國都城池，太子后妃等都成了俘虜。

【出處】

靈王簡賢務鬼，信巫覡，祀群神，躬執羽帔舞壇下。吳師來攻，國人告急，王鼓舞自若，曰：「寡人方樂神明，當蒙福祐，不敢救。」吳兵遂至，獲太子后妃已下。（《渚宮舊事》〈周代中〉）

尾大不掉

　　楚靈王修築陳國、蔡國、不羹[52]的城牆，派子晳去詢問范無宇說：「中原各國都歸附晉國，到底是什麼原因呢？是晉國離它們近而楚國離它們遠的原因嗎？現在我修築三國的城牆，它們各有一千乘戰車，就足以和晉國抗衡了。再加上楚國的實力，列國諸侯應該來歸附楚國了吧？」范無宇回答說：「縱觀歷史，國家修築大城並沒有什麼好處。以前鄭國有京城、櫟城，衛國有蒲城、戚城，宋國有蕭城、蒙城，魯國有弁城、費城，齊國有渠丘，晉國有曲沃，秦國有徵城、衙城。叔段以京城給鄭莊公製造禍患，鄭國幾乎不能戰勝他，櫟人傅瑕則使鄭子丟掉了君位。衛國蒲城、戚城的邑主驅逐衛獻公，宋國蕭城、蒙城的邑主殺害宋昭公，魯國弁城、費城的邑主削弱魯襄公的勢力，齊國渠丘的邑主殺死公孫無知，晉國曲沃的邑主接納齊軍作亂，秦國徵城、衙城的邑主侵逼秦桓公和秦景公，這些在各國史志上都有記載，都是築大城不利的例子。而且築城就像人的身體一樣，有頭和四肢，一直到手指、毛髮和血脈，大的部位能調動小的部位，所以行動起來並不勞累。地勢有高有低，天氣有陰有晴，人有君臣之分，國家有國都和邊邑，這是自古以來的制度。先王恐怕有人不遵守，所以用仁義來制約它，用車服來表現它，用禮儀來推行它，用名號來分辨，用文字來記錄，用語言來表述。之所以喪失它，是因為改變了尊卑秩序的緣故。邊境地區是國家的尾部，譬如牛馬，處暑到了，背上有牛虻叮咬，卻不能擺動尾巴驅趕。大王在陳、蔡、不羹修築三座大城，豈不使諸侯列國心有所懼嗎？」子晳將范無宇的回覆報告靈王。

---

52. 不羹，地名，與陳、蔡皆為楚國別都。今河南襄城東南有不羹城。

靈王不以為然地說：「此人稍微懂得點天道，哪裡懂得治民的法則？這些話真是荒誕不經。」右尹子革在一旁侍陪，對靈王說：「百姓是上天的子民，懂得天道的人應該也會知道治民的法則。他這些話值得大王警惕啊。」過了三年，陳國、蔡國和不羹城的人接納公子棄疾，最終殺死了楚靈王。

【出處】

靈王城陳、蔡、不羹，使僕夫子晳問於范無宇，曰：「諸夏不服吾而獨事晉，何也？唯晉近我遠也。今吾城三國，賦皆千乘，亦當晉矣。又加之以楚，諸侯其來乎？」對曰：「其在志也，國為大城，未有利者。昔鄭有京、櫟，衛有蒲、戚，宋有蕭、蒙，魯有弁、費，齊有渠丘，晉有曲沃，秦有徵、衙。叔段以京患莊公，鄭幾不封，櫟人實使鄭子不得其位，衛蒲、戚實出獻公，宋蕭、蒙實弒昭公，魯弁、費實弱襄公，齊渠丘實殺無知，晉曲沃實納齊師，秦徵、衙實難桓、景，皆志於諸侯，此其不利者也。且夫制城邑若體性焉，有首領股肱，至於手拇毛脈，大能掉小，故變而不勤。地有高下，天有晦明，民有君臣，國有都鄙，古之制也。先王懼其不帥，故制之以義，旌之以服，行之以禮，辨之以名，書之以文，道之以言。既其失也，易物之由。夫邊境者，國之尾也，譬之如牛馬，處暑之既至，虻蚋之既多，而不能掉其尾，臣亦懼之。不然，是三城也，豈不使諸侯之心惕惕焉。」子晳覆命，王曰：「是知天咫，安知民則？是言誕也。」右尹子革侍，曰：「民，天之生也。知天，必知民矣。是其言可以懼哉！」三年，陳、蔡及不羹人納棄疾而弒靈王。（《國語》〈楚語上〉）

末大必折，尾大不掉，君所知也。（《左傳》〈昭公十一年〉）

商陽手弓

楚國討伐吳國，工尹商陽與陳棄疾一起追擊吳軍。追上以後，棄疾對商陽說：「這是君王交付的任務，現在您可以把弓拿在手裡了。」商陽便張弓在手。棄疾又說：「您該射箭了。」商陽於是發箭，射殺了一名敵人，而後把弓裝回弓袋。又趕上敵人，棄疾又對他說同樣的話，他又射死了兩名敵兵。每當射死一名敵人，商陽都要把眼睛遮起來不敢看。最後他讓駕車的人停下來說：「殺死三個敵人，回去也足以交差了。」孔子聽說這件事後說：「殺人也是有禮節的。」子路生氣地對孔子說：「作為人臣的禮節，遇上國君有大事，應當竭盡全力，死而後已。先生為什麼稱讚商陽的舉動呢？」孔子說：「確實應該像你說的那樣。我讚賞的，不過是他有不忍殺人之心而已。」

【出處】

楚伐吳，工尹商陽與陳棄疾追吳師，及之，棄疾曰：「王事也，子手弓而可。」商陽手弓。棄疾曰：「子射諸。」射之，斃一人，韔其弓。又及，棄疾謂之，又及，棄疾復謂之，斃二人，每斃一人，輒掩其目，止其御，曰：「吾朝不坐，燕不與，殺三人亦足以反命矣。」孔子聞之，曰：「殺人之中，又有禮焉。」子路怫然進曰：「人臣之節，當君大事，唯力所及，死而後已，夫子何善此？」子曰：「然，如汝言也，吾取其有不忍殺人之心而已。」（《孔子家語》〈曲禮子貢問〉）

不敢不言

　　楚靈王暴虐無道，白公子張多次進諫，靈王很討厭，對史老（子亹）說：「我想阻止子張的勸諫，有什麼辦法嗎？」史老說：「接受進諫很難，制止它容易。下次他再進諫的時候，您就說：『我左手制服著鬼的身子，右手掌握著鬼藏身的地方，舉凡各種勸諫，我全都能聽到，沒必要再聽別的勸告了。』」白公又來勸諫，靈王就按史老教他的話說。白公回答說：「以前殷商武丁敬德慎行，達於神明，他曾經三年沉默不語，用心思考治國的道理。卿士們為此擔憂，說君王必須發號施令，如果整天不說話，臣下就沒有辦法稟承您的命令辦事了。於是武丁寫了封信給大家，說他擔心自己的德行不夠，所以不敢講話。武丁又派人根據夢中印象四處尋訪賢人，得到傅說後尊為上公，讓他早晚規諫，說：『如果我是劍，你就是磨刀石；如果我要渡河，你就是渡船；如果天旱，你就是滋潤我心田的連綿甘霖；如果藥力不足，疾病就不會痊癒；光著腳丫子走路不看地面，腳就有受傷的危險。』像武丁那樣與神明相通的聖人，尚且認為不能很好地治理國家，所以三年沉默不語。他已經知曉了為君之道，卻還不敢專斷獨行。已經得到賢人的輔佐，還怕疏忽遺忘高明的賢士，讓傅說早晚提醒規勸他。現在您應該還趕不上武丁，卻討厭規諫您的人，憑您現在的狀態，能治理好國家嗎？齊桓公和晉文公均非嫡長子，他們流亡各國期間，始終不忘修身養性，不敢驕奢淫逸。做了國君之後，對身邊大臣的勸諫、遠方臣僚的批評、民間的告誡議論，都能夠虛心採納，因此才成為會合諸侯的霸主，至今仍被稱為賢君。齊桓公、晉文公已經做出了榜樣，您不思考追趕兩位賢君，卻要貪圖安逸，這怎麼行

呢？《周詩》上說：『凡事不能事必躬親，就得不到百姓的信賴。』我是擔心老百姓不信任您，因此不敢不說。否則我又何必因進諫而討您不喜歡呢？」靈王知道自己很難做到，於是對白公說：「你說吧。我雖然不能照著去做，但我願意把這些話裝進耳朵裡。」白公回答說：「我希望大王接受我的規諫，所以才說那麼多話。您要是把耳朵堵上，把我的話當耳邊風一吹而過，又有什麼意義呢？」於是快步退下，回到家中閉門不出。七個月之後，靈王死於乾谿之亂。

【出處】

　　靈王虐，白公子張驟諫。王患之，謂史老曰：「吾欲已子張之諫，若何？」對曰：「用之實難，已之易矣。若諫，君則曰：『余左執鬼中，右執殤宮，凡百箴諫，吾盡聞之矣，寧聞他言？』」白公又諫，王如史老之言。對曰：「昔殷武丁能聳其德，至於神明，以入於河，自河徂亳，於是乎三年默以思道。卿士患之，曰：『王言以出令也，若不言，是無所稟令也。』武丁於是作書，曰：『以余正四方，余恐德之不類，茲故不言。』如是而又使以象夢旁求四方之賢，得傅說以來，升以為公，而使朝夕規諫，曰：『若金，用女作礪。若津水，用女作舟。若天旱，用女作霖雨。啟乃心，沃朕心。若藥不瞑眩，厥疾不瘳。若跣不視地，厥足用傷。』若武丁之神明也，其聖之睿廣也，其智之不疚也，猶自謂未乂，故三年默以思道。既得道，猶不敢專制，使以象旁求聖人。既得以為輔，又恐其荒失遺忘，故使朝夕規誨箴諫，曰：『必交修余，無余棄也。』今君或者未及武丁，而惡規諫者，不亦難乎！齊桓、晉文，皆非嗣也，還軫諸侯，不敢淫逸，心類德音，以德有國。近臣諫，遠臣謗，輿人誦，以自詁也。是

以其入也，四封不備一同，而至於有畿田，以屬諸侯，至於今為令君。桓、文皆然，君不度憂於二令君，而欲自逸也，無乃不可乎？《周詩》有之曰：『弗躬弗親，庶民弗信。』臣懼民之不信君也，故不敢不言。不然，何急其以言取罪也？」王病之，曰：「子復語。不穀雖不能用，吾慭置之於耳。」對曰：「賴君用之也，故言。不然，巴浦之犀、犛、兕、象，其可盡乎，其又以規為瑱也？」遂趨而退，歸，杜門不出。七月，乃有乾谿之亂，靈王死之。（《國語》〈楚語上〉）

眾怒不可犯

　　楚靈王暴虐貪婪，又耽於享樂。靈王十一年，在出征討伐徐國之後，靈王就待在乾谿樂不思郢。在觀從、朝吳等人的煽動下，公子比（子干）、公子黑肱（子皙）、公子棄疾、蔓成然等率領陳、蔡、不羹、許、葉等地的軍隊及四族的族人攻入楚國國都，殺死太子祿等人，以公子比為楚王，公子黑肱為令尹，公子棄疾為司馬，並派觀從到乾谿向軍隊公布政變的消息，同時說，先回去的保持既有待遇，後回去的割鼻子。靈王率軍隊急回郢都，到達訾梁時隊伍就潰散了。靈王聽說太子祿的死訊，悲痛得從車上摔了下來，仰天嘆息說：「我殺死別人的兒子太多了，能不落到這步田地嗎？」右尹子革說：「請在國都郊外等待，聽從國人的選擇吧。」靈王搖頭說：「眾怒難犯哪。」子革又說：「或許可以到大的都邑暫避，再去向諸侯借兵。」靈王說：「沒有哪個城邑會收留我，都背叛了。」子革想了想說：「要不先逃

到某個大國去，再聽從大國為君王謀劃？」靈王搖頭說：「好福氣不會再來，只不過是自取其辱。」子革默然，最終選擇離開靈王回到國都。

【出處】

　　十二年春，楚靈王樂乾谿，不能去也。國人苦役。初，靈王會兵於申，僇越大夫常壽過，殺蔡大夫觀起。起子從亡在吳，乃勸吳王伐楚，為間越大夫常壽過而作亂，為吳間。使矯公子棄疾命召公子比於晉，至蔡，與吳、越兵欲襲蔡。令公子比見棄疾，與盟於鄧。遂入殺靈王太子祿，立子比為王，公子子皙為令尹，棄疾為司馬。先除王宮，觀從從師於乾谿，令楚眾曰：「國有王矣。先歸，復爵邑田室。後者遷之。」楚眾皆潰，去靈王而歸。靈王聞太子祿之死也，自投車下，而曰：「人之愛子亦如是乎？」侍者曰：「甚是。」王曰：「余殺人之子多矣，能無及此乎？」右尹曰：「請待於郊以聽國人。」王曰：「眾怒不可犯。」曰：「且入大縣而乞師於諸侯。」王曰：「皆叛矣。」又曰：「且奔諸侯以聽大國之慮。」王曰：「大福不再，只取辱耳。」於是王乘舟將欲入鄢。右尹度王不用其計，懼俱死，亦去王亡。(《史記》〈楚世家〉)

唯命是從

　　魯昭公十二年，楚靈王冬獵於乾谿。傍晚歸來，子革來見，靈王問他：「從前先王熊繹與齊國的呂伋、衛國的王孫牟、晉國的燮父、

魯國的伯禽一起事奉周康王，四國都有分賜的寶器，唯獨我國沒有。現在我派人到周室，要求將九鼎作為分賜給我國的寶器，周王會給我嗎？」於革回答說：「會給君王的。從前我們的先王熊繹辟在荊山，篳路藍縷以處草莽，跋涉山林以事天子，只能以桃木做的弓、棘枝做的木箭作為貢品。齊國是天子的舅父，晉國、魯國、衛國都是天子的同胞兄弟，他們因此都能得到賞賜而楚國沒有。現在是周朝和四國順奉君王，對您唯命是從，哪裡還會吝惜九鼎呢？」靈王又問：「從前我們的先祖伯父昆吾住在許國舊地，現在鄭國人貪圖佔有那裡的田地，如果我們索要，鄭國會給我們嗎？」子革回答說：「會給的。天子尚且不吝惜九鼎，鄭國又豈敢吝惜田地呢？」靈王再問：「從前諸侯認為我國偏遠而畏懼晉國，現在我們大力擴建陳、蔡、不羮的城邑，各地都有兵車一千輛，諸侯會轉而畏服我們了吧？」子革回答說：「會啊！單是這四大城邑，已足以使人畏懼了，再加上楚國全國的力量，誰敢不畏服君王呢？」

【出處】

右尹子革夕，王見之，去冠被，舍鞭，與之語，曰：「昔我先王熊繹，與呂伋、王孫牟、燮父、禽父，並事康王，四國皆有分，我獨無有。今吾使人於周，求鼎以為分，王其與我乎？」對曰：「與君王哉！昔我先王熊繹辟在荊山，篳路藍縷以處草莽，跋涉山林以事天子，唯是桃弧、棘矢以共禦王事。齊，王舅也；晉及魯、衛，王母弟也。楚是以無分，而彼皆有。今周與四國服事君王，將唯命是從，豈其愛鼎？」王曰：「昔我皇祖伯父昆吾，舊許是宅。今鄭人貪賴其田，而不我與。我若求之，其與我乎？」對曰：「與君王哉！周不愛

鼎，鄭敢愛田？」王曰：「昔諸侯遠我而畏晉，今我大城陳、蔡、不羹，賦皆千乘，子與有勞焉，諸侯其畏我乎？」對曰：「畏君王哉！是四國者，專足畏也。又加之以楚，敢不畏君王哉！（《左傳》〈昭公十二年〉）

摩厲以須

析父責怪子革說：「您是楚國有聲望的人，現在和君王說話就像應聲蟲一樣，這樣對國家能有什麼好處呢？」子革說：「我磨快言語的刀刃以待時機，君王出來，我的刀刃就將砍下來了。」靈王出來接著談話。這時左史倚相從面前快步走過，靈王對子革說：「這人是個好史官，熟讀《三墳》《五典》《八索》《九丘》等古書，你要好好待他。」子革回答說：「下臣曾經問他，從前周穆王想要隨心所欲，走遍天下。祭公謀父作《祈招》之詩制止穆王的貪心，穆王因此能在祇宮壽終正寢。臣問他這首詩，他回答說不知道。再問年代更久遠的事，他怎能知道呢？」靈王說：「你知道那首詩嗎？」子革點頭說：「當然。那首詩說：『《祈招》的音樂和諧，表現了美德的聲音；想起我們君王的氣度，樣子彷彿玉和金；保全百姓的力量，杜絕醉飽一樣的貪心。』」靈王明白了子革的意思，作了個揖就進去了。有好幾天，靈王茶飯不思，輾轉難眠，然而最終無法克制自己，不肯罷兵返回國都。孔子評價此事說：「古人說克制自己，踐行禮儀就是仁，說得太對了。楚靈王若真能悔改，也不至於乾谿受辱了。」

【出處】

析父謂子革：「吾子，楚國之望也。今與王言如響，國其若之何？」子革曰：「摩厲以須，王出，吾刃將斬矣。」王出，復語。左史倚相趨過，王曰：「是良史也，子善視之。是能讀《三墳》《五典》《八索》《九丘》。」對曰：「臣嘗問焉，昔穆王欲肆其心，周行天下，將皆必有車轍馬跡焉。祭公謀父作《祈招》之詩以止王心，王是以獲沒於祗宮。臣問其詩而不知也。若問遠焉，其焉能知之？」王曰：「子能乎？」對曰：「能。其詩曰：『祈招之愔愔，式昭德音。思我王度，式如玉，式如金。形民之力，而無醉飽之心。』」王揖而入，饋不食，寢不寐，數日，不能自克，以及於難。仲尼曰：「古也有志：『克己復禮，仁也』。信善哉！楚靈王若能如是，豈其辱於乾谿？」（《左傳》〈昭公十二年〉）

枕股而臥

楚靈王沿漢水而下，打算到鄾地去，惶惶不安地流竄於山林之中，恰好碰見侍衛涓人疇。楚靈王向他呼救說：「我已經三天沒有吃東西了，快去幫我弄點吃的。」涓人疇說：「新王下令說，有敢跟隨大王的，罪及三族，再說這地方到哪兒找吃的呢？」又饑又困的靈王坐在地上枕著涓人疇的腿睡著了。涓人疇用土塊代替枕頭，而後抽身離去。靈王醒來後不見涓人疇，自己爬著想進棘城的大門，棘城的人不接納他。申亥因為父親申無宇曾經受過靈王的恩惠，於是將靈王背回家中。靈王最終在申亥家裡上吊自殺。

靈王於是獨傍偟山中，野人莫敢入王。王行遇其故鋗人[53]，謂曰：「為我求食，我已不食三日矣。」鋗人曰：「新王下法，有敢餉王從王者，罪及三族，且又無所得食。」王因枕其股而臥。鋗人又以土自代，逃去。王覺而弗見，遂饑弗能起。芋尹申無宇之子申亥曰：「吾父再犯王命，王弗誅，恩孰大焉！」乃求王，遇王饑於釐澤，奉之以歸。夏五月癸丑，王死申亥家，申亥以二女從死，并葬之。（《史記》〈楚世家〉）

唯政之恭

左史倚相想在朝廷上見申公子亹，子亹不肯接見，左史指責他行為不妥，舉伯把左史的話轉告子亹，子亹很生氣，出來怒斥左史說：「你以為我老了好欺負不是，為什麼說我的壞話？」左史倚相說：「正因為您年紀大了，所以我才來拜會您表達敬意啊。如果您正當壯年，日理萬機，我為您奔走效命，哪還會有閒暇等在門外求見？從前衛武公九十五歲高齡的時候，還告誡國人，從卿以下到大夫和眾士，只要在朝中，就不要因為他年老而捨棄他，在朝廷必須恭敬從事，早晚都要告誡提醒他；哪怕聽到一兩句諫言，也一定要背誦記住，及時轉達給他、訓導他。因此大家都樂意跟他交流。他還作《懿》書自我警戒。他去世之後，人們稱他是智慧聖明的武公。與武公比較，您實在算不上睿智聖明，對我又有什麼損害呢？《周書》說：『周文王忙

---

53. 鋗人，同「涓人」，王宮內打掃清潔的人，也泛指親近的內侍。

到太陽偏西，還不得閒扒一口飯。恩惠施及小民，一心都撲在公務上。』即便周文王都不敢驕惰，您又有什麼資本自恃年老，貪圖安逸呢？為人臣倘且如此，若是君王又將怎樣？長久下去，國家還怎麼治理呢？」子亹聽了左史一番直言，很是慚愧，連忙說：「都是我的過錯。」於是請左史入內，虛心向他求教。

【出處】

　　左史倚相廷見申公子亹，子亹不出，左史謗之，舉伯以告，子亹怒而出曰：「女無亦謂我老耄而舍我，而又謗我！」左史曰：「唯子老耄，故欲見以交儆子。若子方壯，能經營百事，倚相將奔走承序，於是不給，而何暇得見？昔衛武公年數九十有五矣，猶箴儆於國，曰：『自卿以下至於師長士，苟在朝者，無謂我老耄而舍我，必恭恪於朝，朝夕以交戒我；聞一二之言，必誦志而納之，以訓導我。』在輿有旅賁之規，位寧有官師之典，倚幾有誦訓之諫，居寢有褻御之箴，臨事有瞽史之導，宴居有師工之誦。史不失書，蒙不失誦，以訓御之，於是乎作《懿》詩以自儆也。及其歿也，謂之睿聖武公。子實不睿聖，於倚相何害。《周書》曰：『文王至於日中昃，不皇暇食。惠於小民，唯政之恭。』文王猶不敢驕。今子老楚國而欲自安也，以御數者，王將何為？若常如此，楚其難哉！」子亹懼，曰：「老之過也。」乃驟見左史。（《國語》〈楚語上〉）

斷子之旗

芋尹文是楚國主管驅趕獸類的小官。一次，司馬子期在雲夢打獵，他車駕上的旗子長得拖到了地上。芋尹文於是拔出劍來，齊著車廂兩旁的橫木將旗子斬斷。司馬子期副車上的隨從掏出弓箭，想射殺芋尹文。司馬子期手扶車把問芋尹文說：「我有什麼得罪先生之處嗎？」芋尹文回答說：「微臣是看到您車上的旗幟過長才這樣做的。國君的旗幟也不過與車廂底板一樣齊，大夫的旗幟只能到您手扶的車廂橫木那麼高。您是楚國知名的大夫，使用的旗幟卻抹殺了三個等級的差別。我把您旗幟多餘的部分斬掉，難道不可以嗎？」子期聽說，非常高興，就讓他上車一起回宮。楚王說：「我聽說有個人把你坐駕上的旗子斬斷了，這人現在哪裡，我立即讓人殺死他。」子期把芋尹文的話告訴楚王。楚王很高興，任命芋尹文為江南令。芋尹文不負君望，將他管轄的範圍治理得很好。

【出處】

芋尹文，荊之驅逐麀鹿者。司馬子期獵，載旗，旗長拽地，芋尹文拔劍齊諸角而斷之，二車抽弓於軾，援矢於筒而未發也。子期伏軾問曰：「吾有罪於夫子乎？」對曰：「臣聞之，王者之旗拽於地，國君之旗齊於軫，大夫之旗齊於角。今子出自荊國，有名大夫而滅三等，雖文斷之不亦可乎？」子期悅，載之王所。王曰：「吾聞有斷子之旗者，其人安在？吾將殺之。」對曰：「臣固將謁之。彼鞭朴之使而敢斷臣之旗，勇也；臣問之而服臣以法，智也。勇且智，臣願君王

用之。」昭王曰：「善。」乃使為江南令，大治。（《渚宮舊事》〈周代中〉）

以妾為內子

司馬子期想立小妾為正妻，去拜訪左史倚相，向他討教說：「我有個小妾，很溫順賢良，我想禮聘她為正妻，可以嗎？」左史倚相說：「從前子囊違背共王的命令確定諡號，令尹子夕[54]生前喜歡吃菱角，他的兒子子木祭祀時貢奉羊饋卻不供奉菱角，君子說，這種違背是符合道義的。子反要喝水，豎陽谷卻遞給他酒，導致子反死在鄢地，芊尹申亥順從靈王的欲望，結果靈王自殺於乾谿。君子說，這種順從是違背道義的。君子的行動，無論進退周旋，都必須順從道義。你在楚國執政，貴為司馬，我可不想以供奉菱角祭祀的方式順從你。」司馬子期明白左史的意思，於是打消了立小妾為正妻的念頭。

【出處】

司馬子期欲以妾為內子，訪之左史倚相，曰：「吾有妾而願，欲筓之，可乎？」對曰：「昔大夫子囊，違王之命諡；子夕嗜芰，子木有羊饋而無芰薦。君子曰：『違而道。』谷陽豎愛子反之勞而獻飲焉，以斃於鄢；芊尹、申亥從靈王之欲，以隕於乾谿。君子曰：『從

---

54. 子夕，屈蕩之子屈到。他生前愛吃菱角，臨死時囑咐「祭我必以芰（菱角）」。但屈到之子屈建（子木）則堅持嚴格按楚國祭典「大夫有羊饋」執行。詳見《國語》〈楚語上〉。

而逆。」君子之行，欲其道，故進退周旋，唯道之從。吾子經營楚國，吾不欲薦芰以干子。」子期乃止之也。（《渚宮舊事》〈周代中〉）

子期伐陳

　　司馬子期率軍攻打陳國，吳國派軍隊救援陳國。吳楚之軍相距三十里。下了十天大雨之後，天氣終於放晴。左史倚相說：「一連下了十天雨，兵器盔甲都歸集一堆，恐怕吳軍今晚會趁機來襲，我們應該提防一下。」於是通知排兵布陣。部隊尚未布陣完畢，就傳來吳軍即將抵達的消息。見到楚軍正在安排布防，吳軍於是返回了宿營地。左史倚相說：「吳軍來回奔走了六十里地，他們的將官一定在休息，士兵會埋鍋造飯。我軍行軍三十里，一定能擊潰他們。」於是司馬子期率領楚軍連夜突擊，一舉打敗吳軍。

【出處】

　　司馬子期伐陳，吳救之。軍間三十里，雨十日，夜晴。左史倚相謂子期曰：「十日雨，兵聚而甲輯，吳人必至，不如備之。」乃為陣，陣未成而吳人至，見荊戒備而反。左史曰：「吳反覆六十里，其君子必休，小人為食。我行三十里，擊之必克。」從之，遂破吳軍。（《渚宮舊事》〈周代中〉）

眾怒如水火

　　子比剛剛取代楚靈王登上王位時，觀從就對子比說：「公子棄疾是威脅王位的人，要坐穩王位，必須殺死棄疾。」子比說：「我不忍心啊。」觀從說：「別人會對你忍心的。」於是失望地遠走避禍。棄疾先使人夜半時分在都城裡驚叫：「君王回來了！」鬧得人心惶惶。等他布置妥當，就派人在都城內四處吶喊：「君王到了！」並讓曼成然去對子比和子皙說：「君王到了，都城裡的人殺死棄疾，就要來殺二位了，你倆如能早一點了斷，可以不受侮辱，眾人的憤怒就像水火一樣無可阻擋。」曼成然說話的時候，有人配合著在門外驚恐地高喊：「眾人殺到了！」於是子比、子皙雙雙自殺，棄疾如願以償地登上了王位，這就是楚平王。平王讓人殺死一個囚犯，穿上國王的衣服，將屍體投入漢水，又讓人來報告說發現了靈王的屍體，於是收屍安葬，以定民心。

【出處】

　　是時楚國雖已立比為王，畏靈王復來，又不聞靈王死，故觀從謂初王比曰：「不殺棄疾，雖得國猶受禍。」王曰：「余不忍。」從曰：「人將忍王。」王不聽，乃去。棄疾歸。國人每夜驚，曰：「靈王入矣！」乙卯夜，棄疾使船人從江上走呼曰：「靈王至矣！」國人愈驚。又使曼成然告初王比及令尹子皙曰：「王至矣！國人將殺君，司馬將至矣！君蚤自圖，無取辱焉。眾怒如水火，不可救也。」初王及子皙遂自殺。丙辰，棄疾即位為王，改名熊居，是為平王。（《史記》〈楚世家〉）

臣未聞命

楚平王剛登上王位的時候，派枝如子躬到鄭國訪問，同時交還犫地、櫟地的田地。訪問結束之後，枝如子躬並沒有履行交還土地的任務。鄭國的國君很客氣地對枝如子躬說：「聽貴國傳來的消息說，楚國打算把犫地、櫟地賜給寡君，斗膽請求您遵從這項使命。」枝如子躬搖頭說：「下臣並沒有得到這樣的命令啊。」子躬回國覆命，楚平王問起歸還兩處田地的事，枝如子躬脫去上衣，下跪謝罪說：「是微臣的過錯，違背了王命，沒有交還，請大王處罰吧。」楚平王拉著他的手讓他起來，說：「您不必歸罪自己！先回去罷，以後有事，還是會用您的。」

【出處】

使枝如子躬聘於鄭，且致犫、櫟之田。事畢，弗致。鄭人請曰：「聞諸道路，將命寡君以犫、櫟，敢請命。」對曰：「臣未聞命。」既復，王問犫、櫟，降服而對，曰：「臣過失命，未之致也。」王執其手，曰：「子毋勤。姑歸，不穀有事，其告子也。」（《左傳》〈昭公十三年〉）

復就其功

楚平王時，令尹子常增修郢都城牆。左司馬沈尹戌說：「子常必定要丟掉郢都。如果不能守衛，增修城牆有什麼好處？從先君若敖、

蚡冒一直到武王、文王，土地不超過方圓百里，慎守他們的四方邊境，都沒有在郢都增築城牆。現在土地方圓千里，反而增修郢都城牆，不也太難了嗎？」當初，楚莊王年幼力弱，令尹子常準備攻打群舒，派公子燮和鬥克留守，兩人發動叛亂，修築郢都城牆。到楚恭王時，令尹子囊臨死之際，遺命子庚一定要增修郢都城牆。至此，他的孫子子常完成了他的功業。

【出處】

平王時，令尹子常城郢。左司馬沈尹戌曰：「子常必亡郢。苟不能衛，城無益也。若敖、蚡冒至於武、文，土不過同，慎其四境，猶不城郢。今土數圻而郢是城，不亦難乎？」初，莊王幼弱，令尹子孔將伐群舒，使公燮與鬥克守，二子作亂，城郢。及恭王時，令尹子囊將死，顧命子庚必城郢。至是，其孫子常復就其功。（《渚宮舊事》〈周代中〉）

楚子囊還自伐吳，卒。將死，遺言謂子庚：「必城郢。」君子謂：「子囊忠。君薨，不忘增其名；將死，不忘衛社稷，可不謂忠乎？忠，民之望也。《詩》曰：『行歸於周，萬民所望。』忠也。」（《左傳》〈襄公十四年〉）

不主社稷

楚平王時，太子建被派到城父駐守。有一次與成公乾在麻田邊相遇，太子建問他：「這些是什麼？」成公乾答說：「是麻田。」太子

又問：「麻田是做什麼用的呢？」答說：「是用來種植麻的呀。」「麻又有什麼用呢？」答說：「用來做衣服啊。」太子點頭。成公乾接著說：「從前莊王討伐陳國，駐紮在有蕭氏，問路邊房子裡的人家：『巷子的道路不好嗎？為什麼沒人來疏通溝渠呢？』莊王尚且懂得巷路不暢，溝渠不通，如今你竟連麻田種麻，麻用來製衣都弄不明白，將來又怎麼能主持國家的政務呢？」成公乾的話是對的，太子建後來果然沒能主持楚國的政務。

【出處】

王子建出守於城父，與成公乾遇於疇中。問曰：「是何也？」成公乾曰：「疇也。」「疇也者，何也？」曰：「所以為麻也。」「麻也者，何也？」曰：「所以為衣也。」成公乾曰：「昔者莊王伐陳，舍於有蕭氏，謂路室之人曰：『巷其不善乎！何溝之不浚也？』莊王猶知巷之不善，溝之不浚，今吾子不知疇之為麻，麻之為衣，吾子其不主社稷乎？」王子果不立。（《說苑》〈辨物〉）

屈春資多

楚國的令尹死了，景公遇到成公乾，向他試探說：「你覺得誰有可能接任令尹呢？」成公乾想了想說：「估計會由屈春接任吧。」景公聽後十分惱怒，說：「國人都認為應該由我來接任。」成公乾笑了笑，搖頭說：「你的資質太淺，哪有屈春資深？子義獲是天下公認的壞人，你卻與他為友；鳴鶴與豺狗之類的人，智商如此低下，你卻引

為玩伴。屈春以鴟夷子皮和損頗為友,這兩人的智慧已足夠勝任令尹了,他們卻心甘情願侍奉屈春,聽他使喚。所以我覺得,令尹的職位應該屬於屈春。」

【出處】

楚令尹死,景公遇成公乾曰:「令尹將焉歸?」成公乾曰:「殆於屈春乎?」景公怒曰:「國人以為歸於我。」成公乾曰:「子資少,屈春資多,子義獲,天下之至憂也,而子以為友;鳴鶴與鷙狗,其知甚少,而子玩之。鴟夷子皮日侍於屈春,損頗為友,二人者之智足以為令尹,不敢專其智而委之屈春,故曰政其歸於屈春乎!」(《說苑》〈臣術〉)

室怒市色

楚靈王討伐吳國,把吳國的王子蹶由當人質押回楚國。平王即位後,令尹子瑕向楚平王求情說:「蹶由有什麼罪過呢?諺語所謂『室於怒,市於色』(在家中生氣,卻以怒色對待市人),說的就是我們楚國了。不如放蹶由回去,以消解從前的怨恨。」平王聽從子瑕的建議,放蹶由返回了吳國。

【出處】

令尹子瑕言蹶由於楚子,曰:「彼何罪?諺所謂『室於怒,市於色』者,楚之謂矣。舍前之忿可也。」乃歸蹶由。(《左傳》〈昭公十九年〉)

嬖淫秦女

　　楚平王為太子建迎娶秦國女子為妻，費無忌因為忌恨太子，見新娘子長得漂亮，就在平王面前吹噓說：「就算妲己和驪姬的容貌加起來也不及新娘子的一半。」慫恿好色的平王將新娘子佔為己有。平王佔有秦國女子之後，費無忌又勸說平王將太子派往城父駐守。一年之後，又詆毀太子說：「太子建懷恨在心，正計劃與連尹伍奢籌劃謀反。」平王說：「我已經立他為太子了，還用得著謀反嗎？」費無忌說：「因為陛下奪走了本屬於他的妻子，所以他一直忌恨在心。他想把城父經營成宋國那樣的獨立小國。齊國、晉國都暗中支持他呢。」平王派人抓捕太子和連尹伍奢。太子建被迫逃亡國外，伍奢與長子伍尚被害，伍子胥則亡命吳國，從而為楚國即將到來的大亂埋下了伏筆。《史記》〈楚世家〉評價平王說：「棄疾以製造內亂即位，寵幸秦國女子，也太過分了，幾乎再度使國家滅亡！」

【出處】

　　荊平王有臣曰費無忌，害太子建，欲去之。王為建取妻於秦而美，無忌勸王奪。王已奪之，而疏太子。無忌說王曰：「晉之霸也，近於諸夏，而荊僻也，故不能與爭。不若大城城父而置太子焉，以求北方，王收南方，是得天下也。」王說，使太子居於城父。居一年，乃惡之曰：「建與連尹將以方城外反。」王曰：「已為我子矣，又尚奚求？」對曰：「以妻事怨。且自以為猶宋也，齊、晉又輔之，將以害荊，其事已集矣。」王信之，使執連尹。太子建出奔。（《呂氏春秋》〈慎行論‧慎行〉）

太史公曰：「棄疾以亂立，嬖淫秦女，甚乎哉，幾再亡國！」（《史記》〈楚世家〉）

荊之讒人

　　左尹郤宛備受百姓愛戴，在對吳作戰中立下戰功。費無忌和鄢將師都嫉妒他的成功，覺得郤宛的存在是對自己的威脅，於是設計剷除他。費無忌先對令尹子常說：「左尹想請您喝酒。」回頭又對左尹郤宛說：「令尹子常想到你家裡與你一起喝酒。」郤宛說：「我地位低，不值得令尹子常光顧啊。如果令尹一定要屈尊光顧，我拿什麼招待他呢？」費無忌說：「令尹喜歡盔甲兵器，他來的時候，您把這些東西擺在門旁，供他觀賞，令尹喜歡的話，您就獻給他，這樣他一定開心。」到了設宴這天，左尹果然在房門兩旁擺上盔甲兵器，並用帷幕遮掩起來。費無忌等他布置妥當，就跑到令尹子常跟前說：「我差點害了您。左尹郤宛打算謀害您，把兵器都藏在門兩邊了。」令尹子常派人暗中打探，果然如此，於是派人殺死了郤宛。郤宛的死引起朝野共憤，輿論紛紛指責子常，就連周天子派來送祭肉的人都指責他。沈尹戌對子常說：「你怎麼能聽信小人費無忌的話呢？他使計謀遮蔽楚王的耳目，攆走太子，殺害連尹伍奢，如今您又聽信他的讒言，殺害左尹郤宛，現在朝野上下都在議論這件事，我看您已經離禍患不遠了。」得知真相的子常非常惱怒，出手殺死費無忌，又誅滅費氏家族，以取悅國人、平息輿論。[55]

---

55. 郤宛的兒子伯嚭逃往吳國，在伍子胥的推薦下，得到吳王寵信。

　　左尹郄宛，國人說之，無忌又欲殺之，謂令尹子常曰：「郄宛欲
飲令尹酒。」又謂郄宛曰：「令尹欲飲酒於子之家。」郄宛曰：「我，
賤人也，不足以辱令尹。令尹必來辱，我且何以給待之？」無忌曰：
「令尹好甲兵，子出而置之門，令尹至，必觀之，已，因以為酬。」
及饗日，惟門左右而置甲兵焉。無忌因謂令尹曰：「吾幾禍令尹。郄
宛將殺令尹，甲在門矣。」令尹使人視之，信。遂攻郄宛，殺之。
國人大怨，動作者莫不非令尹。沈尹戌謂令尹曰：「夫無忌，荊之讒
人也，亡夫太子建，殺連尹奢，屏王之耳目。今令尹又用之，殺眾
不辜，以興大謗，患幾及令尹。」令尹子常曰：「是吾罪也，敢不良
圖。」乃殺費無忌，盡滅其族，以說其國。動而不論其義，知害人而
不知人害己也，以滅其族，費無忌之謂乎。（《呂氏春秋》〈慎行論‧
慎行〉）

奮揚殺太子

　　楚平王聽信費無極的讒言，使奮揚去殺太子建。奮揚出發之前，
先使人向太子通報消息，讓他趕快逃走。太子建因此逃往宋國。奮揚
追到太子的駐地城父，讓人把自己捆綁後送回國都，交由平王處理。
平王非常生氣，質問奮揚說：「命令是我單獨下達給你的，是誰把消
息透露給太子的呢？」奮揚說：「是我讓人轉告太子的。大王當初告
訴我，侍奉太子要像侍奉我一樣。我雖然沒什麼才能，但也懂得聆聽
君主的教導。我執行大王當初的旨意，所以放走了太子，現在後悔也

來不及了。」平王的怒火有所平息，說：「你擅自放走了太子，還敢回來見我？」奮揚回答說：「我接受大王的指令但未完成任務，召見我如果不回來，就罪上加罪了。我又能逃到哪兒去呢？」平王見事已至此，只好赦免了奮揚。

【出處】

楚平王使奮揚殺太子建，未至而遣之，太子奔宋。王召奮揚，使城父人執之以至。王曰：「言出於予口，入於爾耳，誰告建也？」對曰：「臣告之。王初命臣曰：『事建如事余。』臣不佞，不能貳也。奉初以還，故遣之。已而悔之，亦無及也。」王曰：「而敢來，何也？」對曰：「使而失命，召而不來，是重過也，逃無所入。」王乃赦之。（《說苑》〈立節〉）

剖腹尋珠

伍子胥為報父仇，逃亡吳國，過昭關一夜愁白了頭髮。後來得到東皋公、皇甫訥的幫助，矇混出關。剛出關走出數里地，迎面撞見昭關打更的小吏左誠。此人過去曾經跟隨伍家父子射獵，一眼就認出了伍子胥，頓時大驚說：「朝廷到處捉拿公子，公子如何出關的呢？」伍子胥說：「主公知道我有顆夜光之珠，問我索取，此珠已落入他人之手，現急著去要回來。剛才已稟報過薳越將軍了。」左誠不信說：「楚王有令，有放走公子者，全家處斬。現請同我一同回關，問明主將方可放行。」伍子胥說：「若見主將，我就說美珠已被你吞入腹

剖腹尋珠

中，那時你恐怕會被剖腹取珠，一定很慘。」左誠面有猶豫，心裡明白伍氏累世忠誠，伍子胥英勇多謀，於是閃過一邊，默然放伍子胥往東而去了。

【出處】

伍員過了昭關，心中暗喜，放步而行。走不上數里，遇著一人，伍員認得他姓左名誠，見為昭關擊柝小吏。他原是城父人，曾跟隨伍家父子射獵，所以識認頗真。見伍員乃大驚曰：「朝廷索公子甚急，公子如何過關？」伍員曰：「主公知我有顆夜明之珠，問我取索，此珠已落人手，將往取之，適才稟過蒍將軍，蒙他釋放來的。」左誠不信曰：「楚王有令：『縱放公子者，全家處斬！』某請同公子暫回關上，問明了主將，方才可行。」伍員曰：「若見主將，我說美珠已交付與你，恐汝難於分剖。不如做人情放我，他日好相見也。」左誠知伍員英勇，不敢相抗，遂縱之東行，回到關上，隱過其事不提。（《東周列國志》第七十二回）

漁丈人

伍子胥與太子建的兒子羋勝逃出昭關，一路狂奔，逃到鄂渚長江岸邊。見有漁翁乘船從下游逆水而上，於是急呼渡河。漁父將二人送達對岸後，望著伍子胥說：「我昨夜夢見有將星墜入船上，知道今日必有異人問渡，所以蕩槳出來。我觀公子容貌，應非常人，可如實告訴我，莫相隱瞞。」伍子胥於是據實相告。漁翁嗟訝不已，對伍子

胥說：「我看你倆面有饑色，等我進村為你倆弄點吃的來。」於是將船停靠在岸邊樹下，進村取食。伍子胥久等漁翁不來，心生懷疑，於是拉羋勝隱入蘆葦深處暫避。剛剛藏好，就見漁翁攜帶麥飯、鮑魚羹、酒漿等來到樹下，高聲呼喚：「蘆中人！蘆中人！我不是出賣你們去請賞的人！」伍子胥左右觀察，確認沒有風險，才從蘆葦叢中出來。兩人飽餐一頓。臨去之時，伍子胥解下腰間佩劍贈給漁翁說：「這把寶劍乃是先王所賜，從我祖父傳佩至今，上面有七顆星，價值百金，以此報答丈人之恩。」漁翁笑著說：「我聽說楚王有令，得伍子胥者，賜粟五萬石，爵上大夫。我不圖上卿之賞，豈會要你的百金之劍？君子無劍不游，於你是必需品，於我何用？」伍子胥說：「丈人既不受劍，願求姓名，以圖後報！」漁翁說：「我以舟楫為生，波浪生涯，哪還有機會與公子見面？萬一碰巧遇上了，我就呼你『蘆中人』，你就呼我『漁丈人』好了。」伍子胥欣然拜謝。前行數步，又轉身對漁翁叮囑說：「如果有追兵趕來，千萬守口如瓶，不要暴露我二人行蹤啊！」漁翁聞言，仰天長嘆說：「我如此厚待你，你還心存懷疑，萬一有追兵從別處渡江追趕，我如何辯白？」於是將船劃往江心，倒翻船底，自沉江中。伍子胥到達吳國後，派人去漁翁沉江處打撈他的屍體，未能如願。從此每當吃飯的時候，必定祈禱說：「江上的丈人啊，天地之大，人海茫茫，名不可得，身不得見！」

【出處】

建有子名勝，伍員與勝奔吳。到昭關，關吏欲執之。伍員因詐曰：「上所以索我者，美珠也。今我已亡矣，將去取之。」關吏因舍之。與勝行去，追者在後，幾不得脫。至江，江中有漁父乘船從下

方溯水而上。子胥呼之,謂曰:「漁父渡我!」如是者再。漁父欲渡之,適會旁有人窺之,因而歌曰:「日月昭昭乎侵已馳,與子期乎蘆之漪。」子胥即止蘆之漪。漁父又歌曰:「日已夕兮,予心憂悲;月已馳兮,何不渡為?事寖急兮,當奈何?」子胥入船,漁父知其意也,乃渡之千潯之津。子胥既渡,漁父乃視之,有其饑色。乃謂曰:「子俟我此樹下,為子取餉。」漁父去後,子胥疑之,乃潛身於深葦之中。有頃,父來,持麥飯、鮑魚羹、盎漿,求之樹下,不見,因歌而呼之曰:「蘆中人,蘆中人,豈非窮士乎?」如是至再,子胥乃出蘆中而應。漁父曰:「吾見子有饑色,為子取餉,子何嫌哉?」子胥曰:「性命屬天,今屬丈人,豈敢有嫌哉?」二人飲食畢,欲去,胥乃解百金之劍以與漁者:「此吾前君之劍,中有七星,價直百金,以此相答。」漁父曰:「吾聞楚之法令:得伍胥者,賜粟五萬石,爵執圭。豈圖取百金之劍乎?」遂辭不受,謂子胥曰:「子急去,勿留,且為楚所得。」子胥曰:「請丈人姓字。」漁父曰:「今日凶凶,兩賊相逢,吾所謂渡楚賊也。兩賊相得,得形於默,何用姓字為?子為蘆中人,吾為漁丈人,富貴莫相忘也。」子胥曰:「諾。」既去,誡漁父曰:「掩子之盎漿,無令其露。」漁父諾。子胥行數步,顧視漁者,已覆船自沉於江水之中矣。(《吳越春秋》〈王僚使公子光傳〉)

雞父之戰

　　楚國的邊界有個叫卑梁的地方,與吳國接壤。這裡的女孩子與吳國的女孩子一起採摘桑葉,嬉鬧中卑梁的一個女孩受到傷害。女孩的

家人就帶著她去找吳人理論，吳人並不認為有什麼過錯，卑梁人非常生氣，盛怒之下將與之交涉的吳人殺死了。吳人不肯善罷甘休，追到卑梁來將女孩一家滅門。卑梁公聞知大怒說：「吳人膽敢侵犯我們的城邦啊！」於是率兵越過邊境，將對面的吳人不分男女老幼全部殺死。吳國軍隊在楚人巫臣和伍子胥的訓練下實力日增，正在尋釁進犯楚國，於是果斷出兵將卑梁夷為平地。從此吳楚兩國正式宣戰。吳國的公子光在雞父大敗楚國聯軍，俘殺胡、沈國君和陳國大夫夏齧。雞父戰敗未久，太子建的母親出走吳國，司馬蘧越自殺，子常出任令尹。隨後吳王用伍子胥的計謀，持續攻擊楚國，直至進入郢都，掘楚平王之墓，鞭屍三百。後來發生的故事，都可視為雞父之戰的延續，而導火索，則起於卑梁民間女孩之間的一次嬉鬧。

【出處】

　　楚之邊邑曰卑梁，其處女與吳之邊邑處女桑於境上，戲而傷卑梁之處女。卑梁人操其傷子以讓吳人，吳人應之不恭，怒殺而去之。吳人往報之，盡屠其家。卑梁公怒，曰：「吳人焉敢攻吾邑！」舉兵反攻之，老弱盡殺之矣。吳王夷眛聞之怒，使人舉兵侵楚之邊邑，克夷而後去之。吳、楚以此大隆。吳公子光又率師與楚人戰於雞父，大敗楚人，獲其帥潘子臣、小惟子、陳夏齧。又反伐郢，得荊平王之夫人以歸，實為雞父之戰。（《呂氏春秋》〈先識覽・察微〉）

用子常而退子期

　　吳國實力日益強大，準備征伐楚國。但司馬子期是個威脅。於是伍子胥使吳人轉告楚王說：如果朝廷繼續任用子期為將，吳國就將進攻楚國；如果以令尹子常為主將，吳國將撤走駐紮在吳楚邊境上的軍隊。楚王於是辭退子期，改任不懂軍事、毫無作戰經驗的子常為主將。楚國剛剛換將，吳國就越過邊境，向楚國大舉進攻。因畏懼強敵而任人擺布，其結果是死得更快。

【出處】

　　吳攻楚，子胥使人宣言於楚曰：「用子期，將因擊之；用子常，將因去之。」楚人聞之，因用子常而退子期。吳人擊之敗。（《渚宮舊事》〈周代中〉）

有若大川

　　伍子胥逃到吳國，闔閭感嘆他的大孝大勇，要興兵伐楚為他報仇。伍子胥諫阻說：「大王千萬不可。臣聽說君子不為匹夫興師。現在我事奉君主，就像事奉我父親一樣，眼下報仇的條件還不成熟，如果倉促出兵，就損害了君主的大義。這不是我的意願。」闔閭於是放棄出兵。楚昭王七年，蔡昭公去楚國朝拜，帶著兩塊名玉、兩件皮裘，一份獻給楚昭王，一份自用。令尹子常向蔡昭公索要剩下的一佩一裘，昭公不給，子常就把蔡昭公囚禁起來，一關就是三年。子常又

向前來朝拜的唐成公索要他乘坐的兩匹寶馬，成公拒絕給他，也被扣留。唐國的義士華寶灌醉唐成公的隨從，將寶馬偷出來獻給子常，唐成公才被放回國。蔡人受到啟發，說服昭公把寶玉獻給子常，才得以回國。蔡昭公、唐成公深恨子常。蔡昭公北返經過漢水的時候，把一塊玉璧沉入水中，發誓說：「我要是再橫渡漢水往南，有大河作證！諸侯國中有誰要討伐楚國，我自請為先鋒。」子常聽說後異常惱怒，於是興兵伐蔡，蔡國趕忙向吳國求救。伍子胥對闔閭說：「蔡國並沒有過錯，是楚人太貪婪無道。大王如果有為中原國家主持公道的心願，現在時機到了。」於是吳國聯合蔡國、唐國興兵伐楚，在柏舉大勝楚國，成就霸業。

【出處】

　　蔡昭侯為兩佩與兩裘以如楚，獻一佩一裘於昭王。昭王服之，以享蔡侯。蔡侯亦服其一。子常欲之，弗與，三年止之。唐成公如楚，有兩肅爽馬，子常欲之，弗與，亦三年止之。唐人或相與謀，請代先從者，許之。飲先從者酒，醉之，竊馬而獻之子常。子常歸唐侯。自拘於司敗，曰：「君以弄馬之故，隱君身，棄國家，群臣請相夫人以償馬，必如之。」唐侯曰：「寡人之過也，二三子無辱。」皆賞之。蔡人聞之，固請，而獻佩於子常。子常朝，見蔡侯之徒，命有司曰：「蔡君之久也，官不共也。明日禮不畢，將死。」蔡侯歸，及漢，執玉而沈，曰：「余所有濟漢而南者，有若大川。」蔡侯如晉，以其子元與其大夫之子為質焉，而請伐楚。（《左傳》〈定公三年〉）

復旋取屨

　　吳王闔閭在楚國舊臣伍子胥的引領下，在柏舉大敗楚軍，隨後長驅直入，兵鋒直指楚都郢城。郢都被攻破後，昭王狼狽出逃。逃跑途中，他的一隻鞋跑丟了，已經跑出去好幾十步才發覺。於是又掉頭回去尋找，重新穿上它。到達隨國的時候，左右的隨從問他：「大王何至於珍惜一隻舊鞋子呢？」昭王說：「楚國雖窮，但我也不會吝惜一隻舊鞋子。但我穿著它出宮，就想著把它帶回國都去。」大家都為昭王立志復國、不忘故舊的情結所感動，從此以後，不扔棄舊物在楚國形成風氣。

【出處】

　　昔楚昭王與吳人戰，楚軍敗，昭王走，屨決背而行失之，行三十步，復旋取屨。及至於隋，左右問曰：「王何曾惜一蹻屨乎？」昭王曰：「楚國雖貧，豈愛一蹻屨哉？思與偕反也。」自是之後，楚國之俗無相棄者。（《新書》〈諭誠〉）

乘之以沉之

　　闔閭率領吳軍攻入楚國郢都，三戰三捷，於是問伍子胥說：「現在可以退兵了嗎？」伍子胥搖頭說：「要淹死人的話，就必須不停地灌水，將他沉入水底；只讓他喝一口水就停下來，是淹不死人的。現在正是乘勝追擊，把楚軍沉入水底的時候。」

【出處】

闔閭攻郢，三勝，問子胥曰：「可以退乎？」對曰：「溺人者，一飲而止則無溺也。其沉者，以其飲不休，不如乘之以沉之。」（《渚宮舊事》〈周代中〉）

伯嬴自守

吳人攻入郢都，燒殺搶掠，無惡不作，又在後宮大肆姦淫後宮嬪妃。吳王想對楚平王夫人即昭王的母親伯嬴下手。伯嬴手持尖刀，怒斥吳王說：「我聽說天子是天下人的表率，公侯代表了國家形象。天子失去禮法，天下就會大亂；諸侯失去節操，就會有亡國的危險。夫婦間的準則，本來是人類倫常的開始，是仁禮道德的發端。因此，賢明的君主制定禮儀，規定男女之間不能直接交往，坐不同席，食不共餐，盡量做到男女分隔。如果諸侯在外淫亂，各國會因此絕交；卿大夫在外淫亂，就要遭到放逐；士子和平民百姓在外淫亂，就要處以宮刑。這些都是為了維護禮教倫常的尊嚴。男女之間失去了正常的倫理規範，天下就會大亂。如今君王放棄貴為諸侯的儀表，無視絕交和流放的法禁，將來又怎麼去訓導自己的百姓？我聽說生而受辱不如以死為榮。君王放棄儀表則無以立國，我順從淫亂則無以為生。既然雙方都要受辱，不如我以死守節。所以要打我主意的人，不外淫樂二字，只要靠近我，我將自殺而死，何來樂趣可言？如果我自殺，對君王又有什麼好處呢？」面對伯嬴的慷慨陳詞，吳王自覺理屈，只好收斂自己的獸性，轉身離去。伯嬴和她的侍從關閉宮門，手持尖刀，三天都沒離手。

【出處】

伯嬴者，秦穆公之女，楚平王之夫人，昭王之母也。當昭王時，楚與吳為伯莒之戰。吳勝楚，遂入至郢。昭王亡，吳王闔閭盡妻其後宮。次至伯嬴，伯嬴持刃曰：「妾聞天子者，天下之表也。公侯者，一國之儀也。天子失制則天下亂，諸侯失節則其國危。夫婦之道，固人倫之始，王教之端。是以明王之制，使男女不親授，坐不同席，食不共器，殊椸枷，異巾櫛，所以施之也。若諸侯外淫者絕，卿大夫外淫者放，士庶人外淫者宮割。夫然者，以為仁失可復以義，義失可復以禮。男女之喪，亂亡興焉。夫造亂亡之端，公侯之所絕，天子之所誅也。今君王棄儀表之行，縱亂亡之欲，犯誅絕之事，何以行令訓民！且妾聞，生而辱，不若死而榮。若使君王棄其儀表，則無以臨國。妾有淫端，則無以生世。壹舉而兩辱，妾以死守之，不敢承命。且凡所欲妾者，為樂也。近妾而死，何樂之有？如先殺妾，又何益於君王？」於是吳王慚，遂退舍。伯嬴與其保阿閉永巷之門，皆不釋兵。（《古列女傳》〈貞順傳〉）

在國則君，在外則仇

吳國軍隊攻入楚國，楚昭王出奔鄖地，鄖公的弟弟鬬懷想殺死昭王，鄖公鬬辛極力阻止。鬬懷說：「楚平王與我有殺父之仇。在國都內昭王是國君，出了國都他就是我的仇人。見到仇人不殺，那我還算人嗎？」鄖公說：「事奉君王，無所謂國都內外之分，也不能因為國家的盛衰改變自己的態度。既然尊奉他為君主，就要忠心耿耿。只有

敵人才談得上有仇，不是敵人便不能記仇。下殺上稱作弒，上殺下稱為討，更何況君王呢！作為君而討伐臣，怎麼能記仇呢？如果大家都去仇恨君王，那還有什麼上下之別？我們的先人用善行事奉君王，列國聞名，從鬥伯比以來一直如此。現在因為你而壞了先人的規矩，那怎麼行？」鬥懷不聽勸阻，說：「我思念父親，顧不了那麼多。」鄖公只好護衛昭王一起逃往隨國。昭王回國後，對鄖公和鬥懷都給予賞賜，子西進諫說：「君主賞賜有誤啊。鄖公實該獎賞，鬥懷卻該賜死。君王給予兩人同樣的待遇，群臣會感到不安的。」昭王說：「他們兄弟二人，一個對君王有禮，一個對父親有禮，我給予同樣的獎賞，不是也可以嗎？」

【出處】

吳人入楚，昭王奔鄖，鄖公之弟懷將弒王，鄖公辛止之。懷曰：「平王殺吾父，在國則君，在外則仇也。見仇弗殺，非人也。」鄖公曰：「夫事君者，不為外內行，不為豐約舉，苟君之，尊卑一也。且夫自敵以下則有仇，非是不仇。下虐上為弒，上虐下為討，而況君乎！君而討臣，何仇之為？若皆仇君，則何上下之有乎？吾先人以善事君，成名於諸侯，自鬥伯比以來，未之失也。今爾以是殃之，不可。」懷弗聽，曰：「吾思父，不能顧矣。」鄖公以王奔隨。王歸而賞及鄖、懷，子西諫曰：「君有二臣，或可賞也，或可戮也。君王均之，群臣懼矣。」王曰：「夫子期之二子耶？吾知之。或禮於君，或禮於父，均之，不亦可乎？」（《國語》〈楚語下〉）

民心之慍

　　鬭且在朝廷上見到令尹子常，交談中子常詢問鬭且該怎樣才能聚斂財富。鬭且回到家中，私下對弟弟說：「楚國恐怕要滅亡了吧。即便不是這樣，令尹恐怕也有災難。今天我見到令尹，令尹向我詢問怎樣積聚財富，神態就像饑餓的豺狼一樣。子常是先大夫子囊的後代，輔佐國君卻沒有好名聲。老百姓過日子一天比一天艱難，受凍餓而死的人到處可見，盜賊四處行竊，民眾六神無主。子常不去體恤百姓，反而聚斂不已。他積累的財富越多，蓄積的怨恨也就越深。百姓心中的憤怒就像衝決堤防的大河，堤防一旦崩堤，一定勢不可當。」一年以後，吳楚發生柏舉之戰。隨後吳軍攻入郢都，子常逃往鄭國，楚昭王逃往隨國。

【出處】

　　鬭且廷見令尹子常，子常與之語，問蓄貨聚馬。歸以語其弟曰：「楚其亡乎！不然，令尹其不免乎！吾見令尹，令尹問蓄聚積實，如餓豺狼焉，殆必亡者也。夫古者聚貨不妨民衣食之利，聚馬不害民之財用，國馬足以行軍，公馬足以稱賦，不是過也。公貨足以賓獻，家貨足以共用，不是過也。夫貨馬郵則闕於民，民多闕則有離叛之心，將何以封矣！……今子常，先大夫之後也，而相楚君無令名於四方。民之羸餒，日已甚矣。四境盈壘，道殣相望，盜賊司目，民無所放。是之不恤，而蓄聚不厭，其速怨於民多矣。積貨滋多，蓄怨滋厚，不亡何待！夫民心之慍也，若防大川焉，潰而所犯必大矣。子常其能賢

於成、靈乎？成不禮於穆，願食熊蹯，不獲而死。靈不顧於民，一國棄之，如遺跡焉。子常為政，而無禮不顧甚於成、靈，其獨何力以待之！」期年，乃有柏舉之戰，子常奔鄭，昭王奔隨。（《國語》〈楚語下〉）

無忘前敗

　　吳國軍隊攻入楚國，楚昭王出逃，在成臼渡河，看見藍尹亹用船載著妻子兒女，就對他說：「載我過河吧。」藍尹亹回答說：「自先王以來沒有一個失掉國家的，您卻亡國了，這是您的罪過。」於是扔下昭王走了。昭王復國後，藍尹亹求見，昭王想把他抓起來，子西說：「先聽聽他說些什麼吧，他來求見，總有原因的。」於是昭王派人對他說：「成臼之役，你拋棄我揚長而去，現在你竟敢回來見我，是為什麼？」藍尹亹回答說：「以前子常對過去的恩怨糾纏不休，以致在柏舉被打敗，君主才落到流亡的地步。如今您又倣效他，是想重蹈覆轍嗎？我在成臼扔下您，是為了刺激警誡您，希望您有所醒悟。現在敢來求見，是想看看您的德行和修為，是否還記得戰敗的教訓，時刻在檢討從前的過失。如果不能以史為鑑，反而懷恨在心，那就是不愛自己的國家，不珍惜自己的王位，我至多不過一死，請君主深思。」子西對昭王說：「他說得有理，我們必須牢記過去的教訓。」昭王於是接見藍尹亹，讓他官復原職。

【出處】

　　吳人入楚，昭王出奔，濟於成臼。見藍尹亹載其孥，王曰：「載予。」對曰：「自先王莫墜其國，當君而亡之，君之過也。」遂去王。王歸，又求見，王欲執之。子西曰：「請聽其辭，夫其有故。」王使謂之曰：「成臼之役，而棄不穀，今而敢來，何也？」對曰：「昔瓦唯長舊怨，以敗於柏舉，故君及此。今又效之，無乃不可乎？臣避於成臼，以儆君也，庶悛而更乎？今之敢見，觀君之德也，曰：庶憶懼而鑑前惡乎？君若不鑑而長之，君實有國而不愛，臣何有於死，死在司敗矣！惟君圖之！」子西曰：「使復其位，以無忘前敗。」王乃見之。（《國語》〈楚語下〉）

何賞之有

　　屠羊說跟隨楚昭王出逃。逃亡途中，昭王的衣食住行都是他幫忙解決。返回郢都之後，昭王要賞賜他。屠羊說說：「大王喪失國都的時候，我也失去了屠羊的工作。大王返回國都，我也該幹自己的老本行去了。臣子們官復原職，待遇依舊，有什麼好獎賞的呢？」昭王非要獎賞他。屠羊說推辭說：「大王喪失國都，不是小民的過錯，所以大王不會殺我；大王返回國都，也不是小民的功勞，因此也不敢邀功領賞。」昭王說：「你不要屠羊了，出來做官怎麼樣？」屠羊說仍然搖頭：「按照楚國的法律，商人不能參加祭獻，立下大功得到重賞才能得到國君的召見。如今微臣的智慧和勇武既不能保全國家，匡扶王室，氣節也不敢為君主效死。讓我出來做官，豈不是不合國法嗎？」

於是連羊也不宰了，直接逃入山谿。昭王認定屠羊說非等閒之輩，對司馬子期說：「一定要找到屠羊說，我要跟他結為兄弟，使他位及三公。」子期花了五天時間，終於找到屠羊說，對他說：「國家有危難不救是不仁，君王有獎賞不從是不忠。對上厭惡富貴，對下安於習俗，我認為這也是錯的。」屠羊說誠懇地說：「豈能因為貪圖爵祿，使大王有隨意獎賞的名聲呢？」仍然不辭而別。

【出處】

屠羊說從王出奔。王反郢，賞之。說曰：「大王失國，說失屠羊；大王反國，說反屠羊。臣之爵祿已復矣，又何賞之有？」王強之。說曰：「大王失國，非臣之過，故不伏其誅；大王反國，非臣之功，故不敢當其賞。」王曰：「見之。」說曰：「楚國之法，商人必有不獻，重賞然後得見於君。今臣智不能存國，節不能死君，勇不能待寇，然而見之，非國法也。」遂不受命，入於谿中。王謂司馬子期曰：「有人於居處甚約，論議甚高，為我求之，願為兄弟，請以三公之位。」子期舍車而徒，求之五日夜而見之，謂曰：「國危不救非仁也，君使不從非忠也。惡富貴於上，安習俗於下，意者過也。」說曰：「豈可貪爵祿，吾君有妄施之名乎？」竟不受而去。（《渚宮舊事》〈周代中〉）

一存一亡

　　伍子胥將要逃亡吳國的時候，來向他的好友申包胥辭行說：「三

年之後，我不滅亡楚國，絕不見你！」申包胥說：「你好自為之吧。我不能幫你。幫你等於自毀宗廟；制止你又不合朋友之情。雖然如此，你要滅亡楚國的話，我一定會保存楚國的。」三年之後，伍子胥引領吳國軍隊攻入楚國國都，昭王出走。申包胥未等昭王下令即西赴秦國，向秦哀公說：「吳國不講道義，像野豬和長蛇一般貪婪殘暴，倚仗兵強馬壯，想要征服天下，先拿楚國開刀。吳軍攻佔楚都，我們的國君被迫出逃，暫時居於雲夢，派我來向秦國告急求救：吳國是野蠻的夷狄人，他們的貪欲永遠得不到滿足。滅亡了楚國，他們就在西面與您的國土接壤，成為您國境上的禍患。趁現在吳國立足未穩，請您趕快出兵援楚，我們會世代牢記您的恩德。」秦哀公心存猶豫，對申包胥說：「我知道了，您先到驛館休息，我們商議後儘快回覆你。」申包胥回答說：「我們的君主逃亡在草野之中，連安身之所也沒有，做臣子的哪有心思休息呢？」他靠著宮廷的牆壁，站在那兒痛哭，一連哭了七天七夜。哀公為之感動，對大臣們說：「楚國有這樣的臣子，怎能不出手相救呢？」於是發兵救楚。吳人得知秦國出兵的消息，於是撤兵回國。昭王返回楚都，想重賞申包胥，申包胥推辭說：「我拯救危亡的楚國，並不是為了個人的名聲，成就功業就接受賞賜，是出賣自己的義勇。您的君位已經穩固，我還有什麼可要求的呢？」於是推辭不受，然後從朝廷退隱，再也不見蹤影。

【出處】

　　子胥將之吳，辭其友申包胥曰：「後三年，楚不亡，吾不見子矣！」申包胥曰：「子其勉之！吾未可以助子，助子是伐宗廟也；止子是無以為友。雖然，子亡之，我存之，於是乎觀楚一存一亡也。」

後三年，吳師伐楚，昭王出走。申包胥不受命，西見秦伯曰：「吳無道，兵強人眾，將征天下，始於楚。寡君出走，居雲夢，使下臣告急。」哀公曰：「諾！固將圖之。」申包胥不罷朝，立於秦庭，晝夜哭，七日七夜不絕聲。哀公曰：「有臣如此，可不救乎？」興師救楚。吳人聞之，引兵而還。昭王反覆，欲封申包胥。申包胥辭曰：「救亡，非為名也。功成受賜，是賣勇也。」辭不受，遂退隱，終身不見。(《說苑》〈至公〉)

蒙谷之功

　　魯定公四年，吳、楚兩國在柏舉交戰。吳國連闖三關，攻入郢都，昭王逃亡，百姓離散奔走。楚臣蒙谷在宮唐與吳軍戰鬥，此時楚王生死未卜，蒙谷從戰場上撤離，火速趕回楚都，心裡說：「如果有王子可以繼位，楚國社稷應該會有希望吧。」他設法進入楚宮，背上楚國的法律大典《雞次之典》[56]，乘船浮游於江上，輾轉逃往雲夢地區。楚昭王返回楚都之後，一時百官無所適從，百姓混亂無序，蒙谷及時獻出《雞次之典》，於是百官有章可循，諸事有法可依，百姓井然有序，國家很快得到有效治理。蒙谷立下的這份大功，相當於保存國家。於是，昭王給予他執圭的爵位，賜給封田六百畛。蒙谷拒不接受楚王的賞賜，生氣地說：「我並不是哪一個人的臣子，而是國家社稷的臣子，國家社稷平安無事，我難道還擔心自己沒有官做嗎？」

56.《雞次之典》，又稱《離次之典》，這部楚國最重要的法典未能保存下來，但蒙谷淡看名利、忠於國家的高尚品格，卻萬古長存。

　　吳與楚戰於柏舉，三戰入郢。君王身出，大夫悉屬，百姓離散。蒙谷給鬥於宮唐之上，舍鬥奔郢曰：「若有孤，楚國社稷其庶幾乎？」遂入大宮，負雞次之典以浮於江，逃於雲夢之中。昭王反郢，五官失法，百姓昏亂；蒙谷獻典，五官得法，而百姓大治。此蒙谷之功，多與存國相若，封之執圭，田六百畛。蒙谷怒曰：「谷非人臣，社稷之臣。苟社稷血食，余豈悉無君乎？」遂自棄於磨山之中，至今無冒。（《戰國策》〈楚策一〉）

當房之德

　　天下大雪的時候，楚昭王當窗而立，感覺到窗外的陣陣寒意，當即傳令放出府庫中的棉衣和糧食，以救濟寒冷饑餓的民眾。後來吳王闔閭率軍攻打郢都，受到救濟的民眾紛紛請求參戰，因為他們的殊死抵抗，吳軍一天之內被迫轉移了五個地方。

【出處】

　　昭王當房而立，愀然有寒色。是日，出府之裘以賜寒者，出倉之粟以賑饑者。吳襲郢，當房賜者請往戰死，闔閭一日五徙，當房之德也。（《渚宮舊》〈周代中〉）

季芈畀我

　　季芈畀我是楚昭王的妹妹。吳國軍隊在伍子胥的引領下攻入楚國郢都的時候，楚昭王把母親、妃子們全都留在宮內，唯獨帶著季芈畀我一起出逃。逃到鄖地的時候，季芈實在跑不動了，年輕的侍衛鍾建就背著她走。申包胥向秦國借兵打敗吳國後，昭王回到郢都，考慮把季芈嫁出去，季芈辭謝說：「按照禮儀，女子應該遠離男人，可是鍾建已經背過我了。」楚昭王於是按照季芈的意願，將她嫁給了鍾建，並且封鍾建為樂尹。

【出處】

　　己卯，楚子取其妹季芈畀我以出，涉睢。鍼尹固與王同舟，王使執燧象以奔吳師。（《左傳》〈定公四年〉）

　　王將嫁季芈，季芈辭曰：「所以為女子，遠丈夫也。鍾建負我矣。」以妻鍾建，以為樂尹。（《左傳》〈定公五年〉）

引琴而歌

　　楚昭王返回郢都之後，宮廷的樂師扈子陪坐在他身邊，拿起琴來邊彈邊唱道：「王啊王啊你聽信讒言，濫殺無辜使伍氏蒙冤。伍員白勝懷恨奔吳，發誓攻楚報仇雪恨。鞭屍刺骨焚燬王陵，全賴申包胥赴秦求援。大王雖然返回國都，憂患未除步履維艱。」昭王兩眼含淚不忍再聽，樂師扈子唱完，將琴扔到一邊，終生不再操琴。

昭王反郢，樂師扈子侍坐，引琴而歌曰：「王兮王兮聽讒邪，狂殺左右冤伍奢。二胤懷恨東奔吳，創仇構禍破國都，鞭屍戮骸丘墓屠。賴申包胥人獲蘇，王雖反國憂未徂。」王垂涕不復聽，樂師扈子亦終身不操琴。（《渚宮舊事》〈周代中〉）

失法伏罪

　　楚昭王的時候，有一個賢士名叫石渚[57]。他為人公正無私，楚昭王讓他治理政事。有一個人在路上殺了人，石渚奮起直追，結果發現殺人者竟是自己的父親。於是他放棄追趕，掉轉車頭回到朝廷對昭王說：「殺人者是臣的父親。親手將父親繩之以法，我不忍心這樣做；偏袒罪犯，廢棄國法，我也不能這樣做。我犯了錯誤就應該受到懲處，這是臣子應恪守的義理。」於是他趴伏在刑具上，請求昭王下令處死。昭王說：「沒有追上罪犯，怎麼就一定要接受處罰呢？你還是繼續處理公務吧。」石渚推辭說：「陛下赦免臣的罪過，是您的恩惠；不敢廢棄國法，是臣的操行。」於是自刎而死。

【出處】

　　荊昭王之時，有士焉曰石渚，其為人也公直無私，王使為政。道有殺人者，石渚追之，則其父也。還車而返，立於廷曰：「殺人者，

---

57. 司馬遷《史記》〈循吏列傳〉稱石奢。

僕之父也。以父行法，不忍。阿有罪，廢國法，不可。失法伏罪，人臣之義也。」於是乎伏斧鑕，請死於王。王曰：「追而不及，豈必伏罪哉？子復事矣。」石渚曰：「不私其親，不可謂孝子。事君枉法，不可謂忠臣。君令赦之，上之惠也。不敢廢法，臣之行也。」不去斧鑕，歿頭乎王廷。正法枉必死，父犯法而不忍，王赦之而不肯，石渚之為人臣也，可謂忠且孝矣。（《呂氏春秋》〈離俗覽‧高義〉）

荊臺之遊

　　楚昭王想到荊臺去遊玩，司馬子綦進諫說：「到荊臺這個地方遊玩，左邊有洞庭湖，右邊是彭蠡湖；南邊可以望到獵山，臺下挨著方淮，到這裡遊玩的樂趣能令人忘記年華老去，甚至忘記死亡。大凡到這個地方遊玩過的君主，他的國家都滅亡了。希望大王不要去這種不吉祥的地方遊玩。」昭王說：「荊臺是我楚國的地盤，有這麼美妙的去處，司馬為什麼要阻止我呢？」子綦還要解釋，昭王生氣地推開他拂袖而去。令尹子西得知消息，連忙駕車來到宮殿，對昭王說：「今日荊臺之遊，不能不去啊！」昭王怒氣稍解，登車對子西說：「走，讓我們一起到荊臺快活幾天。」馬車緩緩走出十幾里地，子西見昭王情緒舒緩，這才勒住馬的韁繩說：「臣不能下車行禮，有幾句話，不知大王是否肯聽？」昭王說：「你講吧。」子西說：「臣聽說，對忠臣的獎賞，是不能以爵祿來衡量的；對佞臣的懲處，也不是刑罰所能度量的。像司馬子綦這種人，絕對是大王的忠君，而臣今天所扮演的，不過是一名阿諛奉承的佞臣而已。所以臣懇請大王將我斬首，抄沒我的家產，作為對司馬子綦的獎賞。」昭王起先的怒氣已消，此

時也明白了司馬子綦的良苦用心，於是說：「如果我聽從你二人的勸告，不去荊臺，也只是禁止我一人罷了。後世子孫想到荊臺遊玩，還不是照樣嗎？」子西說：「我倒是有個辦法。大王萬歲之後，就在荊臺修一座陵墓。誰會帶著鐘鼓管絃樂器到先祖的墳墓前遊玩呢？」昭王默然點頭，讓馬車掉頭回宮，最終沒有去荊臺遊玩。孔子在魯國聽說了這件事，稱讚說：「子西真了不起！不僅在十里之內阻止了荊臺之遊，而且還考慮到百世之後啊。」

【出處】

楚昭王欲之荊臺游，司馬子綦進諫曰：「荊臺之遊，左洞庭之波，右彭蠡之水，南望獵山，下臨方淮，其樂使人遺老而忘死，人君游者，盡以亡其國。願大王勿往游焉。」王曰：「荊臺乃吾地也，有地而游之，子何為絕我游乎？」怒而擊之。於是令尹子西駕安車四馬，徑於殿下，曰：「今日荊臺之遊，不可不觀也。」王登車而拊其背曰：「荊臺之遊，與子共樂之矣。」步馬十里，引轡而止，曰：「臣不敢下車，願得有道，大王肯聽之乎？」王曰：「第言之。」令尹子西曰：「臣聞之，為人臣而忠其君者，爵祿不足以賞也；為人臣而諛其君者，刑罰不足以誅也。若司馬子綦者，忠臣也；若臣者，諛臣也。願大王殺臣之軀，罰臣之家，而祿司馬子綦。」王曰：「若我能止聽，公子獨能禁我游耳。後世游之，無有極時，奈何？」令尹子西曰：「欲禁後世易耳，願大王山陵崩阤，為陵於荊臺，未嘗有持鐘鼓管弦之樂而游於父祖之墓上者也。」於是王還車，卒不游荊臺，令罷先置。孔子從魯聞之，曰：「美哉令尹子西，諫之於十里之前，而權之於百世之後者也。」（《說苑》〈正諫〉）

《楚明光》

《楚明光》是楚國一首著名的琴曲。據明末董說《七國考》引東漢蔡邕《琴操》的解釋說：楚昭王得到和氏璧，打算獻給趙王。於是派大夫明光捧璧到趙國去。郡中有個叫羊由甫的人，他知道趙王沒有歸還和氏璧的意思，因而在昭王面前講明光的壞話說：「明光經常背著楚國為趙國效勞，如今派他捧璧前往，怎麼會陳述您的功德呢？」等明光返回朝廷的時候，昭王非常生氣，明光於是創作了名為《楚明光》的歌曲，藉以表達自己的心情。[58]

【出處】

楚明光者，楚王大夫也。昭王得和氏璧，欲以貢於趙王。於是遣明光奉璧之趙。郡中羊由甫，知趙無反意，乃讒之於王曰：「明光常背楚用趙，今使奉璧，何能述功德？」及明光還，怒之，明光乃作歌曰《楚明光》。（《琴操》，卷下〈河間雜歌〉）

孤之股肱

楚昭王的時候，一次天空中出現奇象，有紅色的雲宛如飛鳥一般，夾著太陽飛翔了三天。昭王派人請教成周的太史州黎。州黎說：「君王將有災難臨身，如果禳祭的話，可以轉移到令尹、司馬身上。」

---

58. 和氏璧留在趙國，後來演繹出「完璧歸趙」的故事。《楚明光》是一首充滿哀怨委屈的歌曲，含有為自己辯解的成分，作為一首名曲，在唐代仍有流傳。

令尹、司馬得知消息，主動宿齋沐浴，希望通過禳祭代替昭王受過。昭王搖頭說：「二位請打住。楚國有我這不才的國君，猶如身體上有胸肋；我有令尹與司馬，猶如身體上有大腿和胳膊。胸肋有疾病，移到大腿和胳膊上，難道說疾病就離開了我的身體嗎？」

【出處】

十月，昭王病於軍中，有赤雲如鳥，夾日而蜚。昭王問周太史，太史曰：「是害於楚王，然可移於將相。」將相聞是言，乃請自以身禱於神。昭王曰：「將相，孤之股肱也，今移禍，庸去是身乎！」弗聽。（《史記》〈楚世家〉）

湛盧之劍

名為湛盧的寶劍，憎惡闔閭的暴虐無道，就離開闔閭，出了吳宮，沿水路到達楚國。楚昭王一覺醒來，在床頭發現了吳王的湛盧寶劍。昭王不知其中緣故，就把風湖子召來問他說：「我睡覺醒來發現了這把寶劍，但不知道它的名稱，這是什麼劍啊？」風湖子說：「此劍稱為湛盧劍。」昭王說：「你有什麼根據呢？」風湖子說：「我聽說越王曾獻給吳王三把寶劍，一把叫魚腸，一把叫磐郢，一把叫湛盧。魚腸劍已經用於刺殺吳王僚，磐郢作為吳王女兒滕玉的陪葬，剩下的就是這把湛盧劍了。」昭王說：「湛盧劍為什麼要離開吳王呢？」風湖子說：「我聽說越王元常讓歐冶子鑄造了五把寶劍，然後拿給薛燭鑑賞。薛燭評價說：『魚腸劍紋理顛倒不順，不可佩帶。臣子會用

它殺害君主，兒子會用它殺害父親。』闔閭果然用它殺死了吳王僚。磐郢劍也叫豪曹劍，是不法之物，對活人無益，所以用它陪葬。這把湛盧劍，薛燭說：『它含有多種金屬的精華，凝聚了太陽的靈光和神靈的精氣，拔出來便有神氣，佩上它就有威風，可以用它抵擋和擊退敵人的進攻。但如果佩帶它的君主有違背天理的陰謀，劍就會自動出鞘，歸附有德行的君主。』吳王暴虐無道，殺害國君，圖謀楚國，所以湛盧劍就到了楚國。」昭王說：「湛盧劍價值是多少？」風湖子說：「我聽說這把劍還在越國的時候，就有人出價三十個有集市的鄉鎮、一千匹駿馬和兩個擁有萬戶人家的都市與之交換。當時薛燭回答說：『赤堇山的山谷已經閉合無雲，若耶溪的溪水深不可測，當年幫助鑄劍的眾神都已回到天上，並且歐冶子也死了。即便能拿出堆滿全城的黃金、塞滿河道的珍珠寶玉，也不能得到這把寶劍。這點城鎮和區區一千匹馬，又哪裡說得出口呢？』」楚昭王聽了十分高興，於是把湛盧劍當作寶貝。

【出處】

湛盧之劍惡闔閭之無道也，乃去而出，水行如楚。楚昭王臥而寤，得吳王湛盧之劍於床。昭王不知其故，乃召風湖子而問曰：「寡人臥，覺而得寶劍，不知其名，是何劍也？」風湖子曰：「此謂湛盧之劍。」昭王曰：「何以言之？」風湖子曰：「臣聞吳王得越所獻寶劍三枚：一曰魚腸，二曰磐郢，三曰湛盧。魚腸之劍已用殺吳王僚也，磐郢以送其死女，今湛盧入楚也。」昭王曰：「湛盧所以去者，何也？」風湖子曰：「臣聞越王元常使歐冶子造劍五枚，以示薛燭，燭對曰：『魚腸劍逆理不順，不可服也，臣以殺君，子以殺父。』故

闔閭以殺王僚。『一名磐郢，亦曰豪曹，不法之物，無益於人。』故以送死。『一名湛盧，五金之英，太陽之精，寄氣托靈，出之有神，服之有威，可以折衝拒敵。然人君有逆理之謀，其劍即出。』故去無道以就有道。今吳王無道，殺君謀楚，故湛盧入楚。」昭王曰：「其直幾何？」風湖子曰：「臣聞此劍在越之時，客有酬其直者，有市之鄉三十、駿馬千匹、萬戶之都二，是其一也。薛燭對曰：『赤堇之山已令無雲，若耶之溪深而莫測，群臣上天，歐冶死矣。雖傾城量金，珠玉盈河，猶不能得此寶，而況有市之鄉、駿馬千匹、萬戶之都，何足言也？』」昭王大悅，遂以為寶。闔閭聞楚得湛盧之劍，因斯發怒，遂使孫武、伍胥、白喜伐楚。子胥陰令宣言於楚曰：「楚用子期為將，吾即得而殺之；子常用兵，吾即去之。」楚聞之，因用子常，退子期。吳拔六與潛二邑。（《吳越春秋》〈闔閭內傳〉）

漁者仁人

　　楚國有個漁父，將近黃昏的時候來給楚王獻魚，對楚王說：「今天打的魚比較多，吃也吃不完，賣也賣不掉，丟了又可惜，所以拿來獻給大王。」楚王身邊的人說：「這話說得太直露粗鄙了，這魚不能要啊。」楚王說：「這位漁夫是一位有仁德的人。我聽說國家糧倉裡穀物充足，國內就有挨餓的百姓；後宮裡宮女成群，民間就會有很多單身漢；錢財都聚斂在國庫裡，百姓就會貧窮困苦。這些都不符合君主的正道。只有亡國之君才會橫徵暴斂，我聽到這個道理已經很久了，一直未能實施。漁夫明白這個道理，他是想用獻魚的辦法來開

導我呢。讓我們現在就著手實施吧。」於是楚王派使者去撫卹鰥寡孤獨，開倉放糧去拯救饑荒，發放財物去賑濟窮人，又遣散後宮中未被納為嬪妃侍妾的宮女，讓她們出宮嫁給單身漢。楚國的百姓非常高興，奔走相告，鄰國的人得知消息，也來歸附楚國。漁父只是把賣不掉吃不完的多餘的魚獻給楚王，整個國家卻因此獲益，他可以說是一位非常聰明的仁人了。

【出處】

楚人有獻魚楚王者曰：「今日漁獲，食之不盡，賣之不售，棄之又惜，故來獻也。」左右曰：「鄙哉！辭也。」楚王曰：「子不知漁者仁人也。蓋聞囷倉粟有餘者，國有餓民；後宮多幽女者，下民多曠夫；余衍之蓄，聚於府庫者，境內多貧困之民；皆失君人之道。故庖有肥魚，廄有肥馬，民有餓色，是以亡國之君，藏於府庫，寡人聞之久矣，未能行也。漁者知之，其以比喻寡人也，且今行之。」於是乃遣使恤鰥寡而存孤獨，出倉粟，發幣帛而振不足，罷去後宮不御者，出以妻鰥夫。楚民欣欣大悅，鄰國歸之。故漁者一獻餘魚，而楚國賴之，可謂仁智矣。（《新序》〈雜事第二〉）

楚最多士

蘧伯玉出使楚國，辦完公事後，同楚王坐著聊天，兩人很自然說到了士。楚王問：「你覺得當今之世，哪個國家的人才最多？」蘧伯玉回答說：「楚國的人才最多。」楚王聽了很高興。蘧伯玉接著說：

「楚國人才雖多，卻不善用。」楚王一聽，臉色頓時變了：「你這話什麼意思？」蘧伯玉解釋說：「伍子胥生於楚國，逃亡吳國之後，吳國任他為相，發兵攻楚，掘平王之墓，這是伍子胥生於楚國而為吳國所用的例子。虆蚡黃[59]生於楚國，流亡晉國之後，晉國用他治理七十二縣，路不拾遺，百姓不亂取，城門不關閉，域內無盜賊，這是虆蚡黃生於楚國而為晉國所用的例子。臣此次出使楚國，在濮河邊遇見鄂公子晳，他對我說，最上等的士人節操高尚，可以把妻女委託給他；中等的士人一諾千金，可以把心裡話告訴他；下等的士人淡泊利益，可以把錢財委託給他。三者兼而有之的人，是否該得到重用呢？不知道公子晳又將到哪裡去治理呢？」楚王聽了蘧伯玉的話，於是派近侍駕車趕往濮水，將子晳迎回朝廷，委以重用。

【出處】

蘧伯玉見楚王，使事畢，坐談話，從容言至於士。楚王曰：「何國最多士？」蘧伯玉曰：「楚最多士。」楚王大悅。蘧伯玉曰：「楚最多士而楚不能用。」王造然曰：「是何言也？」蘧伯玉曰：「伍子胥生於楚，逃之吳，吳受而相之，發兵攻楚，墮平王之墓，伍子胥生於楚而吳善用之；虆蚡黃生於楚，走之晉，治七十二縣，道不拾遺，民不妄得，城郭不閉，國無盜賊，蚡黃生於楚而晉善用之。今者臣之來，逢公子晳濮水之上，辭言『上士可以托色，中士可以託辭，下士可以托財。以三者言，固可得而託身耶？』又不知公子晳將何治也。」於是楚王發使一駟、副使二乘，追公子晳濮水之上。子晳還

---

59. 虆蚡黃，即苗賁皇，楚令尹鬪椒之子。

重於楚，蘧伯玉之力也。故《詩》曰：「誰能烹魚，溉之釜鬵；孰將西歸，懷之好音。」此之謂也。物之相得，固微甚矣。（《說苑》〈善說〉）

朝受命而夕飲冰

葉公子高準備出使齊國，他請教孔子說：「楚王派我出使，責任重大。齊國對待使者總是表面恭敬而內心怠慢。要說服平常百姓都不容易，何況是諸侯呢？所以我很惶恐。先生曾對我說過：『凡事不論大小，很少有不合正道而得到好結果的。事情辦不成，就會受到懲罰；事情辦成了，就會有陰陽失調或憂勞成疾的隱患。無論事情辦成辦不成都不會有後患的，只有德行高深的人可以做到。』我平常飲食粗糙不求精美，家裡也不會刻意準備清涼的食物。現在我早上接到出使的命令，晚上就要喝冰水解熱，真是憂心如焚啊。我還沒有經歷過真正的大事，就已經陰陽失調了。如果事情辦不成，還會受到國君的處罰。這兩者加起來我實在是承受不了，先生請指點我吧。」

【出處】

葉公子高將使於齊，問於仲尼曰：「王使諸梁也甚重，齊之待使者，蓋將甚敬而不急。匹夫猶未可動也，而況諸侯乎！吾甚栗之。子常語諸梁也，曰：『凡事若小若大，寡不道以歡成。事若不成，則必有人道之患；事若成，則必有陰陽之患。若成若不成而後無患者，唯有德者能之。』吾食也，執粗而不臧，爨無欲清之人。今吾朝受命而

夕飲冰，我其內熱與！吾未至乎事之情，而既有陰陽之患矣。事若不成，必有人道之患。是兩也，為人臣者不足以任之，子其有以語我來！」（《莊子》〈人間世〉）

絕地天通

楚昭王問觀射父說：「《周書》上所說的重、黎使天地不通是怎麼回事？如果不是這樣，老百姓就可以登天嗎？」觀射父回答說：「讓我跟大王詳細解釋一下。古時候民和神不混雜。精神專注而且又能恭敬中正的人，他們的才智能使天地上下各得其宜，他們的聖明能光芒遠射，他們的目光明亮能洞察一切，他們的聽覺靈敏能通達四方，他們作為神明降臨，男的稱為覡，女的叫作巫，成為民與神溝通的橋梁。巫覡首先制定神所處的祭位和尊卑先後，規定祭祀用的牲畜、祭器和服飾，然後使先聖的後代中有功德的，能懂得山川的名位、祖廟的神主、宗廟的事務、父子的次序、莊敬的勤勉、禮節的得當、威儀的規則、容貌的修飾，又有忠信誠實的品質，祭服潔淨，並且能恭敬神明的人出任太祝。又讓那些名門之後，能懂得四季的物產、祭祀用的牲畜、玉帛的種類、祭服的規範、祭器的多少、尊卑的主次、祭祀的位置、壇場的所處又通曉上下諸神和家族姓氏的源流，並且能遵循陳法的人出任宗伯。這樣就有了掌管天、地、民、神、物的官員，即所謂五官。五官各司其職，不相雜亂。百姓因此能講忠信，神靈因此而有明德，民和神各有分工，百姓恭敬而不輕慢，所以神靈降福，萬物茁壯生長，萬民安居樂業，災禍不至，百姓的財用也

不匱乏。等到少皞氏的時候，國家衰弱，九黎族擾亂德政，民和神相混雜，職事分辨不清。人人都舉行祭祀，家家都自為巫史，誠信不再。百姓窮於祭祀，卻得不到神靈的保佑。祭祀不講法度，民神竟然同位。百姓輕慢祈禱時的盟誓，毫無敬畏之心。神對百姓的頹廢習以為常，不再苛求祭祀的莊嚴潔淨。於是百姓失去了年年豐收的好光景，以致於拿不出食物來祭獻神明。禍亂災害頻頻到來，民間了無生氣。等到顓頊成為天子，命令南正重主管天來聚合神，命令火正黎主管地來集合民眾，竭力恢復從前的秩序，使民神不再互相侵犯，這就是《周書》上講的所謂『絕地天通』。後來，三苗繼承了九黎氏的凶德，堯帝也培育了重、黎的後代，使他們繼承先人的事業。一直到夏朝、商朝，仍舊由重氏和黎氏世代主管天地，分辨民神的祭位和尊卑先後。在周朝，程伯休父是他們的後代。周宣王以諸侯為大司馬，程伯休父因此失去了天地之官的職位。休父的後代神化他們的祖先，以此向百姓顯威，說他們的祖先重上舉著天，黎下撐著地。到了周幽王、周平王的時代，以前的亂象重現，沒有誰能夠阻止。否則，天地形成之後就不再變化，又怎麼能上下相接近呢？」

【出處】

昭王問於觀射父，曰：「《周書》所謂重、黎實使天地不通者，何也？若無然，民將能登天乎？」對曰：「非此之謂也。古者民神不雜。民之精爽不攜貳者，而又能齊肅衷正，其智能上下比義，其聖能光遠宣朗，其明能光照之，其聰能聽徹之，如是則明神降之，在男曰覡，在女曰巫。是使制神之處位次主，而為之牲器時服，而後使先聖之後之有光烈，而能知山川之號、高祖之主、宗廟之事、昭穆之世、

齊敬之勤、禮節之宜、威儀之則、容貌之崇、忠信之質、禋潔之服，而敬恭明神者，以為之祝。使名姓之後，能知四時之生、犧牲之物、玉帛之類、采服之宜、彝器之量、次主之度、屏攝之位、壇場之所、上下之神祇、氏姓之所出，而心率舊典者為之宗。於是乎有天地神民類物之官，是謂五官，各司其序，不相亂也。民是以能有忠信，神是以能有明德，民神異業，敬而不瀆，故神降之嘉生，民以物享，禍災不至，求用不匱。及少暤之衰也，九黎亂德，民神雜糅，不可方物。夫人作享，家為巫史，無有要質。民匱於祀，而不知其福。烝享無度，民神同位。民瀆齊盟，無有嚴威。神狎民則，不蠲其為。嘉生不降，無物以享。禍災薦臻，莫盡其氣。顓頊受之，乃命南正重司天以屬神，命火正黎司地以屬民，使復舊常，無相侵瀆，是謂絕地天通。其後三苗復九黎之德，堯復育重、黎之後不忘舊者，使復典之。以致於夏、商，故重、黎氏世敘天地，而別其分主者也。其在周，程伯休父其後也，當宣王時，失其官守而為司馬氏。寵神其祖，以取威於民，曰：『重實上天，黎實下地。』遭世之亂，而莫之能御也。不然，夫天地成而不變，何比之有？」（《國語》〈楚語下〉）

鐵兵之神

楚王召見風胡子，對他說：「寡人聽說吳國有干將、越國有歐冶子，此二人稱甲於世，是當今天下從未有過的鑄劍師。請你攜帶寡人收藏的所有珍寶，前往吳越之地，請這兩個人為我鑄造鐵劍，行嗎？」風胡子欣然領命，前往吳越，找到歐冶子和干將，表達了楚王

的誠意，請他們鑄造鐵劍。於是歐冶子和干將傾注全部心血，為楚王製作了三把鐵劍。風胡子攜帶鐵劍回國。楚王見到三把鐵劍，果然與一般鐵劍大不同，非常高興，問風胡子說：「三把鐵劍各叫什麼名字？有什麼象徵意義呢？」風胡子回答說：「第一把名叫龍淵，觀其形狀，給人以登高山之巔、臨深水之淵的感覺；第二把名叫泰阿，觀其劍紋，好似萬頃波濤翻捲；第三把名叫工布，劍紋從劍鋒直達劍脊，恰似潺潺流水連綿不絕。」晉鄭王聽說楚王得到三把名劍，向楚國討要不得，於是親率大軍來犯。楚王得知消息，攜泰阿之劍，親率大軍迎敵。晉軍望風披靡，流血千里，晉鄭王一夜白頭。楚王高興地對風胡子說：「此戰之勝，是依仗鐵劍的威力呢？還是寡人指揮得當？」風胡子回答說：「鐵劍呈威，仰賴的是大王的精神啊。」楚王說：「劍是鐵鑄成的，也能受精氣神的感染嗎？」風胡子回答說：「當然。軒轅、神農、赫胥的時代以石為兵器，黃帝時以玉為兵器，大禹時以銅為兵器，其中都有聖主的精神感召。今日大王以鐵劍威服三軍，天下誰敢不服？鐵兵之神，正是大王聖德的表現啊。」楚王點頭說：「寡人知道其中的道理了。」

【出處】

　　楚王召風胡子而問之曰：「寡人聞吳有干將，越有歐冶子，此二人甲世而生，天下未嘗有。精誠上通天，下為烈士。寡人願齎邦之重寶，皆以奉子，因吳王請此二人作鐵劍，可乎？」風胡子曰：「善。」於是乃令風胡子之吳，見歐冶子、干將，使之作鐵劍。歐冶子、干將鑿茨山，洩其溪，取鐵英，作為鐵劍三枚：一曰龍淵，二曰泰阿，三曰工布。畢成，風胡子奏之楚王。楚王見此三劍之精神，大悅風胡

子，問之曰：「此三劍何物所象？其名為何？」風胡子對曰：「一曰龍淵，二曰泰阿，三曰工布。」楚王曰：「何謂龍淵、泰阿、工布？」風胡子對曰：「欲知龍淵，觀其狀，如登高山、臨深淵；欲知泰阿，觀其鈲，巍巍翼翼，如流水之波；欲知工布，鈲從文起，至脊而止，如珠不可衽，文若流水不絕。」晉鄭王聞而求之，不得，興師圍楚之城，三年不解。倉穀粟索，庫無兵革。左右群臣、賢士，莫能禁止。於是楚王聞之，引泰阿之劍，登城而麾之。三軍破敗，士卒迷惑，流血千里，猛獸歐瞻，江水折揚，晉鄭之頭畢白。楚王於是大悅，曰：「此劍威耶？寡人力耶？」風胡子對曰：「劍之威也，因大王之神。」楚王曰：「夫劍，鐵耳，固能有精神若此乎？」風胡子對曰：「時各有使然。軒轅、神農、赫胥之時，以石為兵，斷樹木為宮室，死而龍臧。夫神聖主使然。至黃帝之時，以玉為兵，以伐樹木為宮室，鑿地。夫玉，亦神物也，又遇聖主使然，死而龍臧。禹穴之時，以銅為兵，以鑿伊闕、通龍門，決江導河，東注於東海。天下通平，治為宮室，豈非聖主之力哉？當此之時，作鐵兵，威服三軍。天下聞之，莫敢不服。此亦鐵兵之神，大王有聖德。」楚王曰：「寡人聞命矣。」（《越絕書》〈越絕外傳記寶劍〉）

三王冢

　　干將、莫邪為楚王鑄劍，三年完工。劍分雌雄兩把。干將把雌劍獻給楚王，自己留下雄劍。他對妻子說：「我把劍藏在南山的陰面，北山的陽面；有棵松樹長在石頭上，劍就在樹幹裡。楚王如果察覺後

殺害我，你生了男孩，就把這事告訴他。」楚王後來果然殺死干將。妻子莫邪生下男孩後，起名赤鼻，把先前的事詳細告訴他。赤鼻砍開南山的松樹，沒找到劍，琢磨著應該藏在家中的柱子裡，終於在家中發現那把雄劍。楚王夢見一個人，眉毛長三寸，聲稱要向他報仇，於是四處懸賞捉拿眉間尺。眉間尺逃離楚國，跑進深山，途中遇到一個旅客。旅客問他說：「你是眉間尺嗎？」回答說：「是的。」旅客說：「我能為你報仇。」眉間尺說：「父親毫無罪過，卻被冤枉殺害。您打算怎麼幫我呢？」旅客說：「需要借用你的頭顱，還有你的劍。」眉間尺當即自刎而死。旅客把眉間尺的頭獻給楚王，楚王厚賞他，然後架起鍋來煮眉間尺的頭。奇怪的是煮了幾天也煮不爛。旅客說：「頭煮不爛，還得大王親自去看看。」楚王於是湊近觀看。旅客從身後揮劍把楚王的頭斬下，丟入鍋中。眉間尺和楚王的兩顆頭撕咬在一起，旅客怕眉間尺不能獲勝，就揮劍把自己的頭割下來滾入鍋中。三顆頭互相撕咬，最後爛成一團，分不清是誰的頭，只好都依王禮分而葬之，並列為三冢。這就是「三王冢」的由來。

【出處】

　　干將、莫耶為楚王作劍，三年而成。劍有雌雄，天下名器也。乃以雌劍獻君，留其雄者。謂其妻曰：「吾藏劍在南山之陰，北山之陽，松生石上，劍在其中矣。君若覺，殺我，爾生男，以告之。」及至君覺，殺干將。妻後生男，名赤鼻，具以告之。赤鼻斫南山之松，不得劍，思於屋柱中得之。晉君夢一人眉廣三寸，辭欲報仇。購求甚急，乃逃朱興山中，遇客，欲為之報，乃刎首，將以奉晉君。客令鑊煮之頭三日，三日跳不爛。君往觀之，客以雄劍倚擬君，君頭墮鑊

中，客又自刎。三頭悉爛，不可分別，分葬之，名曰三王冢。(《太平御覽》卷三百四十三)

至言去言，至為無為

　　白公問孔子說：「人可以和別人密謀嗎？」孔子不回答。白公又問道：「如果把石頭投入水中，怎麼樣？」孔子說：「吳國善於潛水的人能把它取出來。」白公又問：「如果把水投入水中，怎麼樣？」孔子說：「淄水與澠水合在一起，易牙嘗一嘗就能辨出來。」白公說：「人本來就不可以和別人密謀嗎？」孔子說：「為什麼不可以？但只有懂得語言的人才能這樣說吧！所謂懂得語言的人，是指不用語言來表達意思的人。爭搶魚蝦的人沾濕衣服，追逐野獸的人拚命地跑，他們並不是樂意這樣幹的。所以最高的語言是不用語言，最高的作為是沒有作為。那些知識淺薄的人所爭論的都是些枝微末節。」白公不懂其中的道理，最終導致事敗走投無路而死在浴室中。

【出處】

　　白公問孔子曰：「人可與微言乎？」孔子不應。白公問曰：「若以石投水，何如？」孔子曰：「吳之善沒者能取之。」曰：「若以水投水，何如？」孔子曰：「淄澠之合，易牙嘗而知之。」白公曰：「人故不可與微言乎？」孔子曰：「何為不可？唯知言之謂者乎！夫知言之謂者，不以言言也。爭魚者濡，逐獸者趨，非樂之也。故至言去言，至為無為。夫淺知之所爭者，末矣。」白公不得已，遂死於浴室。(《列子》〈說符〉)

阿谷少女

　　孔子與弟子南遊楚國，在阿谷的郊外看見一位佩戴玉飾的少女在水邊洗衣服。孔子拿出一個酒器交給子貢說：「你去跟她說說話，觀察一下她的志趣。」子貢走過去，對少女說：「我是北方人，要去楚國的都城，正好碰上暑天，心裡熱燥得很，能向你討杯水喝嗎？」少女說：「阿谷路邊的溪水有清有濁，都是流入大海，你想喝就喝，何必來問我呢？」她拾起子貢的酒器，逆流而舀，而後倒掉，又順流而舀，裝滿水後跪著放在沙地上，對子貢說：「按照禮法，我不能親手交給你。」子貢折回，把少女的話告訴了孔子。孔子點頭說：「我知道了。」又拿出一把琴，拔掉調弦的軸以後交給子貢說：「你再去試探一下。」子貢又走到少女跟前說：「剛才聽你說話，如沐春風，深得我心。我這兒有一把琴，缺少調弦的軸，你能幫忙調調音嗎？」少女說：「我是村野之人，生來見識淺陋，不識五音，怎能幫你調琴呢？」子貢回來，把少女的話複述一遍。孔子思忖一下說：「我明白了。她會對聖賢之士表示敬意的。」於是又拿出五匹葛布交給子貢說：「去，再跟她談談。」子貢於是又走過去說：「我本是北方的粗鄙之人，從北往南來到楚國。這裡有五匹葛布，不敢當面直接交到你手上，就放在水邊了。」少女站起來說：「這位趕路的客人，你在這兒叨叨得太久了。你將資財丟在野外。我還年輕得很，怎敢接受你的東西？你要不早早離開，恐怕會有粗野的人來把你扣留起來。」子貢怏怏返回，告訴孔子。孔子說：「我知道了。這個女孩既通達人情，又通曉禮儀。」

【出處】

孔子南游適楚，至於阿谷之隧，有處子佩璜而浣者。孔子曰：「彼婦人其可與言矣乎？」抽觴以授子貢，曰：「善為之辭，以觀其語。」子貢曰：「吾北鄙之人也，將南之楚。逢天之暑，思心潭潭，顧乞一飲，以表我心。」婦人對曰：「阿谷之隧，隱曲之氾，其水載清載濁，流而趨海，欲飲則飲，何問於婢子！」受子貢觴，迎流而挹之，奐然而棄之，從流而挹之，奐然而溢之，坐置之沙上。曰：「禮固不親授。」子貢以告。孔子曰：「丘知之矣。」抽琴去其軫，以授子貢曰：「善為之辭，以觀其語。」子貢曰：「向子之言，穆如清風，不悖我語，和暢我心。於此有琴而無軫，願借子以調其音。」婦人對曰：「吾野鄙之人也，僻陋而無心，五音不知，安能調琴？」子貢以告。孔子曰：「丘知之矣。」抽絺綌五兩以授子貢，曰：「善為之辭，以觀其語。」子貢曰：「吾北鄙之人也，將南之楚。於此有絺綌五兩，吾不敢以當子身，敢置之水浦。」婦人對曰：「行客之人，嗟然永久，分其資財，棄之野鄙。吾年甚少，何敢受子？子不早去，今竊有狂夫守之者矣。」（《韓詩外傳》卷一，第三章）

四體不勤，五穀不分

楚昭王時，子路隨孔子出遊楚國，有一次掉隊落在後面。天色將黑，子路急著趕路，剛好遇見一個老人在田間除草，便上前問他說：「請問您看見我的老師沒有？」老人望了子路一眼，冷冷地說：「四體不勤，五穀不分，哪裡配稱什麼老師！」說完仍舊低頭除草，子路

則拱手恭敬地站立在一旁。老人見天色已晚,子路又恭謙知禮,便將子路帶回家裡歇宿,殺雞煮黃米飯款待他,又叫兩個兒子出來相見。第二天,子路趕上孔子,把這件事告訴了他。孔子說:「這一定是個有修養的隱士。」於是叫子路再回去找他,可老人已經出門去了。

【出處】

子路從而後,遇丈人,以杖荷蓧。子路問曰:「子見夫子乎?」丈人曰:「四體不勤,五穀不分,孰為夫子?」植其杖而芸。子路拱而立。止子路宿,殺雞為黍而食之,見其二子焉。明日,子路行以告。子曰:「隱者也。」使子路反見之,至則行矣。子路曰:「不仕無義。長幼之節,不可廢也;君臣之義,如之何其廢之?欲潔其身,而亂大倫。君子之仕也,行其義也。道之不行,已知之矣。」(《論語》〈微子〉)

賢聖罕合,諂諛常興

楚昭王召見孔子,想對他委以重任,參與國家治理,同時準備賞賜他七百里土地。子西對楚昭王說:「大王的臣子中有如子路一樣善於用兵的嗎?與諸侯打交道有沒有誰像宰予一樣善於外交辭令?掌管百官的有誰像子貢一樣賢能?過去周文王住在豐京,武王住在鎬京,兩地之間的土地不過百里,卻能夠推翻商紂成為天子,後世尊他們為聖君。大王以孔子的賢能想封給他七百里地,而他又有三位能幹的弟子輔佐,這對楚國未必有利。」昭王聽出了子西的弦外之音,於是打

消了重用孔子的念頭。有時候善惡很難分辨，聖人尚且被懷疑，更何況一般的賢才能人呢？因此，聖賢之士很難得到機遇，諂諛小人卻到處猖獗。所以有千年的混亂而沒有百年的安定。連孔子都被猜忌，怎能不令人痛心呢！

【出處】

楚昭王召孔子，將使執政，而封以書社七百。子西謂楚王曰：「王之臣用兵有如子路者乎？使諸侯有如宰予者乎？長官五官有如子貢者乎？昔文王處豐，武王處鎬，豐、鎬之間，百乘之地，伐上殺主，立為天子，世皆曰聖王。王今以孔子之賢，而有書社七百里之地，而三子佐之，非楚之利也。」楚王遂止。夫善惡之難分也，聖人獨見疑，而況於賢者乎？是以賢聖罕合，諂諛常興也。故有千歲之亂，而無百歲之治。孔子之見疑，豈不痛哉！（《說苑》〈雜言〉）

聖人之賜

孔子到楚國去，有個打魚的人很懇切地獻魚給他，孔子不接受。獻魚的人說：「天氣炎熱，遠離市場，賣它又沒人買，本想要丟棄它，不如將它獻給先生。」孔子拜了兩拜後才接受。他讓學生們清掃住地，準備祭拜這條魚。他的學生說：「別人打算丟棄它，現在您卻要祭拜它，為什麼呢？」孔子說：「我聽說過，致力於施捨而不毀壞多餘財物的人，就是聖人。今天接受了聖人的賜予，難道不應該祭拜嗎？」

孔子之楚，有漁者獻魚甚強，孔子不受，獻魚者曰：「天暑市遠，賣之不售，思欲棄之，不若獻之君子。」孔子再拜受，使弟子掃除，將祭之。弟子曰：「夫人將棄之，今吾子將祭之，何也？」孔子曰：「吾聞之，務施而不腐餘財者，聖人也。今受聖人之賜，可無祭乎？」（《說苑》〈貴德〉）

祭不越望

楚昭王生病了，為他占卜的巫師說：這是黃河之神在作祟。大夫按照巫師的意思，準備以牛、羊、豬三牲到郊外祭祀河神。昭王擺手制止說：「不必這麼做。古代帝王分封土地、祭祀山川，從不超過一定的範圍。長江、漢水、睢水、漳水，是楚國用來祭祀的山川。禍福來臨，不會超出這個範圍。我雖然無才無德，但並沒有得罪過黃河之神，諒他也不能使我獲罪。」於是取消祭祀。孔子聽說這件事後評價說：「楚昭王稱得上是一個知天道的人，他做大國君主是稱職的。」

【出處】

初，昭王有疾，卜曰：「河為祟。」王弗祭。大夫請祭諸郊。王曰：「三代命祀，祭不越望。江、漢、睢、漳，楚之望也。禍福之至，不是過也。不穀雖不德，河非所獲罪也。」遂弗祭。孔子曰：「楚昭王知大道矣！其不失國也，宜哉！」（《左傳》〈哀公六年〉）

楚昭越姬

越姬是越王勾踐的女兒，楚昭王的妃子。一次，昭王與越姬、蔡姬一起遊樂。玩到高興的時候，昭王說：「我願與二位活著如此，死也如此。」蔡姬搶先表態說：「臣妾情願與您活著共歡樂，死也同時，怎麼敢有二心呢！」昭王於是告訴史官記下：「蔡姬許諾願與我同死。」昭王又問越姬：「那麼你呢，你願意嗎？」越姬回答說：「先君莊王曾經喜好淫樂，三年不理朝政，後來改邪歸正，終於稱霸天下。臣妾認為大王應該傚法先王，專心朝政，而不是沉迷遊樂，還要婢妾同死。況且大王從越國聘娶我的時候，也不曾約定要妾同死。臣妾不敢承諾這件事。」後來，昭王生病，有雲朵如紅鳥在太陽兩旁飛翔，周太史認為可以把災禍轉嫁到令尹和司馬身上，昭王不肯。蔡姬感到不可理解，說：「很多大臣自願這麼做，有什麼不可以的呢？」越姬對昭王說：「君主不肯嫁禍於人，真是偉大！過去大王耽於遊樂，我因此不敢承諾同死。現在君王如此重情有義，全國的人都願意為大王而死，我自然也樂意隨大王而死了。請讓我先行一步，到陰間為您驅趕狐狸吧。」昭王阻擋越姬說：「過去遊樂時的話就不必當真了。如果你一定要死，就是顯示我的無德啊。」越姬執意赴死，說：「臣妾是為大王的信義而死，不是為大王好女色而死。」於是悲壯地自殺了。等到昭王去世之後，群臣商定王位繼承人，有人說：「母親如此大義有善德，教育出來的兒子一定仁義有德。」於是立越姬的兒子熊章為王，即楚惠王，惠王享國五十七年，是歷代楚王中在位時間最長的。

　　楚昭越姬者，越王句踐之女，楚昭王之姬也。昭王讌游，蔡姬在左，越姬參右。王親乘駟以馳逐，遂登附社之臺，以望雲夢之囿，觀士大夫逐者。既歡。乃顧謂二姬曰：「樂乎？」蔡姬對曰：「樂。」王曰：「吾願與子生若此，死又若此。」蔡姬曰：「昔弊邑寡君，固以其黎民之役，事君王之馬足，故以婢子之身為苞苴玩好，今乃比於妃嬪，固願生俱樂，死同時。」王顧謂史書之，蔡姬許從孤死矣。乃復謂越姬，越姬對曰：「樂則樂矣，然而不可久也。」王曰：「吾願與子生若此，死若此，其不可得乎？」越姬對曰：「昔吾先君莊王淫樂三年，不聽政事，終而能改，卒霸天下。妾以君王為能法吾先君，將改斯樂而勤於政也。今則不然，而要婢子以死，其可得乎？且君王以束帛乘馬，取婢子於弊邑，寡君受之太廟也，不約死。妾聞之諸姑，婦人以死彰君之善，益君之寵，不聞其以苟從其暗死為榮，妾不敢聞命。」於是王寤，敬越姬之言，而猶親嬖蔡姬也。居二十五年，王救陳，二姬從。王病在軍中，有赤雲夾日，如飛鳥。王問周史，史曰：「是害王身，然可以移於將相。」將相聞之，將請以身禱於神。王曰：「將相之於孤猶股肱也，今移禍焉，庸為去是身乎？」不聽。越姬曰：「大哉君王之德！以是，妾願從王矣。昔日之遊淫樂也，是以不敢許。及君王復於禮，國人皆將為君王死，而況於妾乎！請願先驅狐狸於地下。」王曰：「昔之遊樂，吾戲耳。若將必死，是彰孤之不德也。」越姬曰：「昔日妾雖口不言，心既許之矣。妾聞信者不負其心，義者不虛設其事。妾死王之義，不死王之好也。」遂自殺。王病甚，讓位於三弟，三弟不聽。王薨於軍中，蔡姬竟不能死。王弟子

閭與子西、子期謀曰：「母信者，其子必仁。」乃伏師閉壁，迎越姬之子熊章，立，是為惠王。然後罷兵，歸葬昭王。君子謂越姬信能死義。（《古列女傳》〈節義傳〉）

伏師閉塗

魯哀公六年秋七月，楚昭王率楚軍駐紮在城父，準備救援陳國。占卜戰爭，不吉利；占卜退兵，也不吉利。楚昭王說：「看來只有一死。如果讓楚軍連敗，不如死；拋棄盟約，逃避仇敵，也不如死。同是一死，那就死在敵人手裡吧！」於是傳令公子申繼承王位，公子申不同意；又傳令公子結繼承王位，公子結也不同意；再轉而命令公子啟，公子啟辭謝五次，最終點頭同意了。將要開戰的時候，楚昭王病情加重。七月十六日，楚軍進攻大冥，昭王卒於城父。公子啟退兵說：「君王捨棄他的兒子而讓位臣下，臣子們豈敢忘記君王呢？服從君王的命令順乎情理，立君王的兒子也順乎情理。兩者都不能丟掉。」於是和子西、子期商量，祕密轉移軍隊，封鎖道路，迎接越姬所生的兒子熊章即位為王，而後退兵回國。楚昭王臨終前非常清醒，他吸取共王之後靈王、平王等兄弟之間相互殘殺的教訓，採用欲擒故縱的策略，不僅加深了眾兄弟的情誼，避免了悲劇重演，也順利達成目標，讓自己的兒子熊章繼立為王，這就是楚惠王。

【出處】

昭王病甚，乃召諸公子大夫曰：「孤不佞，再辱楚國之師，今乃

得以天壽終，孤之幸也。」讓其弟公子申為王，不可。又讓次弟公子結，亦不可。乃又讓次弟公子閭，五讓，乃後許為王。將戰，庚寅，昭王卒於軍中。子閭曰：「王病甚，舍其子讓群臣，臣所以許王，以廣王意也。今君王卒，臣豈敢忘君王之意乎！」乃與子西、子綦謀，伏師閉塗，迎越女之子章立之，是為惠王。然後罷兵歸，葬昭王。（《史記》〈楚世家〉）

守義死節

　　貞姜是齊侯的女兒，楚昭王的夫人。有一天，楚昭王出遊，將貞姜留在了漸臺。楚昭王走後不久，聽說江水大漲，立即差使者前往迎接貞姜，使者匆忙之間忘記拿昭王的信符。使者到達漸臺，請貞姜馬上離開。貞姜說：「大王和我約定，假如派人相召，必持信符。現在你沒有信符，我怎敢隨你而行呢？」使者說：「大水馬上來了，回去取信符，時間恐怕來不及了。」貞姜說：「我聽說貞女會信守約定，勇敢的人不畏懼死亡，他們看重的，無非節操而已。我知道跟你離開肯定能活命，留在此地必死無疑。但要我違背約定而求生，還不如守信而死。」使者只好返回去取信符。江水很快蔓延過來，漸臺被沖垮，貞姜也被捲入激流中溺水身亡。楚昭王感慨地說：「唉！夫人重信守諾，不見信符不肯離開，真是貞潔的人啊！」於是追封她為貞姜。

　　貞姜者，齊侯之女，楚昭王之夫人也。王出游，留夫人漸臺之上而去。王聞江水大至，使使者迎夫人，忘持符，使者至，請夫人出，夫人曰：「王與宮人約令，召宮人必以符。今使者不持符，妾不敢從使者行。」使者曰：「今水方大至，還而取符，則恐後矣。」夫人曰：「妾聞之：貞女之義不犯約，勇者不畏死，守一節而已。妾知從使者必生，留必死。然棄約越義而求生，不若留而死耳。」於是使者取符，則水大至，臺崩，夫人流而死。王曰：「嗟夫！守義死節，不為苟生，處約持信，以成其貞。」乃號之曰貞姜。（《古列女傳》〈貞順傳〉）

楚之所寶

　　楚大夫王孫圉到晉國訪問，晉定公設宴款待。晉大夫趙簡子敲著佩玉來見王孫圉，問他說：「楚國那塊白玉還在嗎？」王孫圉回答說：「在啊。」簡子說：「它可是稀世之寶啊，價值多少呢？」王孫圉笑著說：「楚國人沒把它當成寶貝。楚國人視為國寶的，一個叫觀射父，他製作了一套嚴格的規範，使我國和各諸侯國打交道時不至於授人以柄。另一個是左史倚相，熟悉先王的訓導典章，知道百物的來龍去脈，時常將歷史的經驗教訓、得失成敗告訴國君，使國君不忘先王的基業。左史還能上下取悅於鬼神，順應瞭解它們的好惡，使神明不會怨恨楚國。楚國還有個地方叫雲連徒洲，盛產金屬、木材、箭竹、箭桿等，又有龜甲、珍珠、獸角、象牙、獸皮、犀牛皮、羽毛、

犛牛尾等，既可用於軍品製造，又能供應國民所需的錢財布匹，還可製造奢侈品贈送給諸侯享用。這也是楚國的寶地。至於那塊白玉，不過是先王的玩物，哪裡稱得上是寶呢？」簡子若有所思，又問道：「除了人才和寶地，楚國還有別的寶貝嗎？」王孫圉回答說：「楚國所謂的國寶，我覺得大概有六種吧。能有效治理國家的明君聖臣，是為一寶；能保佑五穀豐登，使國家免於水旱之災的祭祀之玉，是為一寶；能準確預測禍福凶吉的龜殼，是為一寶；能用以防範和撲滅火災的珍珠，是為一寶；能用以作戰禦敵的兵器，是為一寶；能提供充足財用的山林濕地沼澤，是為一寶。至於那敲起來叮噹作響的佩玉，楚國雖屬蠻夷之國，也從未以它為寶。」

【出處】

　　王孫圉聘於晉，定公饗之，趙簡子鳴玉以相，問於王孫圉曰：「楚之白珩猶在乎？」對曰：「然。」簡子曰：「其為寶也，幾何矣。」曰：「未嘗為寶。楚之所寶者，曰觀射父，能作訓辭，以行事於諸侯，使無以寡君為口實。又有左史倚相，能道訓典，以敘百物，以朝夕獻善敗於寡君，使寡君無忘先王之業；又能上下說於鬼神，順道其欲惡，使神無有怨痛於楚國。又有藪曰雲連徒洲，金木竹箭之所生也。龜、珠、角、齒、皮、革、羽、毛，所以備賦，以戒不虞者也；所以供幣帛，以賓享於諸侯者也。若諸侯之好幣具，而導之以訓辭，有不虞之備，而皇神相之，寡君其可以免罪於諸侯，而國民保焉。此楚國之寶也。若夫白珩，先王之玩也，何寶焉？圉聞國之寶六而已。聖能制議百物，以輔相國家，則寶之；玉足以庇蔭嘉穀，使無水旱之災，則寶之；龜足以憲臧否，則寶之；珠足以禦火災，則寶之；金足

以禦兵亂，則寶之；山林藪澤足以備財用，則寶之。若夫譁囂之美，楚雖蠻夷，不能寶也。」（《國語》〈楚語下〉）

食寒菹而得蛭

楚惠王在吃涼拌醃菜的時候吃到一隻螞蟥，就嚥了進去，後來覺得腸胃不舒服吃不下飯。令尹入內請安，問惠王說：「大王怎麼會生病呢？」惠王說：「我吃涼拌醃菜的時候，發現一隻螞蟥，想到要是責備當事人而不治罪的話，就是有法不用，傳出去法律就沒有威信，對國家和人民不利。要是責備當事人而處罰他們，那麼廚師和監管膳食的人，按照刑法就應該被處死，我心裡又不忍心那樣做。因此，我怕螞蟥被人發現，就吞到肚子裡去了。」令尹下跪向惠王拜賀說：「臣聽說修行高深的人對人無親疏之分，有德行的人會得到上天的幫助。大王仁德，老天爺一定會保佑大王，這病不會傷害您的。」當天傍晚，惠王上廁所，螞蟥被排出，從前腸胃滯積的老毛病竟然也隨之痊癒了。

【出處】

楚惠王食寒菹而得蛭，因遂吞之，腹有疾而不能食。令尹入問曰：「王安得此疾也？」王曰：「我食寒菹而得蛭，念譴之而不行其罪乎？是法廢而威不立也，非所以使國聞也；譴而行其誅乎？則庖宰食監法皆當死，心又不忍也，故吾恐蛭之見也，因遂吞之？」令尹避席再拜而賀曰：「臣聞大道無親，惟德是輔。君有仁德，天之所奉

也，病不為傷。」是夕也，惠王之後蛭出，故其久病心腹之積皆愈，天之視聽，不可不察也。（《新序》〈雜事第四〉）

事成為卿，不成而亨[60]

　　楚國原太子建的兒子勝跟隨伍子胥一起逃到吳國。吳王夫差在位時，楚惠王要召勝回到楚國。葉公規勸說：「勝愛好勇武而暗中尋訪死士，大概有私心！」惠王不聽進諫，仍然把勝召回來，讓他居住在楚國的邊邑，號稱白公。白公勝回楚國不久，怨恨鄭國殺死他的父親，於是暗地裡收養死士向鄭國報仇。回到楚國五年後，白公勝請求楚王攻打鄭國，楚國令尹子西答應了他的要求。可是，還沒發兵而晉國已經出兵攻打鄭國，鄭國派人到楚國請求救援，楚王派子西前往救鄭，和鄭國訂立了盟約才回國。白公勝發怒說：「我的仇敵不是鄭國，而是子西！」白公勝親自磨礪寶劍，有人問他：「用它幹什麼？」白公勝回答說：「要用它殺死子西。」子西聽到這件事，笑著說：「白公勝如同鳥蛋，能有什麼作為呢？」此後四年，白公勝和石乞在朝廷上突然刺殺了令尹子西及司馬子綦。石乞說：「不殺掉楚惠王不行。」於是，把楚惠王劫持到高府。石乞的隨從屈固背負著楚惠王逃到昭夫人住的宮室。葉公聽說白公勝作亂，帶領封地的人攻打白公勝。白公勝戰敗，逃到山裡，後來自殺了。葉公俘獲石乞，審問他白公勝的屍首在哪裡，不說出來就要把他煮死。石乞說：「事情成功了就做卿相，不成功就被煮死，本來就是這樣。」最終不肯說出白公勝的屍首

---

60. 亨，古同「烹」。

在什麼地方。於是葉公把石乞煮死，找回楚惠王，再立他為國君。

【出處】

伍子胥初所與俱亡故楚太子建之子勝者，在於吳。吳王夫差之時，楚惠王欲召勝歸楚。葉公諫曰：「勝好勇而陰求死士，殆有私乎！」惠王不聽。遂召勝，使居楚之邊邑鄢，號為白公。白公歸楚三年而吳誅子胥。白公勝既歸楚，怨鄭之殺其父，乃陰養死士求報鄭。歸楚五年，請伐鄭，楚令尹子西許之。兵未發而晉伐鄭，鄭請救於楚。楚使子西往救，與盟而還。白公勝怒曰：「非鄭之仇，乃子西也。」勝自礪劍，人問曰：「何以為？」勝曰：「欲以殺子西。」子西聞之，笑曰：「勝如卵耳，何能為也。」其後四歲，白公勝與石乞襲殺楚令尹子西、司馬子綦於朝。石乞曰：「不殺王，不可。」乃劫王如高府。石乞從者屈固負楚惠王亡走昭夫人之宮。葉公聞白公為亂，率其國人攻白公。白公之徒敗，亡走山中，自殺。而虜石乞，而問白公屍處，不言將亨。石乞曰：「事成為卿，不成而亨，固其職也。」終不肯告其屍處。遂亨石乞，而求惠王復立之。（《史記》〈伍子胥列傳〉）

知命之士

石乞要與屈廬結盟，拔出佩劍對著他。屈廬說：「《詩經》裡有這樣的詩句：『茂盛的葛藤，攀緣樹幹往上長；平易近人的君子，不違祖訓求福祉。』現在你要顛覆國家而向我求助，這怎麼可以呢？懂

得天命的人，看見利益不會動心，面臨死亡不會恐懼。作為君王的臣子，能夠活就活下去，該死就死。上知天命、下明臣理的人，是你威脅得了的嗎？你為什麼不刺殺我呢？」石乞無語，於是把劍插入劍鞘。

【出處】

石乞將盟屈廬，拔劍而屬之。曰：「《詩》有之矣：『莫莫葛藟，施於條枚。愷悌君子，求福不回。』[61]今子覆國求福於廬，可乎？且知命之士，見利不動，臨死不恐。為人臣者，時生則生，時死則死。故上知天命，下知臣道，其有可劫乎？子胡不椎之？」乞乃內其劍也。（《渚宮舊事》〈周代中〉）

契領於庭

子蘭子事奉王孫勝。王孫勝將要發動叛亂，告訴子蘭子說：「我將要幹一件大事，希望與你一起幹。」子蘭子說：「我事奉你而又幫助你殺害君王，這是幫助你行不義之事；害怕禍患而離開你，這是在你有災難時選擇逃避。所以，我不能干預你來成全自己的道義。我將在庭院裡斷頸自盡，以此來成就我的品行。」

【出處】

子蘭子事王孫勝。勝將為亂，告蘭子曰：「吾將為大事，願與共

---

61. 「莫莫葛藟，施於條枚。愷悌君子，求福不回」，出自《詩經》〈大雅・旱麓〉。

之。」蘭曰：「我事子而與子弒君，是助子不義；畏患而去，是遁子於難，故不預子以成吾義，契領於庭，以遂吾行。」（《渚宮舊事》〈周代中〉）

君子不以私害公

　　白公勝發動叛亂的時候，楚國有一個名叫莊善的文臣，辭別母親準備為國家捨生取義。莊善的母親捨不得兒子送死，含淚對他說：「你拋棄自己的母親而去為國捐軀，這符合道義嗎？」莊善說：「我聽說事奉君主的人，接受了朝廷的俸祿就應該為君主捨棄生命。兒子能養活母親，靠的就是君主的俸祿啊。如今白公勝作亂，令尹、司馬被殺，君主也身陷囹圄，朝堂上屍橫遍野。我能做的，也只有以為國捐軀來表達對叛軍的反抗而已。」於是毅然辭別母親而去。車子將要抵達王宮的時候，莊善三次跌倒在車子裡。車伕說：「您害怕了。」莊善說：「的確害怕。」車伕說：「既然害怕，何不折返回家呢？」莊善說：「害怕是我的私事，為道義而死是我的公心，正人君子怎能以私害公呢？」車子到了王宮門前，莊善果斷地跳下車，揮劍自刎而死。君子評價說：「莊善真是個好義之士。」

【出處】

　　白公之難，楚人有莊善者，辭其母將往死之，其母曰：「棄其親而死其君，可謂義乎？」莊善曰：「吾聞事君者，內其祿而外其身，今所以養母者，君之祿也。身安得無死乎！」遂辭而行，比至公門，

三廢車中，其僕曰：「子懼矣。」曰：「懼。」「既懼，何不返？」莊善曰：「懼者，吾私也；死義，吾公也。聞君子不以私害公。」及公門，刎頸而死。君子曰：「好義乎哉！」（《新序》〈義勇第八〉）

白公勝慮亂

　　白公勝圖謀作亂，朝會結束後，他倒拿著手仗和馬鞭，鞭桿上的尖針刺穿了臉頰，他連血流到地上都沒覺察。鄭人聽到後說：「臉頰都忘記了，還有什麼不會忘記呀！」所以《老子》說：「人們走得越遠，知道的反而越少。」這是說心裡想著遠處的事情，就會忘掉眼前的事情。

【出處】

　　白公勝慮亂，罷朝，倒杖而策銳貫頤，血流至於地而不知。鄭人聞之曰：「頤之忘，將何不忘哉！」故曰：「其出彌遠者，其智彌少。」此言智周乎遠，則所遺在近也。（《韓非子》〈喻老〉）

以敬事神，可以得祥

　　白公勝是太子建的兒子。太子建在鄭國被殺，勝跟隨伍子胥逃到吳國，楚惠王二年，令尹子西將白公勝從吳國召回，封為巢邑大夫。勝一直想為父親報仇，於是請求令尹子西伐鄭。子西被逼不過，勉強答應，卻遲遲不肯出兵。不久晉國攻鄭，子西出於楚國利益考慮，率

白公勝慮亂

軍救鄭，與鄭國締結盟約。勝因此深恨子西。楚惠王十年，勝擊敗吳軍，以敬獻戰利品為名進京，乘機發動叛亂，殺死令尹子西和司馬子期，囚禁了楚惠王。勝以劍指著屈廬說：「你支持我，我就放過你，否則就殺死你。」屈廬面不改色，指斥勝說：「你殺死你叔父，卻來求我輔佐，真是豈有此理。我聽說，知曉天命的人，看到利益不動心，面對死亡不恐懼，作為君主的臣子，將生死置之度外是應盡的禮義，你為什麼不拿劍刺入我的胸膛呢？」勝又把劍對準公子閭，要他繼承王位。子閭說：「作為楚國的後裔，你理當輔佐王室才對，這樣你自己也可以得到保護。現在你憑藉武力發動叛亂，想以王位誘惑我放棄仁德，以刀劍威脅我，讓我表現屈弱，我就是死也不會順從你。」惱羞成怒的勝於是揮劍殺死了子閭，自立為楚王。葉公子高率軍勤王，聯合各路平叛人馬攻入王府。勝兵敗自縊，逃往隨國的楚惠王回都城復位。勝劫持楚惠王時，石乞勸他說：「焚燒府庫，殺死君王。如果不這樣做，大事不算成功。」勝搖頭說：「不行。殺死君王不吉祥，燒掉府庫沒有積蓄，將來用什麼保有楚國呢？」石乞說：「佔有楚國而治理百姓，用恭敬來事奉神靈，就能得到吉祥，有什麼好怕的呢？」勝不肯聽從。石乞又建議將府庫中的財物分發給眾臣以換取支持，勝仍然不予理睬。石乞於是對身邊人說：「大禍就要臨頭了。不肯以財物分人還不乾脆燒掉，這會被敵人作為進攻我們的利器啊。」葉公率領的部隊攻入楚宮之後，果然盡出太府財物以犒軍，很快就平定了這場叛亂。《呂氏春秋》評論白公勝說：「想非法佔有楚國，可謂巨貪；不為別人著想，也不能為自己著想，可謂愚蠢。白公勝的吝嗇貪婪，就像貓頭鷹疼愛自己的子女，最終會被子女吃掉。」

【出處】

請伐鄭，子西曰：「楚未節也。不然，吾不忘也。」他日，又請，許之。未起師，晉人伐鄭，楚救之，與之盟。勝怒，曰：「鄭人在此，仇不遠矣。」……吳人伐慎，白公敗之。請以戰備獻，許之。遂作亂。秋七月，殺子西、子期於朝，而劫惠王。子西以袂掩面而死。子期曰：「昔者吾以力事君，不可以弗終。」抉豫章以殺人而後死。石乞曰：「焚庫弒王，不然，不濟。」白公曰：「不可。弒王，不祥，焚庫，無聚，將何以守矣？」乞曰：「有楚國而治其民，以敬事神，可以得祥，且有聚矣，何患？」弗從。葉公在蔡，方城之外皆曰：「可以入矣。」子高曰：「吾聞之，以險僥倖者，其求無饜，偏重必離。」聞其殺齊管修也；而後入。白公欲以子閭為王，子閭不可，遂劫以兵。子閭曰：「王孫若安靖楚國，匡正王室，而後庇焉，啟之願也，敢不聽從？若將專利以傾王室，不顧楚國，有死不能。」遂殺之，而以王如高府，石乞尹門，圉公陽穴宮，負王以如昭夫人之宮。葉公亦至，及北門，或遇之，曰：「君胡不冑？國人望君如望慈父母焉，盜賊之矢若傷君，是絕民望也。若之何不冑？」乃冑而進。又遇一人曰：「君胡冑？國人望君如望歲焉，日日以幾。若見君面，是得艾也。民知不死，其亦夫有奮心，猶將旌君以徇於國，而又掩面以絕民望，不亦甚乎？」乃免冑而進。遇箴尹固帥其屬，將與白公。子高曰：「微二子者，楚不國矣。棄德從賊，其可保乎？」乃從葉公。使與國人以攻白公。白公奔山而縊，其徒微之。（《左傳》〈哀公十六年〉）

國非其有也，而欲有之，可謂至貪矣。不能為人，又不能自為，

可謂至愚矣。譬白公之嗇，若梟之愛其子也。（《呂氏春秋》〈似順論・分職〉）

不洩人言以求媚

　　楚人有為人保守祕密的俠義精神。白公勝準備發動叛亂時，對勇士石乞說：「君王和兩位卿士，用五百人就可以對付。」石乞說：「這五百人上哪兒找呢？」接著又說：「市場南邊有個叫熊宜僚的人，如果他肯相助，一個人可抵五百人。」於是帶白公勝去見熊宜僚，交談甚歡。石乞把發動政變的消息告訴熊宜僚，請求出手相助。熊宜僚拒絕說：「子西、子期都是正人君子，國君也沒有什麼過錯。我不可能去做傷害朝廷的事情，但我會保持沉默。」石乞把劍架在熊宜僚的脖子上，熊宜僚面不改色，一動不動。勝擺手制止石乞說：「不為利誘，不怕威脅，不洩漏別人的祕密，這是真正的俠士，我們走吧。」

【出處】

　　勝謂石乞曰：「王與二卿士，皆五百人當之，則可矣。」乞曰：「不可得也。」曰：「市南有熊宜僚者，若得之，可以當五百人矣。」乃從白公而見之，與之言，說。告之故，辭。承之以劍，不動。勝曰：「不為利諂，不為威惕，不洩人言以求媚者，去之。」（《左傳》〈哀公十六年〉）

申鳴赴死

　　楚國有個士子名叫申鳴，在家贍養父親，孝行全國聞名。楚王想請申鳴出任要職，申鳴推辭不肯接受。申鳴的父親得知此事後，就對申鳴說：「楚王如此器重你，你為什麼要推辭呢？」申鳴回答說：「放棄做孝子而去為王室盡忠，為什麼呢？」父親說：「能夠享受國家的俸祿，在朝廷彰顯道義，你開心我也無憂，你還是去朝廷盡忠吧。」申鳴於是應召入朝，楚王委以重任。過了三年，白公勝發動叛亂，殺死令尹子西和司馬子期，申鳴準備冒死一戰，父親趕來勸阻說：「我尚健在，你怎能棄父而死呢？」申鳴說：「身為朝廷命官，性命已屬於國君，只有俸祿屬於家人。現在我身為朝廷重臣，能不慷慨赴國難嗎？」於是辭父而行。白公勝對家臣石乞說：「申鳴是天下聞名的勇士，現率兵圍我，我該怎麼辦呢？」石乞回答說：「申鳴是天下聞名的孝子，我們把他的父親抓來，申鳴知道了一定會來與我們談判。」白公勝覺得主意不錯，就派人抓來申鳴的父親，以兵刃威脅申鳴說：「只要你順從我，我願與你平分楚國；如果你執意攻擊我，我就殺死你父親。」申鳴含著眼淚回答說：「當初我是父親的孝子，如今我是國君的忠臣。我聽說端人飯碗就得聽人使喚，拿人錢財就得為人盡其所能。如今我忠孝不能兩全，我還是做一回國君的忠臣吧。」申鳴含著熱淚親自擂鼓，鼓勵將士們衝鋒陷陣，終於殺死了白公勝，但他的父親也被白公勝所殺。戰亂平息後，楚王賞賜申鳴黃金百斤。申鳴說：「食君俸祿，遇到國難而不能擔當，算什麼忠臣？幫助君王平定了叛亂，生父卻被殺死，我已算不上孝子。自古名不兩立，行難兩全，即便我活著，又有何面目立於天下？」於是自刎而死。

　　楚有士申鳴者，在家而養其父，孝聞於楚國。王欲授之相，申鳴辭不受。其父曰：「王欲相汝，汝何不受乎？」申鳴對曰：「舍父之孝子而為王之忠臣，何也？」其父曰：「使有祿於國，立義於庭，汝樂吾無憂矣，吾欲汝之相也。」申鳴曰：「諾。」遂入朝，楚王因授之相。居三年，白公為亂，殺司馬子期，申鳴將往死之，父止之，曰：「棄父而死，其可乎？」申鳴曰：「聞夫仕者身歸於君而祿歸於親，今既去父事君，得無死其難乎？」遂辭而往，因以兵圍之。白公謂石乞曰：「申鳴者，天下之勇士也，今以兵圍我，吾為之奈何？」石乞曰：「申鳴者，天下之孝子也，往劫其父以兵，申鳴聞之必來，因與之語。」白公曰：「善。」則往取其父，持之以兵，告申鳴曰：「子與吾，吾與子分楚國；子不與吾，子父則死矣。」申鳴流涕而應之曰：「始吾父之孝子也，今吾君之忠臣也。吾聞之也，食其食者死其事，受其祿者畢其能。今吾已不得為父之孝子矣，乃君之忠臣也，吾何得以全身？」援枹鼓之，遂殺白公，其父亦死。王賞之金百斤。申鳴曰：「食君之食，避君之難，非忠臣也；定君之國，殺臣之父，非孝子也。名不可兩立，行不可兩全也。如是而生，何面目立於天下？」遂自殺也。（《說苑》〈立節〉）

貞女不假人以色

　　貞姬是楚國白公勝的妻子，白公勝死後，她以紡織為生，沒有改嫁。吳王聽說她貌美而有德行，於是派大夫持重金和一對白璧來向她

求婚，又派出三十乘彩車迎娶她，準備立她為夫人。大夫向貞姬出示聘禮，她辭謝說：「白公在世的時候，我有幸成為他的妻子，照顧他的日常生活。現白公不幸去世，我願意終身為他守寡。現在大王以金璧聘我，許我以夫人之位，這是我做夢也不敢想的事。我聽說拋棄道義而追求私欲是缺德，看見好處而不顧生命危險是貪婪。無德而貪婪的人，大王會娶她做夫人嗎？我還聽說忠臣不靠自己的勇力事人，貞女不靠自己的美色事人。難道說只是對活著的人這樣，對死去的人就不應該做到嗎？我沒有追隨丈夫而死，已經是不仁了，如今又要再嫁，不是太過分了嗎？」於是毅然拒絕了吳王的求婚。吳王認為她守節而有義，稱譽她為貞姬。

【出處】

貞姬者，楚白公勝之妻也。白公死，其妻紡績不嫁。吳王聞其美且有行，使大夫持金百鎰、白璧一雙以聘焉，以輜軿三十乘迎之，將以為夫人。大夫致幣，白妻辭之曰：「白公生之時，妾幸得充後宮，執箕帚，掌衣履，拂枕席，托為妃匹。白公不幸而死，妾願守其墳墓，以終天年。今王賜金璧之聘，夫人之位，非愚妾之所聞也。且夫棄義從欲者，污也。見利忘死者，貪也。夫貪污之人，王何以為哉？妾聞之：『忠臣不借人以力，貞女不假人以色。』豈獨事生若此哉，於死者亦然。妾既不仁，不能從死，今又去而嫁，不亦太甚乎！」遂辭聘而不行。吳王賢其守節有義，號曰貞姬。楚君子謂貞姬廉潔而誠信。（《古列女傳》〈貞順傳〉）

視若營四海

　　老萊子的弟子出去打柴，遇見孔子，回來告訴老師說：「路上有個人，上身長而下身短，背脊彎曲，耳朵後貼，看上去志在四方天下，不知何門何派的子弟。」老萊子說：「是孔丘，去叫他來。」孔子來後，老萊子說：「孔丘，去除你矜持的行為和機智的容貌，就可以成為君子了。」孔子恭敬地作揖，退後幾步，神色凝重地說：「我的德業可以用世嗎？」老萊子訓導他說：「你對世人的痛苦感到哀傷，卻輕視你的作為給萬代子孫帶來的禍患，這究竟是天賦所限呢？還是智謀不及？這是平庸之人的行徑，以聲名相招引，以私利相結合。與其讚頌堯而責怪桀，不如閉口不言，不論是非。違反本性就會造成傷害，動搖本性就將造成缺失。聖人謹小慎為，以此謀求成功，為什麼你總顯得驕矜滿懷、躊躇滿志呢？」老萊子要孔子改變那種志在經營四海，以賢能自負的態度，從中流露出戒除驕矜、淡泊名利、忘卻好惡、順乎自然的思想主張。

【出處】

　　老萊子之弟子出薪，遇仲尼，反以告曰：「有人於彼，修上而趨下，末僂而後耳，視若營四海，不知其誰氏之子。」老萊子曰：「是丘也，召而來。」仲尼至。曰：「丘，去汝躬矜與汝容知，斯為君子矣。」仲尼揖而退，蹙然改容而問曰：「業可得進乎？」老萊子曰：「夫不忍一世之傷，而驁萬世之患，抑固窶邪？亡其略弗及邪？惠以歡為驁，終身之醜，中民之行進焉耳！相引以名，相結以隱。與其譽

堯而非桀，不如兩忘而閉其所譽。反無非傷也，動無非邪也。聖人躊躇以興事，以每成功。奈何哉其載焉終矜爾！」（《莊子》〈外物〉）

妾不能為人所制

　　老萊子夫妻倆在蒙山南自耕自種，自給自足，生活非常簡樸。後來楚王得知老萊子是賢士，先以美玉和重金聘請，後又親自上門拜訪。楚王誠懇地說：「寡人愚昧，獨自主政，希望先生能輔佐我。」老萊子推託不過，只得答應。等到妻子打柴回來，發現有人來過的跡象，就問老萊子說：「怎麼來了那麼多車馬呢？」老萊子如實回答說：「楚王希望我出仕為官，輔佐朝政，我已答應了他。」妻子一聽很不高興，教訓他說：「我聽說接受酒肉的人，可以隨意鞭笞；接受官祿的人，可以隨意處罰。如今先生吃了別人的酒肉，接受了別人的官祿，勢必被他人制約，怎麼能免除禍患呢？我可不想被人挾持。」於是扔下東西就走了。老萊子聽了妻子的話，有所醒悟，忙上前攔過妻子說：「你回來吧，我再考慮一下。」經過深思熟慮，兩人決定立即離開這兒。夫妻二人一直走到江南才停下來。老萊子說：「鳥獸的皮毛可以做成衣服穿，拾取它們吃剩下的食物，也足以果腹了。」於是便和妻子在江南安定下來。人們仰慕他們的義行，紛紛追隨而來，不出三年，這裡就形成了繁華的村落。[62]

---

62. 《古列女傳》〈賢明傳〉另有「楚於陵妻」篇，指於陵妻乃楚國於陵子終的妻子，但唐徐堅《初學記》、晉皇甫謐《高士傳》等皆指其為齊國人陳仲子。

【出處】

　　萊子逃世，耕於蒙山之陽。葭牆蓬室，木床蓍席，衣縕食菽，墾山播種。人或言之楚王曰：「老萊，賢士也。」王欲聘以璧帛，恐不來，楚王駕至老萊之門，老萊方織畚，王曰：「寡人愚陋，獨守宗廟，願先生幸臨之。」老萊子曰：「僕山野之人，不足守政。」王復曰：「守國之孤，願變先生之志。」老萊子曰：「諾。」王去，其妻戴畚萊挾薪樵而來，曰：「何車跡之眾也？」老萊子曰：「楚王欲使吾守國之政。」妻曰：「許之乎？」曰：「然。」妻曰：「妾聞之：可食以酒肉者，可隨以鞭捶；可授以官祿者，可隨以鈇鉞。今先生食人酒肉，受人官祿，為人所制也。能免於患乎？妾不能為人所制。」投其畚萊而去。老萊子曰：「子還，吾為子更慮。」遂行不顧，至江南而止，曰：「鳥獸之解毛，可績而衣之。據其遺粒，足以食也。」老萊子乃隨其妻而居之。民從而家者一年成落，三年成聚。君子謂老萊妻果於從善。《詩》曰：「衡門之下，可以棲遲，泌之洋洋，可以療饑。」[63]此之謂也。（《古列女傳》〈賢明傳〉）

接輿之妻

　　楚國的隱士接輿，人稱楚狂，名氣很大。據《論語》〈微子〉記載：接輿曾經對孔子放聲而歌：「鳳鳥啊鳳鳥！你的德行為何衰退到如此地步？過去的教訓不必檢討，還是好好把握未來吧。算了吧，算了吧，如今從政的風險真的很大啊。」孔子聽到歌聲，下車想與接輿

63.「衡門之下，可以棲遲，泌之洋洋，可以療饑」，出自《詩經》〈陳風‧衡門〉。

交談，接輿卻快步趨離，沒搭理孔子。接輿與妻子在鄉下過著男耕女織的平民生活。一天，妻子趕集還沒回來，楚王派使者攜帶重金登門拜訪，對接輿說：「大王仰慕先生的名氣，讓我攜黃金百鎰，來請先生出治淮南。」接輿笑而不應。使者無奈，只得辭別而去。妻子從集市回來，對接輿說：「先生年輕時就以隱居為義，到老來反而不能堅守嗎？門外這麼深的車軸轆印，是怎麼回事？」接輿說：「剛才朝廷有使者來，攜帶黃金百鎰，說是奉國君的旨意，想讓我去治理淮南。」妻子說：「你答應了嗎？」接輿說：「沒有。」妻子說：「沒有順應君主的意願，是為不忠，答應君主的要求，又違背了自己的意願，我們不能在這兒待下去了。」於是接輿和妻子收拾簡單的生活用具，隱姓易名，從此不知去向。

【出處】

　　楚狂接輿之妻也。接輿躬耕以為食，楚王使使者持金百鎰、車二駟，往聘迎之，曰：「王願請先生治淮南。」接輿笑而不應，使者遂不得與語而去。妻從市來，曰：「先生以而為義，豈將老而遺之哉！門外車跡，何其深也？」接輿曰：「王不知吾不肖也，欲使我治淮南，遣使者持金駟來聘。」其妻曰：「得無許之乎？」接輿曰：「夫富貴者，人之所欲也，子何惡，我許之矣。」妻曰：「義士非禮不動，不為貧而易操，不為賤而改行。妾事先生，躬耕以為食，親績以為衣，食飽衣暖，據義而動，其樂亦自足矣。若受人重祿，乘人堅良，食人肥鮮，而將何以待之！」接輿曰：「吾不許也。」妻曰：「君使不從，非忠也。從之又違，非義也。不如去之。」夫負釜甑，妻戴紝器，變名易姓而遠徙，莫知所之。（《古列女傳》〈賢明傳〉）

斑衣娛親

　　老萊子以「孝」「隱」著稱於世，被後世譽為「二十四孝」之首。老萊子的「老」是後人加的。他七十多歲的時候，父母都還健在。他平日說話，從不敢言老。自己稱老，那不等於嫌父母老嗎？他雖然年逾古稀，為了討父母歡喜，還時常穿上五彩斑斕的戲裝，手執搖耳小鼓，在父母面前跳舞。一次取水的時候，不小心摔倒，為了不讓父母擔心，裝成故意摔倒的樣子，躺在地上學小孩子啼哭，逗得父母開懷大笑。老萊子曾說：「人生於天地之間，寄也。寄者，同歸也。」意思是人活在世上，只是暫時的寄存而已，既然是寄存，就一定要歸去。淡泊名利、淡看生死，加之童心不泯，老萊子活到一百二十歲高齡。南宋末張正卿感嘆說：「戲綵堂中，一飯可當五鼎；承歡膝下，片時不換千金。」意思是說，與高壽在堂的父母共享天倫之樂，是十分難得的事情。

【出處】

　　老萊子孝養二親，行年七十，作嬰兒自娛，著五采斑斕衣裳，取漿上堂，跌仆，因臥地為小兒啼，或弄雛鳥於親側。（《後漢書》注引《古列女傳》）

　　人生天地之間，寄也。寄者，同歸也。古者謂死人為歸人，其生也存，其死也亡，人生也少矣，而歲往之亦速矣。」（《尸子》卷下引《老萊子》）

天下之事已盡

　　常摐病重，老子前去探望，問常摐說：「先生有什麼要交代學生的嗎？」常摐說：「即便你不問我，我也有話問你。」老子尊敬地說：「先生請講。」常摐問：「乘車經過家鄉要下車，你知道為什麼嗎？」老子答說：「是說人不要忘本嗎？」常摐點點頭，又問：「經過參天大樹的時候要小步快走，知道是什麼意思嗎？」老子說：「莫非是提醒要尊敬長者？」常摐說：「是這樣的。」又張開嘴給老子看：「看看我的舌頭在嗎？」老子點頭說：「在呢。」「再看看我的牙齒。」老子搖頭說：「沒剩幾顆了。」常摐問說：「懂得其中的道理嗎？」老子回答說：「舌頭還在，可能是因為柔軟的原因；牙齒掉落，大概是過於堅硬的緣故吧？」常摐面露微笑：「對啊。天下的道理盡在其中，我沒什麼可教的了。」

【出處】

　　常摐有疾，老子往問焉，曰：「先生疾甚矣，無遺教可以語諸弟子者乎？」常摐曰：「子雖不問，吾將語子。」常摐曰：「過故鄉而下車，子知之乎？」老子曰：「過故鄉而下車，非謂其不忘故耶？」常摐曰：「嘻！是已。」常摐曰：「過喬木而趨，子知之乎？」老子曰：「過喬木而趨，非謂敬老耶？」常摐曰：「嘻！是已。」張其口而示老子曰：「吾舌存乎？」老子曰：「然。」「吾齒存乎？」老子曰：「亡。」常摐曰：「子知之乎？」老子曰：「夫舌之存也，豈非以其柔耶？齒之亡也，豈非以其剛耶？」常摐曰：「嘻！是已。天下之事已盡矣，無以復語子哉！」（《說苑》〈敬慎〉）

治大國若烹小鮮

治理大國，就像煎小魚一樣，必須非常小心，不要總是去翻動它。用「道」來治理天下，鬼魅就起不了作用，神也不會傷害人，聖人也不會傷害人。鬼神和有道的聖人都不傷害人，人民就會享受德的恩澤。

【出處】

治大國若烹小鮮。以道蒞天下，其鬼不神。非其鬼不神，其神不傷人。非其神不傷人，聖人亦不傷人。夫兩不相傷，故德交歸焉。（《老子》第六十章）

小國寡民

國家要小，人民要少。即使有各種各樣的器具，卻並不使用；使人民重視死亡，而不向遠方遷徙；雖然有船隻車輛，卻沒有地方乘坐它們；雖然有武器裝備，卻沒有地方去陳列它們；使人民再回覆到遠古結繩記事的自然狀態之中。國家治理得好極了，使人民吃得香甜、穿得漂亮、住得安適、過得快樂。國與國之間互相望得見，雞犬的叫聲都可以聽得見，但人民從生到死，也不互相往來。

【出處】

小國寡民，使有什伯之器而不用，使民重死而不遠徙。雖有舟

輿，無所乘之；雖有甲兵，無所陳之。使人復結繩而用之。甘其食，美其服，安其居，樂其俗，鄰國相望，雞犬之聲相聞，民至老死，不相往來。（《老子》第八十章）

荊人遺之，荊人得之

有個楚國人丟失了弓，卻不肯去找它，他說：「荊人丟了弓，撿到的也是荊人，又何必去尋找呢？」孔子聽到這件事，評論說：「他的話中去掉那個『荊』字就合適了。」老聃聽說後評論說：「再去掉那個『人』字就更合適了。」像老聃這樣的人，算是達到公的最高境界了。

【出處】

荊人有遺弓者而不肯索，曰：「荊人遺之，荊人得之，又何索焉？」孔子聞之曰：「去其荊而可矣。」老聃聞之曰：「去其人而可矣。」故老聃則至公矣。（《呂氏春秋》〈孟春紀‧貴公〉）

事君無憾

楚惠王把梁地賜給文子，文子辭謝說：「梁地險要而又位於邊境，我擔憂子孫後代會有背叛之心。事奉君王不能有怨恨之心，有了怨恨就會有侵凌君上的行為，從而滋生背叛的念頭。縱然我能夠保證自己對朝廷的忠誠，卻無法保證子孫後代能夠做到。我擔心後世子孫

倚仗梁地的險要而背叛，從而斷絕對我的祭祀。」惠王說：「您的仁愛既顧及子孫後代，又考慮到國家利益，我怎敢不聽從您的意見。」於是改將魯陽之地賜給了他，文子因此又稱魯陽文子。

【出處】

惠王以梁與魯陽文子，文子辭曰：「梁險而在北境，懼子孫之有貳者也。夫事君無憾，憾則懼逼，逼則懼貳。夫盈而不逼，憾而不貳者，臣能自壽也，不知其他。縱臣而得全其首領以沒，懼子孫之以梁之險，而乏臣之祀也。」王曰：「子仁人，不忘子孫，施及楚國，敢不從子。」與之魯陽。（《國語》〈楚語下〉）

舟戰之器

楚國與越國經常在長江上作戰。楚國人順流而進，逆流而退；見有利就進攻，見不利想要退卻就很困難了。越國人逆流而進，順流而退；見有利就進攻，見不利想要退卻就很迅速。越國人利用江水的這種情勢，在對楚作戰中常打勝仗。到楚惠王時，公輸班製造出被稱作「鉤強」「拒後」的設備：敵人撤退時用它緊鉤敵船（鉤強），楚軍撤退時則可用它將敵船推開（拒後）。公輸班根據作戰需要製造出長短不一的鉤強和拒後，從此，楚軍與越軍在長江上交戰時很少處於劣勢。公輸班於是向墨子誇耀說：「我有用於舟戰的鉤和拒，你的義也有鉤和拒嗎？」墨子回答說：「我是用愛來鉤，用恭來拒。你用鉤鉤人，人家也會鉤你；你用拒拒人，人家也會拒你。你說『義』的鉤拒，難道不比『舟』的鉤拒強嗎？」公輸班無言以對。

　　昔者楚人與越人舟戰於江，楚人順流而進，迎流而退，見利而進，見不利則其退難。越人迎流而進，順流而退，見利而進，見不利則其退速。越人因此若勢，亟敗楚人。公輸子自魯南游楚，焉始為舟戰之器，作為鉤強之備，退者鉤之，進者強之，量其鉤強之長，而製為之兵。楚之兵節，越之兵不節，楚人因此若勢，亟敗越人。公輸子善其巧，以語子墨子曰：「我舟戰有鉤強，不知子之義亦有鉤強乎？」子墨子曰：「我義之鉤強，賢於子舟戰之鉤強。我鉤強，我鉤之以愛，揣之以恭。弗鉤以愛則不親，弗揣以恭則速狎，狎而不親則速離。故交相愛，交相恭，猶若相利也。今子鉤而止人，人亦鉤而止子，子強而距人，人亦強而距子。交相鉤，交相強，猶若相害也。故我義之鉤強，賢子舟戰之鉤強。」（《墨子》〈魯問〉）

以為至巧

　　公輸班即魯班，他曾經造出可以飛翔的木鵲，然後乘木鵲從空中窺探宋國都城的防務。公輸班向墨子展示他發明的木鵲，誇耀說它可以連飛三天而不落地。墨子說：「這只木鵲還不如普通工匠頃刻間削出來的一個車轄，車轄裝在車軸上，車子就可以負重五十石東西；而你的木鵲有什麼實際作用呢？木匠做的東西，有利於人的稱為巧，無利於人的就是拙。」

公輸子削竹木以為鵲，成而飛之，三日不下，公輸子自以為至巧。子墨子謂公輸子曰：「子之為鵲也，不如翟之為車轄。須臾三寸之木，而任五十石之重。故所為功，利於人謂之巧，不利於人，謂之拙。」（《墨子》〈魯問〉）

雲梯之械

為了攻打宋國，公輸般製造出用以攻城的雲梯。墨翟得到消息，從齊國日夜奔行，十天十夜後到達楚國。墨翟向公輸般獻上千金，讓他奉勸楚王不要攻打宋國。公輸般說楚王已作出決斷，不大可能更改了。於是墨翟讓公輸般帶他去見楚王，兩人當著楚王的面演練攻城守城。墨翟多次擊退了公輸般的進攻。公輸般最後說：「我知道怎樣擊敗你了。」楚王問他用什麼辦法。墨翟說：「公輸的意思是只要殺掉我，就可以了。但我的弟子禽滑釐會帶領三百人，拿著我的守城器械，在宋國的都城上迎戰楚軍的。」楚王於是對二人說：「那我們就不要攻打宋國了。」墨翟辭行時獻書給楚王，楚王認真閱讀後評價說：「是一本好書。我雖然不能擁有雄霸天下的霸業，但也樂於奉養賢人，希望先生能夠留在楚國。」並提出給予書社五里的封賞，墨翟沒有接受，很快離開了楚國。

【出處】

公輸般為雲梯之械，將攻宋。墨翟聞，自齊行十日夜，至郢。獻

千金於般，曰：「北方有侮臣者，願子殺之。」般不悅，曰：「吾義固不殺人。」墨子再拜，曰：「吾聞子之梯以攻宋，楚有餘於地，不足於民，殺所不足，爭所有餘，不可謂智。宋無罪而攻，不可謂仁。子義不殺少而殺眾，不可謂知類。」般子服。翟曰：「何不已乎？」曰：「既言之王矣。」曰：「胡不見我於王？」遂見之。墨解帶為城，以牒為械，般設九攻而墨九卻之。般詘而曰：「吾知所以距子矣。」問其故。墨曰：「般意不過欲殺臣，殺臣則宋莫能守，然臣弟子禽滑釐等三百人，持臣守器在宋城上以待楚矣。」王曰：「請無攻宋。」墨子至郢，獻書於惠王。王受而讀之，曰：「良書也。寡人雖不得天下，而樂養賢人，請過。」進曰：「百種以待官，舍人不足，須天下之賢君。」墨辭曰：「翟聞賢人進，道不行不受其賞，義不聽不處其朝。今書未用，請遂行矣。」將辭王而歸，王使穆賀以老辭。魯陽文君言於王曰：「墨子，北方賢聖人，君王不見，又不為禮，無乃失士？」王乃使文君追墨子，以書社五里封之，不受而去。（《渚宮舊事》〈周代中〉）

請無攻宋

　　公輸般為楚國製造攻城的雲梯，預備用來攻打宋國。墨子聽到這件事，步行萬里，腳底磨起了厚繭，趕著去見公輸般，對他說道：「我在宋國就聽說了先生的大名。我想藉助您的力量去殺一個人。」公輸般說：「我是講道義的，決不殺人。」墨子說：「聽說您在造雲梯，用來攻打宋國，宋國有什麼罪？您口口聲聲說講道義，不殺人，

如今攻打宋國，這分明是不殺少數人而殺多數人呀！請問您攻打宋國是什麼道義呢？」公輸般被說服了，墨子請他為自己引見楚王。墨子見到楚王，說道：「假如這兒有一個人，放著自己華美的彩車不坐，卻想去偷鄰居的一輛破車；放著自己錦繡織成的衣服不穿，卻想去偷鄰居的粗布短衫；放著自己家裡的好飯好菜不吃，卻去偷鄰居的酒糟和糠皮。這是個什麼樣的人呢？」楚王說：「一定是有偷東西的癖好。」墨子接著說：「楚國土地縱橫五千里，而宋國才不過五百里，這就如同用華美的彩車和破車相比。楚國有雲夢澤，犀牛和麋鹿充斥其中，長江和漢水的魚鱉、大黿和鱷魚，為天下最多，而宋國卻是連野雞、兔子、鯽魚都不出產的地方，這就如同用精美的飯菜和糟糠相比。楚國有高大的松樹，帶花紋的梓樹，以及楩樹、楠樹、豫樟樹等名貴樹種，而在宋國大樹找不到一棵，這就如同用錦繡衣服和粗布短衫相比。因此我認為大王去攻打宋國，與有盜竊癖差不多。」楚王說：「說得好！我不去攻打宋國了。」

【出處】

公輸般為楚設機，將以攻宋。墨子聞之，百舍重繭，往見公輸般，謂之曰：「吾自宋聞子。吾欲借子殺王。」公輸般曰：「吾義固不殺王。」墨子曰：「聞公為雲梯，將以攻宋。宋何罪之有？義不殺王而攻國，是不殺少而殺眾。敢問攻宋何義也？」公輸般服焉，請見之王。墨子見楚王曰：「今有人於此，舍其文軒，鄰有弊輿而欲竊之；舍其錦繡，鄰有短褐而欲竊之；舍其梁肉，鄰有糟糠而欲竊之。此為何若人也？」王曰：「必為有竊疾矣。」墨子曰：「荊之地方五千里，宋方五百里，此猶文軒之與弊輿也。荊有雲夢，犀兕麋鹿盈

之，江、漢魚鱉黿鼉為天下饒，宋所謂無雉兔鮒魚者也，此猶梁肉之與糟糠也。荊有長松、文梓、楩、柟、豫樟，宋無長木，此猶錦繡之與短褐也。惡以王吏之攻宋，為與此同類也。」王曰：「善哉！請無攻宋。」（《戰國策》〈宋衛策〉）

葉公好龍

葉公子高非常喜歡龍，衣服的帶鉤上、酒杯上畫著龍，屋裡屋外雕飾的花紋也是龍。天上的真龍聽說了，就從天上下來，從窗戶裡探進龍頭，在廳堂裡拖著龍尾。葉公見了，嚇得魂不附體，轉身就跑，臉都變綠了。如此看來，葉公並不是真的喜歡龍，而是喜歡那似龍非龍的東西。

【出處】

葉公子高好龍，鉤以寫龍，鑿以寫龍，屋室雕文以寫龍，於是夫龍聞而下之，窺頭於牖，拖尾於堂，葉公見之，棄而還走，失其魂魄，五色無主，是葉公非好龍也，好夫似龍而非龍者也。（《新序》〈雜事第五〉）

弩生於弓

范蠡向越王推薦了精通射術的楚國人陳音，讓他出任越軍射擊總教練。面試的時候，勾踐問陳音說：「我聽說你擅長射術，能講講其

中的道理嗎？」陳音謙虛地說：「我不過是楚國的鄉巴佬，講不出深奧的道理。」勾踐說：「多少講幾句吧。」陳音於是說：「我聽說弩來源於弓箭，弓箭生於彈弓，彈弓是古代孝子發明的。」越王問：「孝子怎樣發明了彈弓呢？」陳音說：「古時候人民生活簡樸，以鳥獸為食，以水露為飲。死了裹一把茅草，扔到荒郊野外。孝子不忍心父母的屍體為禽獸所傷，於是製作了彈弓來阻止鳥獸的侵害。上古時候有一首《彈歌》，講的就是箭術的起源：『斷竹，續竹；飛土，逐肉。』傳說神農皇帝在彈弓的基礎上發明了弓箭，一時威震四方；黃帝之後，楚國出了一位箭術大師，名叫弧父。弧父生於荊山，是個孤兒，他在孩提時代就喜歡射箭，箭無虛發。他把箭術傳給后羿，后羿又傳給逢蒙，逢蒙再傳給琴氏。琴氏認為弓箭不足以威霸天下，於是在弓箭的基礎上發明了弩。琴氏將箭弩之術傳授給楚國的三侯——句亶、鄂和越章。從三侯到靈王，琴氏的箭術迭代相傳，在保家衛國的戰爭中發揮作用。自靈王以後，箭術在楚國形成了很多流派，但大多數並非琴氏的真傳。微臣的先輩在楚國學習射術，臣是第五代傳人，臣雖然懂得的道理不多，但對於箭術，大王可以考試一下。」越王又向陳音請教弓弩的結構原理及其運用，陳音一一解答。越王高興地說：「太好了，你就盡平生所學，好好訓練我們的戰士吧。」陳音說：「弓弩的原理天生無法改變，但事在人為，只要肯下功夫，個個都能成為神射手。」陳音在北郊之外訓練越國官兵，只用了三個月時間，官兵們就熟練掌握了運用弓弩的技巧，戰鬥力大為提升。陳音死後，越王非常悲傷，將他安葬在越國西邊，並將埋葬他的地方命名為陳音山。

【出處】

　　於是范蠡復進善射者陳音。音，楚人也。越王請音而問曰：「孤聞子善射，道何所生？」音曰：「臣，楚之鄙人，嘗步於射術，未能悉知其道。」越王曰：「然。願子一二其辭。」音曰：「臣聞弩生於弓，弓生於彈，彈起古之孝子。」越王曰：「孝子彈者奈何？」音曰：「古者人民樸質，饑食鳥獸，渴飲霧露，死則裹以白茅，投於中野。孝子不忍見父母為禽獸所食，故作彈以守之，絕鳥獸之害。故歌曰『斷竹續竹，飛土逐害』之謂也。於是神農、皇（當作「黃」）帝弦木為弧，剡木為矢，弧矢之利，以威四方。黃帝之後，楚有弧父。弧父者，生於楚之荊山，生不見父母。為兒之時，習用弓矢，所射無脫。以其道傳於羿，羿傳逢蒙，逢蒙傳於楚琴氏，琴氏以為弓矢不足以威天下。當是之時，諸侯相伐，兵刃交錯，弓矢之威不能制服。琴氏乃橫弓著臂，施機設樞，加之以力，然後諸侯可服。琴氏傳之楚三侯，所謂句亶、鄂、章，人號麇侯、翼侯、魏侯也。自楚之三侯傳至靈王，自稱之楚累世，蓋以桃弓棘矢而備鄰國也。自靈王之後，射道分流，百家能人，用莫得其正。臣前人受之於楚，五世於臣矣。臣雖不明其道，惟王試之。」……越王曰：「善。盡子之道，願子悉以教吾國人。」音曰：「道出於天，事在於人。人之所習，無有不神。」於是乃使陳音教士習射於北郊之外。三月，軍士皆能用弓弩之巧。陳音死，越王傷之，葬於國西，號其葬所曰「陳音山」。（《吳越春秋》〈勾踐陰謀外傳〉）

惡足以駭人

　　陳國有個面容非常醜陋的人，名叫敦洽讎麋，一般人看見他都覺得噁心，但陳國的君主卻非常喜歡他，不僅讓他負責自己的飲食起居，還把很多外事活動派給他。楚王與諸侯會盟，陳侯有病不能前往，就派敦洽讎麋前往向楚王轉達歉意。楚王覺得這個名字有點奇怪，就安排先接見他。見到他的怪模樣，感覺比他的名字更為可惡，聽他講話的聲音和姿態，幾乎不能忍受。楚王非常生氣，對會盟的眾大夫說：「如果陳侯不知道這樣的人不可以出使，那是不明智，如果知道卻還要派這種醜八怪出使，就是有意侮辱我。有意侮辱人而不明智，必須受到懲罰。」三個月後，楚國發兵討伐陳國，將陳國滅亡。《呂氏春秋》〈孝行覽・遇合〉因此評價說：「相貌醜陋會驚嚇別人，言談粗魯會招致亡國。」[64]

【出處】

　　陳有惡人焉，曰敦洽讎麋，椎顙廣顏，色如漆赭，垂眼臨鼻，長肘而盭。陳侯見而甚說之，外使治其國，內使制其身。楚合諸侯，陳侯病，不能往，使敦洽讎麋往謝焉。楚王怪其名而先見之。客有進狀有惡其名言有惡狀，楚王怒，合大夫而告之，曰「陳侯不知其不可使，是不知也。知而使之，是侮也。侮且不智，不可不攻也」。興師

---

64. 使者代表了國家形象，應該內外兼修，如果不能像晏子一樣有過人的才智，至少也要有不錯的外在。陳侯寵信相貌醜陋、言談粗魯的敦洽讎麋，讓他出使楚國，引起楚王的不滿，最終招來亡國之禍。該得到重用的人沒得到重用，該得到賞識的人得不到賞識，那國家還有什麼希望？

伐陳，三月然後喪。惡足以駭人，言足以喪國，而友之足於陳侯而無上也，至於亡而友不衰。（《呂氏春秋》〈孝行覽・遇合〉）

楚之寶器

秦國想攻打楚國，派使者到楚國打探消息，提出想觀看楚國的國寶。楚王問令尹子西說：「秦國人想看我們的國寶，我們可以把和氏璧和隨侯珠[65]給他們看嗎？」令尹子西說：「臣也不知如何是好。」楚王又召昭奚恤[66]來問。昭奚恤回答說：「使者是來觀察我國政事得失的，看我國是否有可乘之機。」於是楚王讓昭奚恤來接待秦國使者。昭奚恤將三百精兵陳列在西門之內，在東西方向各設一座土壇，在南面設置了四座土壇。秦國使者到達後，昭奚恤說：「先生是貴客，請在東面上位就座。」而後讓令尹子西、太宗子敖、葉公子高、司馬子反在南面土壇依次就座，他自己則坐在西面。昭奚恤說：「您想看楚國的國寶，楚國最為珍貴的國寶是賢臣。治理百姓，充實倉廩，使百姓安居樂業，有令尹子西在此。手捧珪璧出使列國化解彼此怨恨，建立國家之間的友誼，使國家解除戰爭的憂患，有太宗子敖在此。鎮守邊疆，嚴守邊界，不侵犯鄰國，也不使鄰國侵擾我國，有公子葉高在此。治理軍隊，訓練士兵，抵擋強敵，擂動戰鼓來調動百萬大軍，使將士們能赴湯蹈火，將生死置之度外，有司馬子反在此。心懷成就

---

65. 隨侯珠：據《淮南子》〈覽冥訓〉記載，隨侯曾為一條大蛇治傷，大蛇傷癒後從江中銜來一顆寶珠給隨侯。

66. 昭奚恤：楚宣王時令尹，與昭王時代的子西、葉公子高相去一百多年。

王霸之業的韜略，記取歷代先王治理國家的經驗教訓，有我昭奚恤在此。就請大國使者觀看吧。」聽了昭奚恤的一番話，秦國使者面有懼色，無言以對。昭奚恤於是拱手送客。使者回到秦國，對秦王說：「楚國有很多賢臣，暫時不能打楚國的主意了。」《詩經》中說：「因為有眾多的賢士，文王得以安享天下。」國有賢臣，敵國就不敢輕舉妄動。

【出處】

　　秦欲伐楚，使使者往觀楚之寶器，楚王聞之，召令尹子西而問焉：「秦欲觀楚之寶器，吾和氏之璧，隨侯之珠，可以示諸？」令尹子西對曰：「臣不知也。」召昭奚恤問焉，昭奚恤對曰：「此欲觀吾國之得失而圖之，國之寶器，在於賢臣，夫珠寶玩好之物，非國所寶之重者。」王遂使昭奚恤應之。昭奚恤發精兵三百人，陳於西門之內。為東面之壇一，為南面之壇四，為西面之壇一。秦使者至，昭奚恤曰：「君客也，請就上位東面。」令尹子西南面，太宗子敖次之，葉公子高次之，司馬子反次之，昭奚恤自居西面之壇，稱曰：「客欲觀楚國之寶器，楚國之所寶者賢臣也。理百姓，實倉廩，使民各得其所，令尹子西在此。秦珪璧，使諸侯，解忿悁之難，交兩國之歡，使無兵革之憂，太宗子敖在此。守封疆，謹境界，不侵鄰國，鄰國亦不見侵，葉公子高在此。理師旅，整兵戎，以當強敵，提枹鼓，以動百萬之師，所使皆趨湯火，蹈白刃，出萬死，不顧一生之難，司馬子反在此。若懷霸王之餘議，攝治亂之遺風，昭奚恤在此，唯大國之所觀。」秦使者懼然無以對，昭奚恤遂揖而去。秦使者反，言於秦君曰：「楚多賢臣，未可謀也。」遂不伐。《詩》云：「濟濟多士，文王

以寧。」[67]斯之謂也。（《新序》〈雜事第一〉）

先自敗己，焉能敗我

吳王夫差擊敗越國，又準備出兵討伐陳國。楚國的一幫大臣很是擔憂，對子西說：「從前闔閭用賢使能，所以能在柏舉擊敗我們。聽說夫差比當年的闔閭更加厲害啊。」子西說：「大家不用擔心。從前闔閭一餐飯只有一個菜，坐臥的蓆子也是單層的，衣服和用具務求簡樸。國內遭遇天災，他親往民間探望體恤；行軍打仗，都是將士們先吃飽他才開始進食。對於獎賞，哪怕是最下等的車伕也一樣有份。因此，老百姓和將士們都自願為他賣命效力。如今的夫差，住在奢華的宮殿裡，日夜以音樂美女為伴。即便出行一天，所有的欲望都必須滿足，好玩的東西都要嘗試，奇珍異寶都要攬為己有。夫差先已打敗了自己，又怎麼可能打敗楚國呢？」

【出處】

吳王夫差破越，又將伐陳。楚大夫皆懼，曰：「昔闔廬能用其眾，故破我於柏舉。今聞夫差又甚焉。」子西曰：「二三子，恤不相睦也，無患吳矣。昔闔廬食不貳味，處不重席，擇不取費。在國，天有災，親戚乏困而供之；在軍，食熟者半而後食，其所嘗者，卒乘必與焉。是以民不罷勞，死知不曠。今夫差，次有臺榭陂池焉；宿有妃嬙嬪御焉。一日之行，所欲必成，玩好必從，珍異是聚。夫差先自敗

67.「濟濟多士，文王以寧」，出自《詩經》〈大雅・文王〉。

己，焉能敗我？」（《說苑》〈權謀〉）

以正圍盜

　　史疾為韓國出使楚國，楚王問他：「您在研究什麼學問呢？」史疾說：「我在研究列禦寇的學問。」楚王問：「列禦寇主張什麼？」史疾說：「主張正名。」楚王問：「這也可以用來治理國家嗎？」史疾說：「當然可以。」楚王說：「楚國盜賊很多，用它可以防範盜賊嗎？」史疾回答說：「可以的。」楚王說：「怎樣用正名來防盜呢？」這時，窗外有只喜鵲飛過，停在對面的屋頂上，史疾問楚王說：「請問楚國人把這種鳥叫什麼？」楚王說：「叫喜鵲。」史疾問：「叫它烏鴉行嗎？」楚王說：「當然不行。」史疾於是說：「大王的國家設有柱國、令尹、司馬、典令等官職，任命官吏時，一定要求他們廉潔奉公，能勝任其職。現在盜賊公然橫行不能禁止，就是因為官員們不能各盡其職，這就叫作『烏鴉不成其為烏鴉，喜鵲不成其為喜鵲啊！』」

【出處】

　　史疾為韓使楚，楚王問曰：「客何方所循？」曰：「治列子圉寇之言。」曰：「何貴？」曰：「貴正。」王曰：「正亦可為國乎？」曰：「可。」王曰：「楚國多盜，正可以圍盜乎？」曰：「可。」曰：「以正圍盜，奈何？」頃間有鵲止於屋上者，曰：「請問楚人謂此鳥何？」王曰：「謂之鵲。」曰：「謂之烏，可乎？」曰：「不可。」曰：「今

王之國有柱國、令尹、司馬、典令，其任官置吏，必曰廉潔勝任。今盜賊公行，而弗能禁也，此烏不為烏，鵲不為鵲也。」（《戰國策》〈韓策二〉）

群臣亂王

吳起對楚悼王說：「楚國地廣人稀，而且分布很不均勻。現在大王想以稀缺的人口來耕種廣袤的土地，臣也一籌莫展。」吳起提出將貴族大戶遷往人口稀少的地方，藉以帶動偏遠地區經濟的發展，同時也可緩解都城的壓力。吳起的變法措施令貴族大家痛苦不堪。楚王一死，遷往外地的貴族紛紛返回都城，欲置吳起於死地。當時悼王的靈柩就停在朝堂上，吳起奔向悼王的靈柩，大聲呼喊說：「我要讓你們看看我是怎樣用兵的。」於是趴在悼王的屍體上。深恨吳起的貴族們瘋狂射擊，悼王的屍體上也中了不少箭羽。吳起高喊：「亂臣在射擊大王的屍體！」吳起死了，按楚國的法律，凡是兵器接觸到楚王屍體的，其罪當死，並株連三族。那些欲置吳起之死而後快的瘋狂的貴族，因此受到了嚴懲。

【出處】

吳起謂荊王曰：「荊所有餘者，地也。所不足者，民也。今君王以所不足益所有餘，臣不得而為也。」於是令貴人往實廣虛之地，皆甚苦之。荊王死，貴人皆來。屍在堂上，貴人相與射吳起。吳起號呼曰：「吾示子，吾用兵也？」拔矢而走，伏屍插矢而疾言曰：「群

臣亂王。」吳起死矣，且荊國之法，麗兵於王屍者，盡加重罪，逮三族。吳起之智，可謂捷矣。（《呂氏春秋》〈開春論・貴卒〉）

安陵纏[68]知時

安陵纏因儀表堂堂、身材健美得到楚宣王[69]的寵幸。江乙問安陵纏說：「你祖上是否為楚王立有戰功呢？」安陵纏搖頭說：「沒有啊。」江乙又問：「那你本人呢？」安陵纏回答說：「也沒有。」江乙問：「那為什麼大王如此器重你呢？」安陵纏說：「我也不知道什麼原因。」江乙說：「我聽人說，以財物結交他人，財物散盡而交情疏遠；以姿色結交他人，人老色衰而情義淡薄。今天你儀表堂堂，風采迷人，可到了人老珠黃的時候，楚王能一如既往器重你嗎？」安陵纏說：「臣年少愚蠢，請先生指教。」江乙說：「你只要瞅準機會，向大王表示願意為他陪葬就可以了。」安陵纏點點頭說：「我明白了。」一年之後，江乙碰到安陵纏，問他說：「我上次教你的話，你向大王講過了嗎？」安陵纏說：「還沒有。」又過了一年，江乙見到安陵纏，再問他說：「說過了嗎？」安陵纏說：「一直沒找到機會。」江乙面有不悅說：「你出與大王同車，入與大王同坐，三年間竟然沒找到機會，只能說你並不認可我的觀點罷了。」過後沒多久，宣王與安陵纏在江邊的荒野上打獵。車馬成隊，旌旗蔽日，野火燃燒的火焰飄向空中宛如雲霞，虎狼犀牛咆哮的聲音宛如雷霆。有一頭犀牛發瘋似

---

68. 安陵纏，又名安陵壇。

69. 楚宣王，《說苑》作楚共王。

的橫衝直撞，衝著宣王的車駕而來，宣王親自彎弓搭箭，只一箭就將犀牛射死於車下。宣王大喜，從車上抽取一根旗杆，按住犀牛的頭，仰天大笑對安陵纏說：「今日遊獵真快樂啊！寡人百年之後，你還能與誰一起享受這種快樂呢？」這時江乙的話在安陵纏耳邊響起。安陵纏上前，緊緊抱住宣王的衣襟，淚流滿面地說：「大王萬歲之後，臣將隨您殉葬，哪裡還會享受這種快樂呢？」宣王大為感動，當即封賞安陵纏為安陵君，食邑三百戶。後人談起這件事，無不感嘆說：「江乙善於謀劃，安陵纏懂得把握時機。」

【出處】

安陵纏以顏色美壯，得幸於楚共王。江乙往見安陵纏曰：「子之先人豈有矢石之功於王乎？」曰：「無有。」江乙曰：「子之身豈亦有乎？」曰：「無有。」江乙曰：「子之貴何以致於此乎？」曰：「僕不知所以。」江乙曰：「吾聞之，以財事人者，財盡而交疏；以色事人者，華落而愛衰。今子之華，有時而落，子何以長幸無解於王乎？」安陵纏曰：「臣年少愚陋，願委質於先生。」江乙曰：「獨從為殉可耳。」安陵纏曰：「敬聞命矣！」江乙去。居期年，逢安陵纏，謂曰：「前日所諭子者，通之於王乎？」曰：「未可也。」居期年，江乙復見安陵纏曰：「子豈諭王乎？」安陵纏曰：「臣未得王之間也。」江乙曰：「子出與王同車，入與王同坐。居三年，言未得王之間乎？以吾之說未可耳。」不悅而去。其年，共王獵江渚之野，野火之起若雲蜺，虎狼之嗥若雷霆。有狂兕從南方來，正觸王左驂，王舉旌旄，而使善射者射之，一發，兕死車下。王大喜，拊手而笑，顧謂安陵纏曰：「吾萬歲之後，子將誰與斯樂乎？」安陵纏乃逡巡而卻，泣下沾

衿，抱王曰：「萬歲之後，臣將從為殉，安知樂此者誰？」於是共王乃封安陵纏於車下三百戶。故曰：「江乙善謀，安陵纏知時。」（《說苑》〈權謀〉）

發號施令

　　大司馬景舍（字子發）攻打下蔡，大獲全勝，俘獲蔡侯回國，楚宣王一直迎到都城郊外，宣布賞賜給他良田一百畝並封以執珪的最高爵位。子發辭謝說：「治理國家，確立政體，贏得諸侯各國的尊敬，這是君主德高望重的體現；發號施令，兩軍尚未交鋒而敵軍潰退，這是將軍的威名所在。將士們協力戰鬥打敗強敵，不能沒有後方百姓的全力支援。以眾人之功來謀取自己的爵位和俸祿，這不是仁義之道。」子發辭謝，堅決不接受獎賞。

【出處】

　　大司馬景舍攻下蔡，逾之，獲蔡侯歸。致命曰：「蔡侯奉其社稷歸楚，舍屬二三子而理之。」宣王郊迎，裂田百頃封珪。子發辭曰：「夫理國立政，諸侯入賓，君之德也。發號施令，師未合而敵人遁，將軍之威也。兵陣合戰而勝敵者，庶民之力。夫乘民之功勞而取其爵祿，非仁義之道。」固辭不受。（《渚宮舊事》〈周代下〉）

狐假虎威

　　楚宣王對群臣說：「我聽說北方諸國都很害怕昭奚恤，真是這樣麼？」江乙回答說：「我給大王講個故事吧。老虎餓了，遍尋百獸，抓到一隻狐狸。狐狸對老虎說：『你不能吃我。天帝命令我充當百獸的首領，如果你敢吃我，就是違抗上天的命令。你若不信，就讓我走在前面，你跟在後頭，看看百獸見到我是什麼樣子。』老虎心想，諒你也玩不出什麼花招，於是就讓狐狸走在前頭，自己跟在後面。百獸看見狐狸後面跟著一隻老虎，無不掉頭逃跑。老虎不知百獸害怕自己，還以為是畏懼狐狸呢。如今大王擁有的國土方圓五千里，士兵超過百萬人，這些軍隊現在都交由昭奚恤統領。北方國家並非害怕昭奚恤，其實是害怕大王的軍隊，這跟百獸害怕老虎是同樣的道理。臣子被人畏懼，不過是君威的體現。大王如果不重用昭奚恤，誰還會怕他呢？」江乙任郢都大夫時，有盜賊進入王府，昭奚恤因而對他問責。江乙能說善辯的母親幫他恢復了職位。從那以後，江乙對昭奚恤的中傷一天也沒有停止過。[70]楚宣王心知肚明，聽則聽之，始終不為所動，給予昭奚恤最充分的信任。就用人不疑而言，宣王是值得稱讚的。

【出處】

　　楚王問群臣曰：「吾聞北方畏昭奚恤，亦誠何如？」江乙答曰：

---

70. 參見《戰國策》〈楚策一〉之「江尹欲惡昭奚恤於楚王」「魏氏惡昭奚恤於楚王」「江乙惡昭奚恤」「江乙欲惡昭奚恤於楚」「江乙為魏使於楚」等。

狐假虎威

「虎求百獸食之，得一狐。狐曰：『子毋敢食我也，天帝令我長百獸，今子食我，是逆帝命也，以我為不信，吾為子先行，子隨我後，觀百獸見我無不走。』虎以為然，隨而行，獸見之皆走，虎不知獸畏己而走也，以為畏狐也。今王地方五千里，帶甲百萬，而專任之於昭奚恤也，北方非畏昭奚恤也，其實畏王之甲兵也，猶百獸之畏虎。」故人臣而見畏者，是見君之威也，君不用則威亡矣。（《新序》〈雜事第二〉）

惡狗溺井

因為知道江乙與昭奚恤以往的過節，楚宣王始終不為江乙的讒言所動。江乙卻不肯善罷甘休，總是尋找一切機會，編造各種寓言故事在楚宣王面前詆毀昭奚恤。他曾經對楚宣王說：「有人因為自己的狗能抓到東西而偏愛它。有一天，這隻狗往井裡撒尿時被鄰居看見了，鄰居想去告訴狗的主人，但是狗很凶猛，擋在門口咬他。鄰居害怕狗咬，就沒能進門告訴主人。在魏國圍攻趙都邯鄲的戰役中，假如楚國進兵魏都大梁，一定會取得勝利，但昭奚恤收受了魏國的賄賂，使楚國失去一次良機。因為我當時在魏國，所以知道昭奚恤受賄的事情。這就是昭奚恤怨恨我、不讓我接近大王的原因啊！」江乙的造謠純屬無中生有，但「惡狗溺井」的成語卻流傳下來，用以形容主人身邊有凶狠的助手，阻斷了上傳下達的言路。

【出處】

江乙惡昭奚恤，謂楚王曰：「人有以其狗為有執而愛之。其狗嘗溺井。其鄰人見狗之溺井也，欲入言之。狗惡之，當門而噬之。鄰人憚之，遂不得入言。邯鄲之難，楚進兵大梁，取矣。昭奚恤取魏之寶器，以居魏知之，故昭奚恤常惡臣之見王。」（《戰國策》〈楚策一〉）

請封於楚

江乙想在楚宣王面前中傷昭奚恤，但力量不夠，於是就為魏國的山陽君向楚國請求封地。楚宣王很爽快地答應了，昭奚恤卻不同意，對楚宣王說：「山陽君對楚國並沒有什麼貢獻，不應該得到封賞。」這樣，江乙很簡單就爭取到一位同黨，並和山陽君一起詆毀昭奚恤。為政敵樹立對立面，等於增加了自己的盟友。江乙人品不行，心胸非常狹隘，但講故事的能力一流，成語「狐假虎威」「惡狗溺井」等，都與他挖空心思詆毀昭奚恤有關。

【出處】

江尹欲惡昭奚恤於楚王，而力不能，故為梁山陽君請封於楚。楚王曰：「諾。」昭奚恤曰：「山陽君無功於楚國，不當封。」江尹因得山陽君與之共惡昭奚恤。（《戰國策》〈楚策一〉）

盜妾之布

　　江乙擔任郢都大夫的時候，有盜賊潛入王宮，令尹昭奚恤因此對江乙問責治罪。不久，江乙的母親以家裡丟失布匹為由，告到楚宣王那裡說：「我昨天夜裡丟失了八尋布，偷布的人是令尹。」宣王當時正在小曲之臺，令尹就在他身邊。宣王說：「如果真是令尹偷了你的布，我絕不會袒護他。但如果屬於誣告，你就要承擔誣告之罪的後果了。」江母說：「往年孫叔敖為令尹，道不拾遺，夜不閉戶，並沒有聽說有什麼盜賊。現在的令尹治理國家，耳目不明，盜賊公行，所以我的布匹才被盜。這與令尹指使他人偷盜有什麼區別呢？」宣王說：「令尹在上，盜賊在下，令尹有什麼過錯呢？」江母說：「話不能這麼說。過去我的兒子擔任郢都大夫，有竊賊潛入王宮，我的兒子因此而被免官。我的兒子又怎麼知道竊賊的行為呢？過去周武王說：『老百姓有過錯，責任都是在我。』君王不能明察則百姓治理不好，相國不賢則國家不得安寧。所謂國家沒人，並不是說真的沒人，而是缺乏有治理國家才能的能人。請大王明察。」宣王笑道：「你的嘴巴好厲害啊，既諷刺了令尹，也挖苦了我。」於是命令官府賠償江乙母親的布，並賞賜她十鎰黃金。江母沒有接受。宣王說：「母親如此有智慧，其子必定不差。」於是傳旨重新起用江乙。

【出處】

　　當恭王之時，乙為郢大夫。有入王宮中盜者，令尹以罪乙，請於王而絀之。處家無幾何，其母亡布八尋，乃往言於王曰：「妾夜亡

布八尋，令尹盜之。」王方在小曲之臺，令尹侍焉。王謂母曰：「令尹信盜之，寡人不為其富貴而不行法焉。若不盜而誣之，楚國有常法。」母曰：「令尹不身盜之也，乃使人盜之。」王曰：「其使人盜奈何？」對曰：「昔孫叔敖之為令尹也，道不拾遺，門不閉關，而盜賊自息。今令尹之治也，耳目不明，盜賊公行，是故使盜得盜妾之布，是與使人盜何以異也？」王曰：「令尹在上，寇盜在下，令尹不知有何罪焉？」母曰：「吁，何大王之言過也！昔日妾之子為郢大夫，有盜王宮中之物者，妾子坐而絀，妾子亦豈知之哉！然終坐之，令尹獨何人，而不以是為過也？昔者周武王有言曰：『百姓有過，在予一人。』上不明則下不治，相不賢則國不寧。所謂國無人者，非無人也，無理人者也。王其察之。」王曰：「善。非徒譏令尹，又譏寡人。」命吏償母之布，因賜金十鎰，母讓金布曰：「妾豈貪貨而干大王哉，怨令尹之治也。」遂去，不肯受。王曰：「母智若此，其子必不愚。」乃復召江乙而用之。（《古列女傳》〈辯通傳〉）

援琴而歌

　　東漢末蔡邕的《琴操》、唐代吳兢的《樂府解題》等記載有伯牙學琴的故事。著名的琴師成連先生是伯牙的老師，伯牙跟成連學琴三年，長進不大。成連說：「我只能教你演奏的技巧，我的老師方子春先生卻能將自己的感情融入演奏，達到琴人一體的境界。」於是成連帶伯牙去東海之濱找方子春老先生請教「移情之法」。到達東海之濱後，伯牙並未見到方子春，只看見洶湧的波濤、杳深的山林和悲啼

的群鳥。一瞬間，伯牙心中豁然開朗，感悟道：「先生已經移情於我啊！」於是創作了成名曲《水仙操》。

【出處】

水仙操者，伯牙之所作也。伯牙學琴於成連先生，先生曰：「吾能傳曲，而不能移情。吾師有方子春者，善於琴，能作人之情，今在東海上。子能與我同事之乎？」伯牙曰：「夫子有命，敢不敬從。」乃相與至海上，見子春受業焉。至蓬萊山，留伯牙曰：「子居習之，吾將迎之。」刺船而去。旬時，伯牙延望無人，但聞海水洞湧，山林杳冥，愴然嘆曰：「先生移我情矣！」乃援琴而歌，作水仙之操。（《琴操》〈水仙操〉）

非木非石

入夜，鍾子期聽到擊磬的聲音充滿悲傷，派人召來擊磬的人，問他說：「你擊磬的聲音為什麼充滿悲傷呢？」擊磬者回答說：「我父親失手殺人，被判了死刑；我母親得以生還，罰在公卿家釀酒；我沒有與父同死，現在公卿家擊磬。我已經三年沒見到母親了。前幾天偶然在街市上見到母親，很想為她贖身，但我身無分文，況且自己本身已屬於公卿家的財物。這就是我擊磬時忍不住悲傷的原因。」鍾子期嘆息著說：「悲傷存於心底，而不在手上，也不在木槌和石磬上，通過木槌敲擊石磬，竟然不自覺地流露出來，宣洩的是自己的情感，卻能感染和打動別人，就這是音樂的妙處啊。」

【出處】

　　鍾子期夜聞擊磬者而悲且召問之曰：「何哉！子之擊磬若此之悲也。」對曰：「臣之父殺人而不得生，臣之母得生而為公家隸，臣得生而為公家擊磬。臣不睹臣之母三年於此矣，昨日為舍市而睹之，意欲贖之而無財，身又公家之有也，是以悲也。」鍾子期曰：「悲在心也，非在手也，非木非石也，悲於心而木石應之，以至誠故也。」（《新序》〈雜事第四〉）

高山流水

　　伯牙和鍾子期是春秋戰國時期兩位著名的音樂大師。荀子《勸學篇》中說：「伯牙鼓琴，而六馬仰秣。」意思是說，伯牙彈琴的時候，正在低頭吃草的群馬也會抬起頭來聆聽。這是用誇張的筆法形容伯牙演奏水平的高超美妙。鍾子期是楚國郎公鐘儀的後裔，相傳隱居漢水下游馬鞍山，身為樵夫。伯牙是當時頂尖的琴瑟演奏大師，能藉助音樂隨心所欲地表達自己的情感，鍾子期則善於欣賞品評音樂。有一年，時任晉國外交官的伯牙奉晉王之命出使楚國，與鍾子期結為知音，相約來年中秋在漢陽江邊相會。第二年中秋，伯牙如約前往，得到的卻是鍾子期不幸染病去世的消息。悲情難抑的伯牙在鍾子期父親的陪同下，來到江邊鍾子期的墳前，含著淚水彈起了他專門為此次見面創作的《高山流水》。一曲彈罷，伯牙挑斷琴絃，長嘆一聲，將他最心愛的瑤琴摔碎在在青石板上，泣不成聲地說：「春風滿面皆朋友，欲覓知音難上難。我唯一的知音已不在人世了，這琴還彈給誰聽

呢？」兩位知音的友誼感動著一代又一代人。楚人在他們邂逅、促膝談心的地方，築起了一座琴臺。至今人們仍然以「高山流水」來形容知音難覓。手足的朋友之情。

【出處】

伯牙子鼓琴，其友鍾子期聽之。方鼓而志在太山，鍾子期曰：「善哉乎鼓琴，巍巍乎若泰山！」少選之間，而志在流水，鍾子期復曰：「善哉乎鼓琴，湯湯乎若流水！」鍾子期死，伯牙破琴絕弦，終身不復鼓琴，以為世無足為鼓琴者。非獨鼓琴若此也，賢者亦然。雖有賢者，而無以接之，賢者奚由盡忠哉！驥不自至千里者，待伯樂而後至也。（《說苑》〈尊賢〉）

伯牙善鼓琴，鍾子期善聽。伯牙鼓琴，志在登高山，鍾子期曰：「善哉！峨峨兮若泰山！」志在流水，鍾子期曰：「善哉！洋洋兮若江河！」伯牙所念，鍾子期必得之。

伯牙游於泰山之陰，卒逢暴雨，止於岩下；心悲，乃援琴而鼓之。初為霖雨之操，更造崩山之音。曲每奏，鍾子期輒窮其趣。伯牙乃舍琴而嘆曰：「善哉，善哉，子之聽夫！志想像猶吾心也。吾於何逃聲哉？」（《列子》〈湯問〉）

請而不得

郢都有個人陷於訴訟，官司打了三年還沒有結果。於是找人去假

裝要購買他的宅子，以此來判斷他是否有罪。因為按楚國的法律，判處有罪的人住宅將被沒收，官府可以變賣；如果官府不肯變賣他的房產，則可推斷無罪。受委託的人找到昭奚恤說：「郢城某人的住宅，我希望能購買。」昭奚恤說：「房子的主人不應該被判罪，所以你不能買他的宅子。」剛說完這句話，昭奚恤就後悔了，很嚴肅地對來人說：「我不該接待你的，為什麼你要用買房子來試探我呢？」來人狡辯說：「我沒有想要試探的意思啊。」昭奚恤說：「請求買房子的願望落空，臉上竟然露出喜悅之色。不是試探又是什麼呢？」昭奚恤料事如神，難怪列國諸侯聽到昭奚恤的名字就害怕。

【出處】

郢人有獄，三年不決。故令人請其宅，以卜其罪。客謂昭奚恤曰：「郢人某氏之宅，臣願賜之。」恤曰：「郢人某氏不當伏罪，宅不可得。」客辭而出，恤侮之，因謂客曰：「恤不得事公，公何為以故窺恤？」客曰：「非用故也。」恤曰：「請而不得，有悅色，非故而何？」（《渚宮舊事》〈周代下〉）

佞道之士

子發喜歡收羅有一技之長的人。楚國有個慣偷，也來投奔子發說：「聽說您收羅有一技之長的人，我是個偷兒，願意以自己的一技之長充當一名小卒。」子發倒履相迎，很熱情地接待他。左右的人議論說：「一名小偷，哪值得將軍如此禮待呢？」子發說：「這不是你

們所能明白的。」不久，齊國軍隊來犯，楚王派子發前往迎戰。齊軍銳不可當，楚軍多次退卻。這時，那名偷卒進到軍帳對子發說：「臣有點小技能，願意為將軍施展一下。」當夜，偷卒從齊軍營中解下將軍的帷帳回來獻給子發。天亮以後，子發派人告訴齊軍將領說：「有個小卒出去打柴，拾到將軍的帷帳，現把它歸還給將軍。」第二天晚上，偷卒又去偷了齊軍將領的髮簪。子發再次派人送還。齊國將領非常恐慌，對左右說：「今天再不撤離，楚軍一定要取下我的腦袋了。」於是宣布撤軍。

【出處】

景舍好求伎道之士。楚有善為惡偷者，往見曰：「聞君求伎道之士，臣，偷也，願以伎充一卒。」子發衣不給帶，冠不暇正，出見而禮。左右曰：「彼天下大盜，何足為禮。」發曰：「此非所知。」無幾，齊師來伐。王使帥師御之。兵三卻，賢良皆盡其計而悉其力。齊師愈強。於是偷卒進，請曰：「臣有薄伎，願君行之。」即夜出解齊將軍幬帷，獻之子發。發使告齊曰：「卒有出薪者，得將軍之帷，歸之執事。」明日，偷卒往取其簪，發皆使歸之。齊師大駭曰：「今日不去，楚必取吾之首。」遂按兵而回。（《渚宮舊事》〈周代下〉）

子發之母

子發率軍攻打秦國，部隊斷糧，派下屬回國向楚王求援。下屬歸隊前去探望子發的母親。子發的母親問下屬：「士兵們還好吧？」下

屬回答說：「戰士們分豆粒吃。」又問：「將軍還好嗎？」下屬回答說：「將軍早晚還能吃到葷食和細糧。」等到子發打敗秦國回到楚都後，回家時母親卻不讓他進門。母親指責他說：「你沒聽說過勾踐伐吳嗎？有人獻給他一壺酒，他使人倒入江水上游，使下游的士兵們也可以飲用，酒味談不上甘美，但戰士們作戰時能以一當五。有人獻上一袋乾糧，越王又讓軍士們分享。乾糧談不上可口，但戰士們的力量陡增十倍。現在你率兵出征，戰士們吃的是粗糧，你卻享受特殊待遇。這是為什麼呢？戰士們出生入死，你卻安於享樂。偶然取得勝利，並不值得恭賀。你不是我的兒子，不要進我的家門。」子發承認了自己的錯誤，並向母親保證下不為例，母親這才為他開門。

【出處】

　　楚將子發之母也。子發攻秦絕糧，使人請於王，因歸問其母。母問使者曰：「士卒得無恙乎？」對曰：「士卒並分菽粒而食之。」又問：「將軍得無恙乎？」對曰：「將軍朝夕芻豢黍粱。」子發破秦而歸，其母閉門而不內。使人數之曰：「子不聞越王勾踐之伐吳耶？客有獻醇酒一器者，王使人注江之上流，使士卒飲其下流，味不及加美，而士卒戰自五也。異日有獻一囊糗糒者，王又以賜軍士，分而食之，甘不踰嗌，而戰自十也。今子為將，士卒並分菽粒而食之，子獨朝夕芻豢黍粱，何也？詩不云乎：『好樂無荒，良士休休。』言不失和也。夫使人入於死地，而自康樂於其上，雖有以得勝，非其術也。子非吾子也，無入吾門。」子發於是謝其母，然後內之。（《古列女傳》〈母儀傳〉）

威王問於莫敖子華

　　莫敖子華熟悉楚國典籍。楚威王問他說：「從先君文王至今，是否有不追求官爵，不受俸祿驅使而憂國憂民的賢臣呢？」子華說：「我資歷淺，沒資格評論歷代前賢。」威王說：「如果你不告訴我，我是沒法知道的。」子華說：「大王想問哪一種情況？有廉潔奉公、安於窮苦來憂國憂民的；有為提高自己爵位、增加俸祿來憂國憂民的；有斷頭剖腹、甘心就死，不顧個人安危來憂國憂民的；有勞其筋骨、苦其心志來憂國憂民的；也有不追求官爵、俸祿來憂國憂民的。」威王說：「你說的都是哪些人呢？」莫敖子華說：「成王時候的令尹子文，昭王時候的葉公子高、莫敖大心、申包胥、蒙谷，就是我說的上述賢臣中的典範啊。」威王聽了莫敖子華的介紹，長嘆一聲說：「這些都是過去的賢臣。今天的楚國，到哪兒去找這樣的賢臣呢？」莫敖子華說：「先君靈王喜歡細腰的人，因此楚國的士子個個節食減肥，以致於扶著東西才能站立行走。飲食是正常人的需要，他們卻忍著饑餓不肯進食；餓死是令人恐懼的事情，他們也無所畏懼。國君喜歡箭術，立馬就有人遞上弓矢。君王只是不喜歡賢臣而已。如果君王喜歡用賢，像子文、子高、莫敖大心、申包胥和蒙谷那樣的賢臣，都不難得到啊。」

【出處】

　　威王問於莫敖子華曰：「自從先君文王以至不穀之身，亦有不為爵勸，不以祿勉，以憂社稷者乎？」莫敖子華對曰：「如華不足知之

矣。」王曰:「不於大夫,無所聞之。」莫敖子華對曰:「君王將何問者也?彼有廉其爵,貧其身,以憂社稷者;有崇其爵,豐其祿,以憂社稷者;有斷脰決腹,壹暝而萬世不視,不知所益,以憂社稷者;有勞其身,愁其志,以憂社稷者;亦有不為爵勸,不為祿勉,以憂社稷者。」……王乃大息曰:「此古之人也。今之人,焉能有之耶?」莫敖子華對曰:「昔者先君靈王好小要,楚士約食,馮而能立,式而能起。食之可欲,忍而不入;死之可惡,然而不避。章聞之,其君好發者,其臣抉拾。君王直不好,若君王誠好賢,此五臣者,皆可得而致之。」(《戰國策》〈楚策一〉)

昭釐進讒

　　楚威王向沈尹華請教學習文獻典籍,心胸狹隘的昭釐對此耿耿於懷。威王希望能用法律制度管理國家,中謝官恰好在參與制定法律條款的臣子之列。他與昭釐私交很好,便趁機在威王面前說:「大王知道嗎?全國上下都在議論,說大王是沈尹華的弟子呢。」威王聽後感覺不爽,從此疏遠了沈尹華。

【出處】

　　荊威王學書於沈尹華,昭釐惡之。威王好制,有中謝佐制者,為昭釐謂威王曰:「國人皆曰:王乃沈尹華之弟子也。」王不說,因疏沈尹華。中謝,細人也,一言而令威王不聞先王之術,文學之士不得進,令昭釐得行其私。故細人之言,不可不察也。(《呂氏春秋》〈先識覽‧去宥〉)

盡觀春秋

鐸椒是戰國時期楚國著名學者，曾經擔任楚威王的太傅。他因認真研習《春秋左氏傳》，被譽為左丘明的四傳弟子。當初，吳起到楚國，把《左氏傳》傳授給子期，又傳授給鐸椒。因為楚威王不能遍覽史書，鐸椒就摘取其中的經驗教訓和得失成敗，編成四十章的《鐸氏微》[71]供威王閱覽。

【出處】

鐸椒，楚人，為威王太傅，治《春秋左氏傳》。初，吳起至楚，以《左氏傳》傳子期、傳鐸椒。為王不能盡觀春秋，采其成敗，本四十章為《鐸氏微》。（《渚宮舊事》〈周代下〉）

勢不兩立

蘇秦以趙國國相的身分牽頭組織合縱聯盟，前往楚國遊說楚威王說：「楚國是天下的強國，大王是天下的賢主。楚國西有黔中、巫郡，東有夏州、海陽，南有洞庭、蒼梧，北有汾陘、郇陽，全國土地方圓五千里，戰士百萬，戰車千乘，戰馬萬匹，糧食可供十年資用，這是建立霸業的資本啊。憑楚國的強大和大王的賢能，真的是天下無敵。可現在您卻打算聽命於秦國，那麼諸侯各國再也不會南來楚國，

---

71. 《鐸氏微》外，另著有《抄撮》八卷、《鐸氏微》三篇等，均已失傳。

拜會您於章臺之下了。秦國最害怕的莫過於楚國，楚國強則秦國弱，楚國弱則秦國強，楚、秦兩國勢不兩立。所以為大王考慮，不如六國結成聯盟來孤立秦國。」

【出處】

　　蘇秦為趙合從，說楚威王曰：「楚，天下之強國也。大王，天下之賢王也。楚地西有黔中、巫郡，東有夏州、海陽，南有洞庭、蒼梧，北有汾陘之塞、郇陽。地方五千里，帶甲百萬，車千乘，騎萬匹，粟支十年，此霸王之資也。夫以楚之強與大王之賢，天下莫能當也。今乃欲西面而事秦，則諸侯莫不南面而朝於章臺之下矣。秦之所害於天下莫如楚，楚強則秦弱，楚弱則秦強，此其勢不兩立。故為王至計，莫如從親以孤秦。大王不從親，秦必起兩軍：一軍出武關，一軍下黔中。若此，則鄢、郢動矣。臣聞治之其未亂，為之其未有也；患至而後憂之，則無及已。故願大王之早計之。」（《戰國策》〈楚策一〉）

與時俱化

　　莊子在山裡行走，看見一棵樹長得又高又大，枝繁葉茂，伐木的人停在樹旁卻不砍伐它。莊子問他原因，回答說：「這棵樹沒什麼用處。」莊子說：「這棵樹因為不成材，結果得以終其天年了。」莊子從山裡出來，到了縣邑，住在老朋友家裡。老朋友很高興，準備酒肉，讓童僕殺鵝款待他。童僕請示說：「一隻鵝會叫，一隻不會叫，

殺哪一隻呢？」主人的父親說：「殺那隻不會叫的吧。」第二天，學生問莊子說：「昨天山裡的樹因為不成材得以終其天年，主人的鵝卻因為不成材被殺，在成材與不成材之間，您選擇哪一種呢？」莊子笑著說：「選擇處於成材與不成材之間吧。但這也不一定能避免傷害。如果道德修行到一定程度，情況就不是這樣了。寵辱不驚，時而為龍，時而為蛇，隨時勢而變化，而不用專為一物；時而上，時而下，以順應自然為準則，遨遊於虛無之境，主宰外物而不為外物所主宰，那又怎麼可能受到傷害呢？這就是神農、黃帝所取法的處世準則。至於萬物之情，人倫相傳之道，就不是這樣了。成功了就會毀壞，強大了就會衰微，鋒利了就會缺傷，尊貴了就會虧損，直了就會彎曲，聚合了就會離散，受到寵愛就會被廢棄，智謀多了就會受人算計，不賢德就會受欺侮。怎麼可以偏執一方呢？」

【出處】

　　莊子行於山中，見木甚美長大，枝葉盛茂，伐木者止其旁而弗取。問其故，曰：「無所可用。」莊子曰：「此以不材得終其天年矣。」出於山，及邑，舍故人之家。故人喜，具酒肉，令豎子為殺雁[72]饗之。豎子請曰：「其一雁能鳴，一雁不能鳴，請奚殺？」主人之公曰：「殺其不能鳴者。」明日，弟子問於莊子曰：「昔者山中之木以不材得終天年，主人之雁以不材死，先生將何以處？」莊子笑曰：「周將處於材不材之間。材不材之間，似之而非也，故未免乎累。若夫道德則不然。無訝無訾，一龍一蛇，與時俱化，而無肯專為；一上

---

72. 郭慶藩註：「雁，鵝也。」《說文解字》：「鵝，雁也。」

一下，以禾為量，而浮游乎萬物之祖，物物而不物於物，則胡可得而累？此神農、黃帝之所法。若夫萬物之情、人倫之傳則不然。成則毀，大則衰，廉則銼，尊則虧，直則肫，合則離，愛則隳，多智則謀，不肖則欺，胡可得而必？」（《呂氏春秋》〈孝行覽・必己〉）

蜩與學鳩笑鯤鵬

　　《莊子》〈逍遙游〉開篇說：北海有魚，名字叫鯤，它體型龐大，不知有幾千里。它變化為鳥，名字叫鵬，鵬的背部寬闊，不知有幾千里。它奮起高飛的時候，雙翅張開有如天際的雲朵。在海風大作時，大鵬就會遷徙到南海去。它在水面上激起三千里波濤，拍翅盤旋，直上九萬里高空，背負蒼天，一路向南。蟬與斑鳩仰天譏笑大鵬說：「你要飛到哪裡去呢？我們一縱身就飛起來，碰到榆樹、枋樹就停下來，有時候飛不高，落在地上就是了。何必要飛到九萬里的高空，再向南飛呢？」莊子說：前往近郊的人，只要帶上三餐，肚子還是飽飽的；前往百里之遠的人，就要準備過夜的糧食；前往千里之遙的地方，必須有三個月的糧食積蓄，這兩個小東西，哪裡會知道呢？

【出處】

　　北冥有魚，其名為鯤。鯤之大，不知其幾千里也。化而為鳥，其名為鵬。鵬之背，不知其幾千里也。怒而飛，其翼若垂天之雲。是鳥也，海運則將徙於南冥。南冥者，天池也。《齊諧》者，志怪者也。《諧》之言曰：「鵬之徙於南冥也，水擊三千里，摶扶搖而上者九萬

里，去以六月息者也。」野馬也，塵埃也，生物之以息相吹也。天之蒼蒼，其正色邪？其遠而無所至極邪？其視下也，亦若是則已矣。且夫水之積也不厚，則其負大舟也無力。覆杯水於坳堂之上，則芥為之舟。置杯焉則膠，水淺而舟大也。風之積也不厚，則其負大翼也無力。故九萬里則風斯在下矣，而後乃今培風；背負青天而莫之夭閼者，而後乃今將圖南。蜩與學鳩笑之曰：「我決起而飛，槍榆枋，時則不至而控於地而已矣，奚以之九萬里而南為？」適莽蒼者，三餐而反，腹猶果然；適百里者，宿舂糧；適千里者，三月聚糧。之二蟲又何知！（《莊子》〈逍遙游〉）

不近人情

肩吾對連叔說：「我聽過接輿談話，內容廣博而不著邊際，任意引申、信馬由韁而難以回頭。我驚訝他的言論，就像銀河一樣漫無邊際，前後矛盾，不符合人之常情啊。」連叔說：「為什麼這麼說呢？」肩吾說：「他說在遙遠的姑射山上，住著一位仙女，玉肌冰雪般潔白，綽約多姿宛如處女。不食五穀，吸清風飲甘露；乘雲氣駕飛龍，遨遊於四海之外。她心神凝定，使得年年五穀豐登，沒有災害。我認為他這些話都是虛妄之言，所以不敢相信。」

【出處】

肩吾問於連叔曰：「吾聞言於接輿，大而無當，往而不返。吾驚怖其言，猶河漢而無極也，大有逕庭，不近人情焉。」連叔曰：「其

言謂何哉？」「曰『藐姑射之山，有神人居焉。肌膚若冰雪，淖約若處子；不食五穀，吸風飲露；乘雲氣，御飛龍，而游乎四海之外。其神凝，使物不疵癘而年穀熟。』吾以是狂而不信也。」連叔曰：「然。瞽者無以與乎文章之觀，聾者無以與乎鐘鼓之聲。豈惟形骸有聾盲哉？夫知亦有之。是其言也，猶時女也。之人也，之德也，將磅礴萬物，以為一世蘄乎亂，孰弊弊焉以天下為事！之人也，物莫之傷，大浸稽天而不溺，大旱金石流、土山焦而不熱。是其塵垢粃糠，將猶陶鑄堯舜者也，孰肯以物為事！」（《莊子》〈逍遙游〉）

不龜手之藥

惠子對莊子說：「魏王送給我大葫蘆種子，我將它栽植成長，結出的葫蘆有五石的容量。用它盛水不夠堅固，剖開做瓢沒有水缸能放得下。葫蘆太大而無用，所以不如砸爛它。」莊子說：「先生是不善於使用大東西吧。宋國有人擅長調製不讓手皸裂（龜裂）的藥物，世世代代以漂洗絲絮為業。有個遊客聽說了這件事，以百金的價格收買他的藥方。全家人聚在一起商量說：『我們世世代代在河水裡漂洗絲絮，所得不過數金，如今一下子就可以得到百金，就把藥方賣給他吧。』遊客得到藥方，便去遊說吳王。剛好越國興兵來犯，吳王派他統率部隊。冬天與越國人在江上作戰，因為有神藥幫助，結果大敗越軍，因此得到吳王封地的獎賞。能不讓手皸裂，藥方是一樣的，但用場不同，有人用它得到封賞，有人卻只能靠它在河水裡漂洗一生。你有五石容量的大葫蘆，為什麼不考慮用它來製作腰舟浮游於江湖之上，反而擔憂葫蘆太大無處容身呢？看來先生的思維還不開闊啊。」

【出處】

惠子謂莊子曰：「魏王貽我大瓠之種，我樹之成而實五石。以盛水漿，其堅不能自舉也。剖之以為瓢，則瓠落無所容。非不呺然大也，吾為其無用而掊之。」莊子曰：「夫子固拙於用大矣。宋人有善為不龜手之藥者，世世以洴澼絖為事。客聞之，請買其方百金。聚族而謀之曰：『我世世為洴澼絖，不過數金。今一朝而鬻技百金，請與之。』客得之，以說吳王。越有難，吳王使之將。冬，與越人水戰，大敗越人，裂地而封之。能不龜手，一也；或以封，或不免於洴澼絖，則所用之異也。今子有五石之瓠，何不慮以為大樽而浮乎江湖，而憂其瓠落無所容？則夫子猶有蓬之心也夫！」（《莊子》〈逍遙游〉）

偃鼠飲河，不過滿腹

堯打算把天下讓給許由，說：「太陽和月亮都出來了，而燭火還不熄滅，它要跟日月爭輝，不是很難嗎？及時雨已經降下了，還要去澆水灌地，豈非多此一舉？先生一旦繼位，天下立即大治，以我的能力，佔著這個位置有點勉為其難，請允許我把天下讓給你。」許由回答說：「你治理天下，天下已經大治，卻還要我去替代你。我是為了名聲嗎？『名』不過是『實』的外表，我為什麼要去追求外在的東西呢？鷦鷯在森林中築巢，只不過佔用一根樹枝；鼹鼠到河邊飲水，喝滿肚子就可以了。你回去吧，天下對我有什麼用處啊！廚師不肯下廚，料想祭祀的掌祝人也不會越過酒樽俎案去代替他。」

【出處】

堯讓天下於許由，曰：「日月出矣，而爝火不息，其於光也，不亦難乎！時雨降矣，而猶浸灌，其於澤也，不亦勞乎！夫子立而天下治，而我猶尸之，吾自視缺然。請致天下。」許由曰：「子治天下，天下既已治也。而我猶代子，吾將為名乎？名者，實之賓也，吾將為賓乎？鷦鷯巢於深林，不過一枝；偃鼠飲河，不過滿腹。歸休乎君，予無所用天下為！庖人雖不治庖，尸祝不越樽俎而代之矣。」（《莊子》〈逍遙游〉）

莊周夢蝶

　　莊子（莊周）曾經有過做楚國令尹的機會，但終其一生，他都只在家鄉短暫做過一個小官——「漆園吏」。沒事的時候，莊周就在家中睡大覺，白日做夢。有一天，他夢見自己變成了一隻蝴蝶，非常生動、非常逼真，感到十分愜意。睡夢中當然不知道自己原本是莊周。突然間從夢中醒來，還迷迷糊糊，不知到底是莊周夢中變成了蝴蝶，還是蝴蝶夢中變成了莊周。莊子說：莊周與蝴蝶雖然有區別，但也可以通過夢境達到真實與虛幻的相互轉化。他從這個夢境生出感悟，後來創作出在思想和藝術上堪稱《莊子》一書代表作的《逍遙游》，而「莊周夢蝶」「莊周化蝶」「蝶化莊生」「莊生曉夢」等一系列成語，也常被人們用來描繪虛幻若夢的人生。

【出處】

　　昔者莊周夢為胡蝶，栩栩然胡蝶也，自喻適志與！不知周也。俄然覺，則蘧蘧然周也。不知周之夢為胡蝶與？胡蝶之夢為周與？周與胡蝶，則必有分矣。此之謂物化。（《莊子》〈齊物論〉）

大夢初醒

　　「大夢初醒」出自《莊子》〈齊物論〉：「且有大覺而後知此其大夢也。」像做了一場大夢剛醒，比喻被錯誤的東西矇蔽很久，終於開始覺悟。瞿鵲子和長梧子都是《莊子》中的寓言人物。一次，瞿鵲子對長梧子說：「我把您的那些觀點告訴孔子了，但他對您的高見不以為然，認為都是些空泛的無稽之談，您怎麼看？」長梧子說：「這番話即使黃帝聽了也會感到困惑，孔子又怎麼能明白呢？你也太操之過急了，才看見雞蛋就想要報曉的公雞，才看到彈弓就想吃烤熟的鳥肉。現在我姑且給你說說，你也姑且聽聽。其實呢，人生就是一場大夢，有的人晚上夢見飲酒作樂，早晨醒來卻悲傷哭泣；有的人晚上在夢中哭泣，早晨起來卻享受田獵瀟灑的幸福時光。人在夢中，不知道自己在做夢，在夢中還要問吉凶如何，夢醒之後才知道是在做夢。要有大清醒，才知道這是一場大夢。愚蠢的人自以為很清醒，好像自己什麼都知道。整天君啊、臣啊，真是膚淺極了。孔子與你，都是在做夢；我說你在做夢，我也是在做夢。」

瞿鵲子問於長梧子曰：「吾聞諸夫子，聖人不從事於務，不就利，不違害，不喜求，不緣道，無謂有謂，有謂無謂，而游乎塵垢之外。夫子以為孟浪之言，而我以為妙道之行也。吾子以為奚若？」長梧子曰：「是黃帝之所聽熒也，而丘也何足以知之！且女亦大早計，見卵而求時夜，見彈而求鴞炙。予嘗為女妄言之，女亦以妄聽之，奚？旁日月，挾宇宙，為其吻合，置其滑涽，以隸相尊？眾人役役，聖人愚鈍，參萬歲而一成純。萬物盡然，而以是相蘊。予惡乎知說生之非惑邪！予惡乎知惡死之非弱喪而不知歸者邪！麗之姬，艾封人之子也。晉國之始得之，涕泣沾襟。及其至於王所，與王同筐床，食芻豢，而後悔其泣也。予惡乎知夫死者不悔其始之蘄生乎？夢飲酒者，旦而哭泣；夢哭泣者，旦而田獵。方其夢也，不知其夢也。夢之中又占其夢焉，覺而後知其夢也。且有大覺而後知此其大夢也，而愚者自以為覺，竊竊然知之。君乎，牧乎，固哉！丘也，與女皆夢也；予謂女夢，亦夢也。」（《莊子》〈齊物論〉）

心如死灰

《莊子》〈齊物論〉開篇由南郭子綦出場，向弟子顏成子游講述了人籟、地籟和天籟三種聲音。當南郭子綦進入修道的忘我狀態時，蔫蔫地彷彿丟了魂似的，呈現出形如槁木、心如死灰的狀態，以致於弟子子游不得不驚慌失措地把他從幻境中推醒。據考證，南郭子綦即楚昭王的庶弟司馬子綦。其人懷道抱德，虛心忘淡，所以莊子羨慕他

的清高，假托為《齊物論》開篇出場的重要人物。南郭子綦在《莊子》中出現多處，後世以他為物我兩忘、清高淡泊的典型。

【出處】

南郭子綦隱機而坐，仰天而噓，荅焉似喪其耦。顏成子游立侍乎前，曰：「何居乎？形固可使如槁木，而心固可使如死灰乎？今之隱機者，非昔之隱機者也？」子綦曰：「偃，不亦善乎而問之也！今者吾喪我，汝知之乎？汝聞人籟而未聞地籟，汝聞地籟而不聞天籟夫！」（《莊子》〈齊物論〉）

朝三暮四

宋國有個飼養猴子的人，很喜歡猴子。他養了一群猴子，能理解猴子的想法，猴子也懂得他的心意。他還減少家裡人的生活費用，以滿足猴子的需要。不久家裡貧困起來，他打算限制猴子的食物，又怕猴子不聽自己的話，便先欺騙它們說：「餵你們橡子，早上三個，晚上四個，夠嗎？」眾猴子都跳起來發怒。過了一會兒，他又說：「餵你們橡子，早上四個，晚上三個，這可以吧？」猴子們聽了，都趴在地上十分高興。動物之間以智慧與否互相籠絡欺騙，都像這個樣子。聖人用智慧來籠絡欺騙那些愚笨的人，也就像養猴人用智慧籠絡欺騙那些猴子一樣。名義與實際都沒有虧損，卻能使它們時而高興，時而發怒啊！

　　宋有狙公者，愛狙；養之成群，能解狙之意；狙亦得公之心。損其家口，充狙之欲。俄而匱焉，將限其食。恐眾狙之不馴於己也，先誑之曰：「與若芧，朝三而暮四，足乎？」眾狙皆起而怒。俄而曰：「與若芧，朝四而暮三，足乎？」眾狙皆伏而喜。物之以能鄙相籠，皆猶此也。聖人以智籠群愚，亦猶狙公之以智籠眾狙也。名實不虧，使其喜怒哉！（《列子》〈黃帝篇〉）

薪火相傳

　　老聃死後，秦失前往弔唁，只哭了三聲就出來了。老聃的弟子覺得他不夠悲傷，秦失解釋說：你們的老師偶然來到人世，是應時而生，現在離開人間，也是順命而死。古時候把死叫作「帝之懸解」，意思是人生在世，是上天把你捆吊在那兒，死了，是上天給你的解脫。過度哀悼死者，還不如發揚光大他的學問，這就像薪火傳遞一樣，一支燭薪燒完了，可以續上另一支燭薪，薪火延綿相傳，沒有盡期。莊子以薪比喻人的形體，以火比喻人的精神，本意在強調養生貴在養神。但後世的有神論者也借此形容形體雖死，但不滅的精神卻可以長傳不絕。現在也用來比喻學問和技藝迭代相傳。

【出處】

　　老聃死，秦失弔之，三號而出。弟子曰：「非夫子之友邪？」曰：「然。」「然則弔焉若此，可乎？」曰：「然。始也，吾以為其人

也，而今非也。向吾入而弔焉，有老者哭之，如哭其子；少者哭之，如哭其母。彼其所以會之，必有不蘄言而言，不蘄哭而哭者。是遁天倍情，忘其所受，古者謂之遁天之刑。適來，夫子時也；適去，夫子順也。安時而處順，哀樂不能入也，古者謂是帝之縣解。」指窮於為薪，火傳也，不知其盡也。（《莊子》〈養生主〉）

曳尾於塗

　　莊子學問淵博，遊歷過很多國家，對當時的各學派思想都有研究，進行過分析和批判。楚威王聽說他才學很高，派使者攜帶千金，請他出任相國。莊子當時正在濮河邊釣魚。使者向莊子表達了楚王的意思。莊子手持魚竿，眼盯魚漂說：「千金是很大一筆財富，卿相是很尊貴的職位。可你看見過祭祀用的牛嗎？餵養它好幾年，然後給它披上有花紋的錦緞，牽到祭祀祖先的太廟去充當祭品。到了這個時候，它就是想當個小豬，免受宰割，也辦不到了。我寧願像一隻烏龜活在爛泥塘裡搖著尾巴自尋快樂，也不願受一國之君的約束，做那充當祭品的牛。請你趕快走開，不要侮辱我。」《莊子》〈養生主〉中還講到過「澤雉」的故事。生活在草澤中的野雉，它們走十步才啄到一粒食，走百步才飲到一口水，但它們從不乞求被收養在籠子裡，過那吃喝無憂卻沒有自由的生活。

【出處】

　　莊子釣於濮水。楚王使大夫二人往先焉，曰：「願以境內累矣！」

莊子持竿不顧，曰：「吾聞楚有神龜，死已三千歲矣，王巾笥而藏之廟堂之上。此龜者，寧其死為留骨而貴乎？寧其生而曳尾於塗中乎？」二大夫曰：「寧生而曳尾塗中。」莊子曰：「往矣！吾將曳尾於塗中。」（《莊子》〈秋水〉）

澤雉十步一啄，百步一飲，不蘄畜乎樊中。神雖王，不善也。（《莊子》〈養生主〉）

庖丁解牛

一名廚師為文惠君解牛。他手所接觸的地方，肩所倚靠的地方，腳所踩踏的地方，膝蓋所頂的地方，無不嘩嘩作響，刀插入時霍霍有聲，很符合音律的節拍，既與《桑林》之舞相合，又與《經首》之樂相協。文惠君連聲稱讚說：「啊，好極了！你解牛的技術怎麼會達到如此高超的程度呢？」廚師於是放下菜刀，回答說：「我喜愛探索事物的規律，這已經超過技術層面了。我開始宰牛的時候，眼裡只看到牛；三年以後，就看不見整頭的牛了。現在我是以心神接觸牛，不再用眼睛看它。感官停止而心神運動，按照牛自然的生理結構，劈開筋骨的間隙，順著骨節間的空隙遊走，依從牛體本來的構造用刀。就連經脈相連、骨肉相結的地方都沒有碰到，更何況大骨頭呢！好廚師每年換一把刀，因為他用刀割肉；一般的廚師每月換一把刀，因為他用刀砍骨頭。我這把刀已用了十九年，肢解的牛數以千計，但刀刃的鋒利就像剛從磨刀石上磨過一樣。牛的骨節有間隙，而刀刃很薄；用很薄的刀刃插入有空隙的骨節，自然寬綽有餘了。所以一把刀用了十九

年，刀刃還像新磨過的一樣。雖然如此，每當遇到筋骨交錯的部分，我還是會小心翼翼，目光專注，舉止緩慢，那種四兩撥千斤的感覺，只有眼見牛的肢體分裂開來，好似泥土散落在地才能體味。」文惠君說：「好啊！聽了你這番話，我懂得養生的道理了。」

【出處】

庖丁為文惠君解牛，手之所觸，肩之所倚，足之所履，膝之所踦，砉然響然，奏刀騞然，莫不中音，合於桑林之舞，乃中經首之會。文惠君曰：「嘻！善哉！技蓋至此乎？」庖丁釋刀對曰：「臣之所好者道也，進乎技矣。始臣之解牛之時，所見無非牛者；三年之後，未嘗見全牛也；方今之時，臣以神遇而不以目視，官知止而神欲行。依乎天理，批大郤，道大窾，因其固然。技經肯綮之未嘗，而況大軱乎！良庖歲更刀，割也；族庖月更刀，折也。今臣之刀十九年矣，所解數千牛矣，而刀刃若新發於硎。彼節者有間而刀刃者無厚，以無厚入有間，恢恢乎其於游刃必有餘地矣，是以十九年而刀刃若新發於硎。雖然，每至於族，吾見其難為，怵然為戒，視為止，行為遲，動刀甚微，謋然已解，如土委地。提刀而立，為之四顧，為之躊躇滿志，善刀而藏之。」文惠君曰：「善哉！吾聞庖丁之言，得養生焉。」（《莊子》〈養生主〉）

拊馬不時

有個愛馬的人，用精緻的竹筐去接馬糞，以珍貴的蛤殼去盛馬

尿，恰好碰到有蚊蟲叮咬，愛馬的人急著上前撲打，因出其不意，馬受到驚嚇，掙斷嚼口，毀壞絡轡，還差點給了主人一蹄子。這個故事告訴我們，無論愛人還是愛物，都不能過頭。

【出處】

夫愛馬者，以筐盛矢，以蜄盛溺。適有蚉虻仆緣，而拊之不時，則缺銜、毀首、碎胸。意有所至而愛有所亡，可不慎邪？（《莊子》〈人間世〉）

才全而德不形

魯哀公問孔子說：「衛國有個面貌醜陋的男人，名叫哀駘它。男人與他相處，會想念他不肯離去，女人見到他，寧願降低身分為妾的有十好幾個。他無權無勢，家庭不富裕，相貌醜陋，也沒有奇言詭智，凡接觸過他的人，無論男女卻都親近他。這樣的人一定有異於常人的地方吧。於是我把他召來，果然奇醜無比，與他相處不到一個月，我已很欣賞他的為人；不到一年，我就很信任他。正好國家沒有主政的大臣，我就把國事委託給他。他情緒沉悶，神情淡漠，似乎想推辭，最終還是答應了。然而沒過多久，他竟離我而去。我悵然若失，整天都沒有樂趣。他究竟是什麼樣的人呢？」孔子回答說：「我到楚國去的時候，正巧看見一群小豬在剛死的母豬身上吃奶，一會兒突然驚慌起來，然後離開母豬跑走了。因為小豬覺得母豬不再像從前的樣子。小豬愛母親，不是愛它的形體，而是愛那使形體活動的內在

力量。」哀駘它奇醜無比，他吸引人的魅力，正在於他強大的內心世界。

【出處】

魯哀公問於仲尼曰：「衛有惡人焉，曰哀駘它。丈夫與之處者，思而不能去也。婦人見之，請於父母曰『與為人妻，寧為夫子妾』者，十數而未止也。未嘗有聞其唱者也，常和而已矣。無君人之位以濟乎人之死，無聚祿以望人之腹。又以惡駭天下，和而不唱，知不出乎四域，且而雌雄合乎前，是必有異乎人者也。寡人召而觀之，果以惡駭天下。與寡人處，不至以月數，而寡人有意乎其為人也；不至乎期年，而寡人信之。國無宰，而寡人傳國焉。悶然而後應，氾而若辭。寡人醜乎，卒授之國。無幾何也，去寡人而行。寡人恤焉若有亡也，若無與樂是國也。是何人者也？」仲尼曰：「丘也，嘗使於楚矣，適見豚子食於其死母者，少焉眴若，皆棄之而走。不見己焉爾，不得其類焉爾。所愛其母者，非愛其形也，愛使其形者也。戰而死者，其人之葬也，不以翣資；刖者之屨，無為愛之。皆無其本矣。為天子之諸御，不爪翦，不穿耳；取妻者止於外，不得復使。形全猶足以為爾，而況全德之人乎！今哀駘它未言而信，無功而親，使人授己國，唯恐其不受也，是必才全而德不形者也。」（《莊子》〈德充符〉）

相濡以沫

泉水乾涸了，兩條魚被困在陸地上，於是相互吹氣來濕潤對方，

相互吐唾沫來延續彼此的生命。這種情景固然感人至深，但這樣的生存環境卻是非常危險的，大限隨時到來。因此，對魚兒來說，最理想的狀態並非以死亡來相互表達忠貞和友愛，而是重新游回到江湖中，誰都不認識誰。就像人類，讚譽唐堯和非議夏桀，不如忘記他們而融合於道。在這裡，讚美和仇恨都是不合時宜的，只有徜徉在大道的海洋裡，悠哉閒哉地快樂生活，才能忘記那些刻骨銘心的愛，那些令人肝裂腸斷的恨。

【出處】

泉涸，魚相與處於陸，相呴以濕，相濡以沫，不如相忘於江湖。與其譽堯而非桀也，不如兩忘而化其道。（《莊子》〈大宗師〉）

藏舟於壑

把船藏在山谷裡，把山藏在深水裡，可以說十分牢靠了，然而半夜裡卻有大力士把它們背走了，而昏昧的人還在睡夢之中不知道呢。將小東西藏在大地方是適宜的，但仍不免丟失。如果把天下託付給天下，也就談不上丟失了。莊子想說的是：天下的權柄如果僅僅是一隻可以藏於一人之家的大鼎，那它必然引誘人們你爭我奪，互相砍殺，即使保護得再好，也會丟失；但如果把天下的權柄託付給天下，由天下人共享，那麼它就無須隱藏，也就無所謂丟失，因而也就不會誘發竊國大盜了。

夫藏舟於壑，藏山於澤，謂之固矣！然而夜半有力者負之而走，昧者不知也。藏大小有宜，猶有所遁。若夫藏天下於天下而不得所遁，是恆物之大情也。（《莊子》〈大宗師〉）

臧谷亡羊

臧與谷兩個人結伴放羊，結果兩個人的羊都走失了，主人問臧當時在做什麼，回答說是手持書簡在讀書；問谷在做什麼，回答說在擲骰子玩遊戲。兩個人做的事不同，但丟失羊的結果是一樣的。莊子認為亡羊的結果一樣，追問過程是沒有意義的。這種只強調結果，卻不問過程是非的觀點，在今天來看是機械而不可取的。

【出處】

臧與谷，二人相與牧羊而俱亡其羊。問臧奚事，則挾策讀書；問谷奚事，則博塞以游。二人者，事業不同，其於亡羊均也。（《莊子》〈駢拇〉）

漢陰丈人

子貢南遊楚國返回晉國，經過漢水南岸的時候，看見一個老人正在菜園裡整地開畦，老人鑿了一條地道通到井邊，而後用水甕從井裡

汲水倒入地道，再到田邊取水灌溉。如此來來往往，非常吃力，效率也很低下。子貢對老人說：「現在有一種機械，每天可以澆灌上百個菜畦，用力很少而功效頗大，老先生你不想試試嗎？」老人抬頭望著子貢說：「怎樣做到呢？」子貢說：「用木料加工成機械，前輕尾重，提水就像從井中抽水似的，快得就像沸騰的水向外溢出一樣，這種機器叫作橘槔。」老頭聽了很生氣，譏笑子貢說：「小時候我聽老師講，使用機械的人，必定會做機巧之類的事，也會生機巧之心。有機巧之心的人，心靈就不純潔，心神就無法安定。這樣的人怎麼能體驗大道呢？我不是不懂得橘槔的效力，只不過是恥於使用而已。」

【出處】

子貢南游於楚，反於晉，過漢陰，見一丈人方將為圃畦，鑿隧而入井，抱甕而出灌，搰搰然用力甚多而見功寡。子貢曰：「有械於此，一日浸百畦，用力甚寡而見功多，夫子不欲乎？」為圃者仰而視之曰：「奈何？」曰：「鑿木為機，後重前輕，挈水若抽，數如泆湯，其名為槔。」為圃者忿然作色而笑曰：「吾聞之吾師，有機械者必有機事，有機事者必有機心。機心存於胸中，則純白不備；純白不備，則神生不定；神生不定者，道之所不載也。吾非不知，羞而不為也。」子貢瞞然慚，俯而不對。（《莊子》〈天地〉）

東施效顰

西施因為心痛而皺起眉頭。鄉里的醜女見她樣子很美，也學她捧

著心窩皺起眉頭。鄉里的富人見到醜人，緊閉門扉不肯出來；貧人見到醜人，帶著妻子兒女遠遠避開。醜女以為皺起眉頭很美，卻不知道皺起眉頭為什麼很美。

【出處】

故西施病心而顰其里，其里之醜人見之而美之，歸亦捧心而顰其里。其里之富人見之，堅閉門而不出；貧人見之，挈妻子而去之走。彼知顰美而不知顰之所以美。（《莊子》〈天運〉）

井底之蛙

公孫龍對魏牟說：「我從小就學習先王之道，長大後又明白了仁義之行。我能混合事物的異同，將物品的堅硬與白色分離，把不對的說成對的，可以的說成不可以的。自以為能言善辯，沒有對手。現在我聽到莊子的言論，怪異得讓我感到茫然。不知是我的思維跟不上他，還是知識面有差距，現在我張口都不知該說什麼，所以向你請教其中的道理。」魏牟靠著桌子長嘆一聲，仰天大笑說：「你有沒有聽過坎井之蛙的故事？說淺井裡有一隻青蛙，曾經對偶然路過的一隻東海大鱉吹噓說，住在這兒可真快活啊。傍晚可以跳到井欄上乘涼，夜裡可以鑽到井壁的窟窿裡睡覺，泡在水裡，讓水浸著兩腋，托住面頰，可以游泳；跳到泥裡，讓稀泥蓋沒腳背，埋住四足，可以打滾。那些小蟲子、螃蟹、蝌蚪什麼的，哪一個能比得上我呢！瞧，這一坑水，一口井，都屬我獨自享有，我隨心所欲，可以說是快樂到頂了，

難道你不想進來觀光嗎？海鱉感到盛情難卻，便爬向井口，可是左腿還沒能全部伸進去，右腿的膝蓋就被井欄卡住了。海鱉搖晃著退後幾步，問青蛙說：『你聽說過大海沒有？』青蛙搖擺頭。海鱉說：『大海水天茫茫，無邊無際。用千里的距離不能形容它的廣闊，以八千尺的長度不能探測它的深遠。夏禹的時候，十年九澇，海水沒有深多少；商湯的年代，八年七旱，海水也沒見淺多少。海是這樣的大，不隨時間的長短而改變，不因旱澇的變化而增減。這也是東海帶給我的快樂啊。』青蛙聽傻了，鼓著眼睛，神色茫然，半天合不攏嘴。」

【出處】

公孫龍問於魏牟曰：「龍少學先王之道，長而明仁義之行；合同異，離堅白；然不然，可不可；困百家之知，窮眾口之辯：吾自以為至達已。今吾聞莊子之言，茫然異之。不知論之不及與？知之弗若與？今吾無所開吾喙，敢問其方。」公子牟隱几大息，仰天而笑曰：「子獨不聞夫坎井之蛙乎？謂東海之鱉曰：『吾樂與！出跳梁乎井干之上，入休乎缺甃之崖。赴水則接腋持頤，蹶泥則沒足滅跗。還虷蟹與科斗，莫吾能若也。且夫擅一壑之水，而跨跱坎井之樂，此亦至矣。夫子奚不時來入觀乎？』東海之鱉左足未入，而右膝已縶矣。於是逡巡而卻，告之海曰：『夫千里之遠，不足以舉其大；千仞之高，不足以極其深。禹之時，十年九潦，而水弗為加益；湯之時，八年七旱，而崖不為加損。夫不為頃久推移，不以多少進退者，此亦東海之大樂也。』於是坎井之蛙聞之，適適然驚，規規然自失也。且夫知不知是非之竟，而猶欲觀於莊子之言，是猶使蚊負山，商蚷馳河也，必不勝任矣。且夫知不知論極妙之言，而自適一時之利者，是非埳井之

蛙與？且彼方跐黃泉而登大皇，無南無北，奭然四解，淪於不測；無東無西，始於玄冥，反於大通。子乃規規然而求之以察，索之以辯，是直用管窺天，用錐指地也，不亦小乎？子往矣！且子獨不聞夫壽陵餘子之學行於邯鄲與？未得國能，又失其故行矣，直匍匐而歸耳。今子不去，將忘子之故，失子之業。」公孫龍口呿而不合，舌舉而不下，乃逸而走。（《莊子》〈秋水〉）

濠上之辯

　　莊子和惠子在濠水的橋上遊覽。莊子說：「鰷魚在河水中游得多麼悠閒自得，這是魚的快樂啊。」惠子說：「你又不是魚，怎麼知道魚兒快樂呢？」莊子說：「你又不是我，怎麼知道我不知道魚兒快樂呢？」惠子說：「我不是你，當然不知道你的想法；而你也不是魚，所以你也不知道魚的快樂，就是這樣。」莊子說：「請回到最初的話題，你問我怎麼知道魚兒快樂，說明你已經知道我知道魚兒快樂才來問我，那我告訴你，我是在濠水的橋上知道的。」

【出處】

　　莊子與惠子游於濠梁之上。莊子曰：「鰷魚出游從容，是魚之樂也。」惠子曰：「子非魚，安知魚之樂？」莊子曰：「子非我，安知我不知魚之樂？」惠子曰：「我非子，固不知子矣；子固非魚也，子之不知魚之樂，全矣！」莊子曰：「請循其本。子曰『汝安知魚樂』云者，既已知吾知之而問我，我知之濠上也。」（《莊子》〈秋水〉）

望洋興嘆

　　秋天的雨水隨季節來臨，千百條溪流匯入黃河。河面寬闊，兩岸和沙洲之間遠遠望去，連牛馬都不能分辨。於是黃河之神河伯欣然自喜，以為天下美景盡在此地。河神順著水流向東而行，到達北海，向東望去，只見一片汪洋，根本看不見大海的盡頭。河伯這才改變先前洋洋得意的面孔，面向北海之神感嘆說：「俗語說：『懂得上百條道理之後，便認為天下再沒有誰能超過自己』，指的就是像我這種人了。從前我聽人議論孔丘的見識不廣、伯夷的高義分量不夠，還不敢相信；如今目睹了你的浩渺無際，要不是身臨其境就糟了，肯定會讓有見識的人笑話。」

【出處】

　　秋水時至，百川灌河。涇流之大，兩涘渚崖之間，不辯牛馬。於是焉河伯欣然自喜，以天下之美為盡在己。順流而東行，至於北海，東面而視，不見水端。於是焉河伯始旋其面目，望洋向若而嘆曰：「野語有之曰『聞道百，以為莫己若』者，我之謂也。且夫我嘗聞少仲尼之聞而輕伯夷之義者，始吾弗信。今我睹子之難窮也，吾非至於子之門則殆矣，吾長見笑於大方之家。」（《莊子》〈秋水〉）

邯鄲學步

　　燕國壽陵有個少年到趙國的都城邯鄲學習走路的姿態，不但沒學

到趙國人的走法，連他自己原來的步法也忘了，最後只得爬著回家。現在講邯鄲學步，是批評人盲目模仿而不能領會內在的實質，反而失去原有的特色本領。

【出處】

且子獨不聞夫壽陵餘子之行學於邯鄲與？未得國能，又失其故行矣，直匍匐而歸耳。（《莊子》〈秋水〉）

惠子相梁

惠子在梁國做宰相，莊子去看望他。有人對惠子說：「莊子來梁國，是想取代你做宰相啊。」惠子非常恐慌，在都城內搜捕莊子，找了三天三夜。莊子弄明白怎麼回事後，對惠子說：「南方有一種鳥，名叫鵷鶵，你聽說過嗎？它從南海出發飛到北海，不是梧桐樹不歇，不是竹子的果實不吃，不是甘泉不喝。一隻鴟鷹拾到一隻腐鼠，恰好鵷鶵從空中飛過，鴟鷹緊緊按住腐鼠，抬頭對鵷鶵怒吼說：『嚇！』如今你也想用你的梁國來恐嚇我嗎？」

【出處】

惠子相梁，莊子往見之。或謂惠子曰：「莊子來，欲代子相。」於是惠子恐，搜於國中三日三夜。莊子往見之，曰：「南方有鳥，其名為鵷鶵，子知之乎？夫鵷鶵發於南海而飛於北海，非梧桐不止，非練實不食，非醴泉不飲。於是鴟得腐鼠，鵷鶵過之，仰而視之曰：『嚇！』今子欲以子之梁國而嚇我邪？」（《莊子》〈秋水〉）

對話髑髏

　　莊子到楚國去，在路邊看見一個髑髏。莊子用馬鞭敲了敲問道：「先生是貪生背理而死呢？還是因遭遇戰禍被刀斧所傷而死？或者是做了不善的事，怕玷污父母、妻子兒女含羞而死？又或者因為饑寒凍餓而死？再或者是享盡天年而死呢？」莊子拾取髑髏當枕頭。睡到半夜的時候，髑髏出現在莊子夢中說：「聽你所說的話，彷彿是個辯士。你所說的那些話，全屬於活人的拘累，人死之後一了百了，哪裡還有這些憂患。你想聽聽死人的情況嗎？」莊子說：「好。」髑髏說：「人死之後，上無君主，下無臣子，沒有四季的操勞，從容自在，順應天地自然過日子，即便南面稱王，也比不上這種快樂。」莊子不相信，說：「我請主管生命的神來恢復你的形體，還給你骨肉肌膚，把你送回你父母、妻子兒女、鄰居朋友那裡去，你願意嗎？」髑髏皺眉蹙額，連連搖頭說：「我怎麼能拋棄國王一樣的快樂，重回人間再嘗勞苦呢？」

【出處】

　　莊子之楚，見空髑髏，髐然有形，撽以馬捶，因而問之曰：「夫子貪生失理，而為此乎？將子有亡國之事，斧鉞之誅，而為此乎？將子有不善之行，愧遺父母妻子之醜，而為此乎？將子有凍餒之患，而為此乎？將子之春秋故及此乎？」於是語卒，援髑髏，枕而臥。夜半，髑髏見夢曰：「子之談者似辯士。視子所言，皆生人之累也，死則無此矣。子欲聞死之說乎？」莊子曰：「然。」髑髏曰：「死，無君於上，無臣於下，亦無四時之事，從然以天地為春秋，雖南面王

樂，不能過也。」莊子不信，曰：「吾使司命復生子形，為子骨肉肌膚，反子父母、妻子、閭里、知識，子欲之乎？」髑髏深矉蹙頞曰：「吾安能棄南面王樂而復為人間之勞乎？」（《莊子》〈至樂〉）

鼓盆而歌

　　莊子的妻子死了，惠子前往弔唁，見莊子岔開兩腿，像個簸箕似的坐在地上，敲著瓦盆仰臉而歌。惠子很生氣，指責莊子說：「尊夫人跟你生活了一輩子，為你生兒育女，操持家務。現在她不幸去世，你不難過流淚倒也罷了，竟然還要敲著瓦盆唱歌！你不覺得這樣做太過分了嗎！」惠子是莊子的老朋友，聽了他的話，莊子很平靜地說：「惠兄，不是那麼回事。妻子剛去世的時候，我何嘗不悲傷流淚。但仔細想來，妻子最初是沒有生命的；不僅沒有生命，也沒有形體；不僅沒有形體，也沒有氣息。後來，在恍惚之間經變化而有了氣息，又經變化而生出形體，再變化出生命。如今由生變死，這不就跟一年四季春夏秋冬變換一樣嗎？現在她靜靜地安息在天地之間，而我卻在這兒號啕大哭，這不是太不通達了嗎？所以才停止了哭泣。」

【出處】

　　莊子妻死，惠子弔之，莊子則方箕踞鼓盆而歌。惠子曰：「與人居，長子、老、身死，不哭亦足矣，又鼓盆而歌，不亦甚乎！」莊子曰：「不然。是其始死也，我獨何能無概然！察其始而本無生，非徒無生也，而本無形；非徒無形也，而本無氣。雜乎芒芴之間，變而有

氣，氣變而有形，形變而有生，今又變而之死，是相與為春秋冬夏四
時行也。人且偃然寢於巨室，而我噭噭然隨而哭之，自以為不通乎
命，故止也。」（《莊子》〈至樂〉）

魯侯養鳥

　　從前有一隻海鳥，停留在魯國國都的郊外，魯侯把它迎進太廟，
給予好酒款待，為它演奏《九韶》想使它高興，又宰殺牛、羊、豬作
為食物。海鳥卻目光眩迷，眼含憂悲，不肯吃一塊肉，不肯喝一口
酒，結果三天後就死了。魯侯這是用自己的生活方式養鳥，而不是用
養鳥的方式養鳥。應該讓它在森林裡棲身，在沙洲上行走，在江湖上
隨群鳥而飛，自己去啄食魚蝦泥鰍。魚在水下能活，人在水下就會憋
死。魚、鳥與人的本性不同，好惡自然也不相同。所以古代聖人從來
不要求人們具備同等的能力，從事同樣的工作，只要名實相符，從不
勉為其難。莊子推崇道家學說，崇尚一切順其自然，以適性為要。

【出處】

　　昔者海鳥止於魯郊，魯侯御而觴之於廟，奏九韶以為樂，具太牢
以為膳。鳥乃眩視憂悲，不敢食一臠，不敢飲一杯，三日而死。此以
己養養鳥也，非以鳥養養鳥也。夫以鳥養養鳥者，宜棲之深林，游之
壇陸，浮之江湖，食之鰍鰷，隨行列而止，委蛇而處。彼唯人言之惡
聞，奚以夫譊譊為乎！咸池九韶之樂，張之洞庭之野，鳥聞之而飛，
獸聞之而走，魚聞之而下入，人卒聞之，相與還而觀之。魚處水而

生，人處水而死。彼必相與異，其好惡故異也。故先聖不一其能，不同其事。名止於實，義設於適，是之謂條達而福持。(《莊子》〈至樂〉)

操舟若神

顏淵問孔子說：「我曾經在名叫觴深的渡口乘船，擺渡者駕船的技巧非常神妙。我問他說，撐船可以學習嗎？擺渡人說可以，善於游泳的人很快就能學會。如果是能潛水的人，即便從前沒碰過船，也能熟練地駕駛。我再問的時候，他就不再搭理我。他的話是什麼意思呢？」孔子的回答很絕妙：「人一旦患得患失，為外在的利害關係所束縛，那他幹任何事情都會縮手縮腳、瞻前顧後，也將一事無成。」

【出處】

顏淵問仲尼曰：「吾嘗濟乎觴深之淵，津人操舟若神。吾問焉，曰：『操舟可學邪？』曰：『可。善游者數能。若乃夫沒人，則未嘗見舟而便操之也。』吾問焉而不吾告，敢問何謂也？」仲尼曰：「善游者數能，忘水也；若乃夫沒人之未嘗見舟而便操之也，彼視淵若陵，視舟若覆，猶其車卻也。覆卻萬方陳乎前而不得入其舍，惡往而不暇！以瓦注者巧，以鉤注者憚，以黃金注者殙。其巧一也，而有所矜，則重外也。凡外重者內拙。」(《莊子》〈達生〉)

呆若木雞

紀渻子替大王訓練鬥雞，十天之後，大王來問他說：「雞可以上場了嗎？」紀渻子說：「還不行，它現在只是姿態虛驕，全靠意氣。」過了十天，大王又來問，紀渻子說：「還不行，它對外來的聲音及影像還會有所呼應。」再過十天，大王又來，紀渻子說：「還不行，它現在仍然目光犀利，盛氣不減。」再過十天，大王再來問，紀渻子說：「差不多了。別的雞雖然鳴叫，它已經不為所動。看起來像一隻木頭雞，精神全部收斂，別的雞沒有敢來應戰的，看見它就轉身跑走了。」由虛驕而盛氣的雞轉變成漠然不動的木雞，這是精神凝聚、內心充實的表現。

【出處】

紀渻子為王養鬥雞。十日而問：「雞已乎？」曰：「未也。方虛驕而恃氣。」十日又問。曰：「未也。猶應向景。」十日又問。曰：「未也。猶疾視而盛氣。」十日又問。曰：「幾矣。雞雖有鳴者，已無變矣，望之似木雞矣，其德全矣。異雞無敢應者，反走矣。」（《莊子》〈達生〉）

痀僂承蜩

孔子到楚國去，經過一片樹林，看見一位駝背老人在黏蟬，就像撿東西一樣容易。孔子問：「您是有技巧呢？還是有道術？」那人答

道：「我有道術。經過五六個月的訓練，我把兩個泥丸摞在竹竿頭上而不會掉下來，黏蟬失手的次數就很少了；摞三個而不會掉下來，黏蟬失手的次數隻有十分之一；摞五個而不會掉下來，黏蟬就像撿東西一樣了。我站在地上，像殘斷的樹樁；我伸出手臂，像枯槁的樹枝。雖然天地很大，萬物很多，而我只知道蟬的翅膀。我心無二念，不因外物而改變對蟬翼的注意力，為什麼會黏不到呢？」孔子回頭對弟子說：「心志專一而不分散，就會達到神妙境界。說的就是這位駝背老人吧！」老人說：「你這個穿長袍大褂的儒者，怎麼想起來問這件事呢？好好研究你的仁義之道，然後把這些事記載下來吧。」

【出處】

仲尼適楚，出於林中，見痀僂者承蜩，猶掇之也。仲尼曰：「子巧乎？有道邪？」曰：「我有道也。五六月累丸二而不墜，則失者錙銖；累三而不墜，則失者十一；累五而不墜，猶掇之也。吾處身也，若蹶株拘；吾執臂也，若槁木之枝。雖天地之大，萬物之多，而唯蜩翼之知。吾不反不側，不以萬物易蜩之翼，何為而不得！」孔子顧謂弟子曰：「用志不分，乃凝於神。其痀僂丈人之謂乎！」（《莊子》〈達生〉）

梓慶為鐻

梓慶刻木製鐻（古代的一種樂器），鐻做成了，看到的人驚為鬼斧神工。魯侯問他說：「你用什麼法子製成這麼精緻的鐻呢？」梓慶

回答說：「我是個做工的人，哪有什麼祕訣。雖然如此，我還是有一些與眾不同的地方。我在準備做鐻時，從來不敢隨意損耗氣力，一定要靠齋戒來平靜養心。齋戒三天，不再存想賞賜利祿；齋戒五天，不再心懷毀譽巧拙；齋戒七天，能達到物我兩忘的地步，不再想到為朝廷做事，摒棄所有外界的滋擾，只專注於技巧。然後我再深入山林，觀察各種木料的質地，選擇形態最與鐻相合的材料，彷彿現成的鐻就在眼前似的，然後才開始動手製作。條件不具備的時候，我寧可停止工作。我追求鐻的形態與材質的天然合一，人們以為是鬼斧神工，奧妙可能就在這裡。」

【出處】

梓慶削木為鐻，鐻成，見者驚猶鬼神。魯侯見而問焉，曰：「子何術以為焉？」對曰：「臣工人，何術之有！雖然，有一焉。臣將為鐻，未嘗敢以耗氣也，必齊[73]以靜心。齊三日，而不敢懷慶賞爵祿；齊五日，不敢懷非譽巧拙；齊七日，輒然忘吾有四枝形體也。當是時也，無公朝，其巧專而外骨消；然後入山林，觀天性；形軀至矣，然後成見鐻，然後加手焉，不然則已。則以天合天，器之所以疑神者，其是與！」（《莊子》〈達生〉）

林回棄璧

魯莊公十六年，賈國被晉國滅亡，老百姓紛紛逃亡。有一個叫林

---

73. 齊，當為「齋」字，下同。

梓慶為鐻

回的賢士，丟棄價值千金的玉璧，背負初生的嬰兒逃命。同路逃命的百姓都說林回太愚蠢。要說值錢吧，兵荒馬亂的時候，嬰兒一錢不值；要說拖累吧，背個嬰兒拚命跑，還要撫養他，夠拖累的了。丟了千金玉璧，背著嬰兒逃命，到底圖啥？林回說：「利益叫我要玉璧，天性叫我要嬰兒。」林回捨棄了利益，選擇了天性，所以拋掉玉璧，背負嬰兒。因為利益而結合的，生死關頭，都會互相遺棄；出自天性而結合的，生死關頭，都會互相保護。互相遺棄，互相保護，兩者之間豈可同日而語！君子交情淡淡若清水，小人交情甜甜若米酒。君子交情雖淡薄卻長久親切，小人交情雖甜卻易斷絕。

【出處】

林回棄千金之璧，負赤子而趨。或曰：「為其布與？赤子之布寡矣。為其累與？赤子之累多矣。棄千金之璧，負赤子而趨，何也？」林回曰：「彼以利合，此以天屬也。」夫以利合者，迫窮禍患害相棄也；以天屬者，迫窮禍患害相收也。夫相收之與相棄亦遠矣。且君子之交淡若水，小人之交甘若醴。君子淡以親，小人甘以絕。彼無故以合者，則無故以離。（《莊子》〈山木〉）

每下愈況

東郭子向莊子請教道之所在，莊子說：「大道無所不在。」東郭子說：「必定得指出個具體存在的地方吧？」於是莊子說：「在螻蟻之中。」東郭子吃驚地說：「怎麼會處在如此低下卑微的地方呢？」莊子又說：「在稻田的稗草裡。」東郭子說：「怎麼越發低下了呢？」

莊子說：「在瓦塊磚頭中。」東郭子愕然說：「怎麼越來越低下呢？」莊子又來一句：「在大小便裡。」東郭子再也不敢吭聲，不知他接下來還會說什麼。莊子想表達的意思是：大道無所不在，沒必要在具體的附著物上尋找道。

【出處】

東郭子問於莊子曰：「所謂道，惡乎在？」莊子曰：「無所不在。」東郭子曰：「期而後可。」莊子曰：「在螻蟻。」曰：「何其下邪？」曰：「在稊稗。」曰：「何其愈下邪？」曰：「在瓦甓。」曰：「何其愈甚邪？」曰：「在屎溺。」東郭子不應。莊子曰：「夫子之問也，固不及質。正獲之問於監市履狶也，每下愈況。汝唯莫必，無乎逃物。至道若是，大言亦然。（《莊子》〈知北遊〉）

搏矢喪生

吳王泛舟於長江，登上一座猴山。群猴看見人來，驚慌地四散逃跑，躲進荊棘深處。只有一隻猴子，搔首弄姿，在吳王面前顯示靈巧的身手。吳王用箭射它，它敏捷地接住箭。吳王命令隨從一起發箭，猴子抵不住箭如雨下，中箭而死。吳王回頭對友人顏不疑說：「這隻猴子自恃靈巧，仗著身手敏捷藐視我，以致於落得可悲的下場。不要以色驕人，恃巧而動，要牢記這隻猴子的教訓啊。」顏不疑深有同感，回去後便拜董梧為師，改過以往的驕態，摒棄淫樂，辭退顯榮，注意時刻保持謙恭的姿態。三年之後，國人都交口稱讚他。

　　吳王浮於江，登乎狙之山。眾狙見之，恂然棄而走，逃於深蓁。有一狙焉，委蛇攫搔，見巧乎王。王射之，敏給搏捷矢。王命相者趨射之，狙執死。王顧謂其友顏不疑曰：「之狙也，伐其巧、恃其便以敖予，以至此殛也。戒之哉！嗟乎！無以汝色驕人哉？」顏不疑歸而師董梧，以鋤其色，去樂辭顯，三年而國人稱之。（《莊子》〈徐無鬼〉）

運斤成風

　　莊子送葬的時候，經過惠子的墳墓，回頭對跟隨他的人說：「楚國郢地有個人把白土抹在鼻尖上，薄得像蒼蠅的翅膀，然後令石匠把鼻子上的白土削去。石匠掄起斧子，旋轉生風，聞聲而削，堪堪將鼻尖上的白土削去，鼻子卻毫毛無損。站在石匠面前的郢人也面不改色。宋元君聽說這件事後，就召來石匠說：『請你給寡人表演一遍。』石匠說：『我仍然可以用斧子削去白土。不過，我的對手已死去很久了。』自從惠子去世後，我再也沒有對手，再也沒有可以交流的人了。」

【出處】

　　莊子送葬，過惠子之墓，顧謂從者曰：「郢人堊慢其鼻端，若蠅翼，使匠石斲之。匠石運斤成風，聽而斲之，盡堊而鼻不傷，郢人立不失容。宋元君聞之，召匠石曰：『嘗試為寡人為之。』匠石曰：『臣

則嘗能斵之。雖然，臣之質死久矣！」自夫子之死也，吾無以為質矣，吾無與言之矣！」（《莊子》〈徐無鬼〉）

盜竊之行

柏矩拜老聃為師。一次，柏矩對老聃說：「請老師讓我出外走走，開闊開闊視野吧。」老聃說：「算了吧，天下和這裡一樣。」柏矩再次請求，老聃只好答應。柏矩到了齊國，正好碰上一個被判處死刑拋屍示眾的人。於是上前把死者的屍體擺正，解下自己身上的官服蓋住屍體，而後仰天號啕大哭著說：「先生呀！先生呀！天下有大患，你卻先遭難了。當官的常說，不要做強盜，不要殺人。他們樹立人世間的榮辱標竿，卻聚集讓人紛爭搶奪的財貨，使窮人為生計疲於奔命。到了這種狀態，要想免招殺身之禍怎麼可能呢？古時候的聖君統治百姓，總是把成就歸功於百姓，把過失歸咎於自己。一旦用刑不當，錯判入罪，就會退而自責。現在則完全相反，當官的隱瞞事實真相愚弄百姓，把做事的難度加大而責怪有畏難情緒的人，把任務加重而懲罰不能勝任的人，把路程定得很遠而誅殺那些難以到達的人；民眾知道竭盡全力也難以做到，就必然以投機取巧、耍弄欺騙來應付。當官的經常表現虛偽，百姓怎能不虛偽呢？人力不足便做假，智慧不足便欺騙，財用不足便盜竊。盜竊風行，要責備誰才是呢？」

【出處】

柏矩學於老聃，曰：「請之天下游。」老聃曰：「已矣！天下猶

是也。」又請之，老聃曰：「汝將何始？」曰：「始於齊。」至齊，見
辜人焉，推而強之，解朝服而幕之，號天而哭之，曰：「子乎子乎！
天下有大災，子獨先離之。曰：『莫為盜！莫為殺人！』榮辱立，然
後睹所病；貨財聚，然後睹所爭。今立人之所病，聚人之所爭，窮困
人之身，使無休時，欲無至此，得乎？古之君人者，以得為在民，以
失為在己；以正為在民，以枉為在己。故一形有失其形者，退而自
責。今則不然。匿為物而愚不識，大為難而罪不敢，重為任而罰不
勝，遠其塗而誅不至。民知力竭，則以偽繼之。日出多偽，士民安取
不偽？夫力不足則偽，知不足則欺，財不足則盜。盜竊之行，於誰責
而可乎？」（《莊子》〈則陽〉）

涸轍之鮒

　　莊子家境貧寒，向監河侯去借糧。監河侯說：「行啊，我很快就
要收取封邑之地的稅金，到那時我借給你三百金可以嗎？」莊子聽
了很生氣，說：「我昨天來的時候，半路上聽到有叫喊的聲音，我環
顧左右，才發現路上車輪碾過的坑窪裡，有一條鯽魚在那兒掙扎。
我問它叫喊什麼，鯽魚回答說：『我是東海裡的水官，你能弄一升半
桶的水救活我嗎？』我對它說：『行啊，我正準備到南方去遊說吳越
之王，我一定引西江之水來營救你好嗎？』鯽魚憤怒地說：『我失去
水，生命危在旦夕，眼下只需一升半斗的水就能活下來，而你竟說出
這種風涼話，還不如早點到乾魚店裡找我！』」

莊周家貧，故往貸粟於監河侯。監河侯曰：「諾。我將得邑金，將貸子三百金，可乎？」莊周忿然作色曰：「周昨來，有中道而呼者。周顧視車轍中，有鮒魚焉。周問之曰：『鮒魚來！子何為者邪？』對曰：『我，東海之波臣也。君豈有斗升之水而活我哉！』周曰：『諾。我且南游吳越之王，激西江之水而迎子，可乎？』鮒魚忿然作色曰：『吾失我常與，我無所處。我得斗升之水然活耳，君乃言此，曾不如早索我於枯魚之肆。』」（《莊子》〈外物〉）

以詩禮發冢

儒生引用儒學經典來盜掘墳墓。大儒在上面向下傳話說：「太陽快升起來了，事情進展如何？」小儒在下面回答：「下裙和短襖還沒解開，口中含著珠子呢。」大儒又說：「古詩中說：『青青的麥苗，生長在山坡上，生前不願意賙濟施捨，死後憑什麼還含著珠子？』你只管揪住他的鬢髮，按著他的鬍鬚，用鐵錐敲開他的下巴，慢慢分開他的兩頰，千萬不要損壞口中的珠子啊。」

【出處】

儒以詩禮發冢。大儒臚傳曰：「東方作矣，事之何若？」小儒曰：「未解裙襦，口中有珠。」「詩固有之曰：『青青之麥，生於陵陂。生不布施，死何含珠為？』接其鬢，壓其顬，儒以金椎控其頤，徐別其頰，無傷口中珠。」（《莊子》〈外物〉）

神有所不及

　　宋元君半夜做夢，夢見有人披頭散髮在側門外窺視，說：「我從宰路的深淵出來，作為清江使者出使河伯，不幸被漁夫余且捉住了。」元君醒來後請人占夢，回答說這是一隻神龜。元君問左右說：「附近的漁民中有名叫余且的嗎？」回答說有。宋元君令人帶余且來見，問他說：「你打魚捕撈到了什麼？」余且回答說：「網到一隻周圓五尺的白龜。」宋元君讓他獻上白龜。白龜送到，又請人占卜吉凶，得到的答案是：殺掉白龜用以占卜，一定大吉。於是殺死白龜，用龜板占卜，屢試不爽。孔子得知此事後評價說：「神龜能託夢給宋元君，卻不能避開余且的漁網；其才智用以占卜，數十次也沒有失誤，卻不能逃脫剖腹挖腸的禍患。如此說來，才智也有困窘的時候，神靈也有考慮不到的地方。即使存在最高超的智慧，卻有萬人去謀算他。

【出處】

　　宋元君夜半而夢人被髮窺阿門，曰：「予自宰路之淵，予為清江使河伯之所，漁者余且得予。」元君覺，使人占之，曰：「此神龜也。」君曰：「漁者有余且乎？」左右曰：「有。」君曰：「令余且會朝。」明日，余且朝。君曰：「漁何得？」對曰：「且之網得白龜焉，其圓五尺。」君曰：「獻若之龜。」龜至，君再欲殺之，再欲活之，心疑，卜之，曰：「殺龜以卜，吉。」乃刳龜，七十二鑽而無遺筴。仲尼曰：「神龜能見夢於元君，而不能避余且之網；知能七十二鑽而

無遺筴，不能避刳腸之患。如是，則知有所困，神有所不及也。雖有至知，萬人謀之。魚不畏網而畏鵜鶘。去小知而大知明，去善而自善矣。嬰兒生無石師而能言，與能言者處也。」（《莊子》〈外物〉）

舐痔得車

宋國有個名叫曹商的人，為宋王出使秦國。前往秦國的時候，宋王給了他好幾輛車子。秦王高興，又加賜車輛一百乘。曹商回國見到莊子，頗為得意地說：「身居窮街陋巷，貧困到織鞋為業，餓得面黃肌瘦，那是我困頓的時候；一旦見到萬乘之主，就得到上百輛車子的獎賞，這就是我的過人之處。」莊子說：「聽說秦王有病召請醫生，能夠使膿瘡潰散的，可獲得一輛車；舐治痔瘡的，可得到五輛車；所治療的部位越卑下，獲得的車輛就越多。難道你給秦王舐過痔瘡嗎？怎麼獲得的車輛如此之多呢？你走開吧！」

【出處】

宋人有曹商者，為宋王使秦。其往也，得車數乘。王說之，益車百乘。反於宋，見莊子，曰：「夫處窮閭厄巷，困窘織屨，槁項黃馘者，商之所短也；一悟萬乘之主而從車百乘者，商之所長也。」莊子曰：「秦王有病召醫，破癰潰痤者得車一乘，舐痔者得車五乘，所治癒下，得車愈多。子豈治其痔邪？何得車之多也？子行矣！」（《莊子》〈列禦寇〉）

涓蜀梁疑鬼

夏水上游的南面有一個叫涓蜀梁的人，生性愚蠢又膽小。在月光明亮的夜晚行走，低頭看見自己的身影，以為是趴在地上的鬼；抬頭看見自己頭髮的影子，以為是站著的妖怪。於是轉身就跑，等跑到家中，就斷氣死了，真是悲哀。楚國有崇鬼尚巫的傳統，人們對鬼神常懷敬畏之心很正常，但把自己的身影當成鬼，以致於把自己嚇死，除了涓蜀梁，恐怕再也找不到第二個了。

【出處】

夏首之南有人焉，曰涓蜀梁。其為人也，愚而善畏。明月而宵行，俯見其影，以為伏鬼也；仰視其髮，以為立魅也。背而走，比至其家，失氣而死。豈不哀哉！凡人之有鬼也，必以其感忽之間，疑玄之時正之。此人之所以無有而有無之時也，而己以正事。故傷於濕而擊鼓鼓痺，則必有敝鼓喪豚之費矣，而未有俞疾之福也。故雖不在夏首之南，則無以異矣。（《荀子》〈解蔽〉）

勞心者治人

楚人許行創立了農家學派，有門徒數十人，都穿粗布衣服，以打草鞋、編蓆子為生。他主張君民並耕，市價不二。滕文公元年，許行率門徒自楚國抵達滕國，開始他的農學實驗。滕文公根據許行的要求，劃給他一片耕地，大儒家陳良的門徒陳相和弟弟陳幸等仰慕他的

學說，從宋國趕到滕國，拜許行為師。同年孟軻遊學滕國，遇到陳相。陳相向孟子轉述許行的觀點說：「滕文公的確是賢德的君主，但他還沒真正認識聖人之道啊。賢君應該和百姓一起勞動，親自下廚，同時治理天下。現在滕國國庫裡儲存有糧食財帛，這就是損害百姓來奉養自己，哪裡算得上聖賢呢？」孟子問陳相說：「請問許先生一定要自己種糧吃嗎？」陳相回答說：「是的。」孟子又問：「許先生一定自己織布做衣穿嗎？」陳相說：「先生穿未經紡織的粗麻布衣。」問：「那他戴帽子嗎？」答說：「戴。」「什麼帽子？」「生絹做的帽子。」「他自己織的嗎？」「是用糧食交換的。」「許先生怎麼不自己織呢？」回答說：「那樣會妨礙耕種。」又問：「許先生用鐵鍋做飯，用鐵器耕地，也是自己製作的嗎？」答說：「不是，也是用糧食交換來的。」於是孟子開始反駁說：「既然用糧食換鐵器不算損害陶工鐵匠，那陶工鐵匠用農具換糧食，就算損害農夫嗎？許先生既然主張事事親力而為，那又為什麼要忙忙碌碌拿種的糧食與各種工匠做買賣呢？」陳相說：「專心耕種，就不可能兼做各種工匠的事了。」孟子說：「連許先生都不可能兼做耕種以外的活，那治理天下的人又怎能兼種土地呢？」於是孟子得出「勞心者治人，勞力者治於人；治於人者食人，治人者食於人」的結論。陳相又表達了許行的另一個重要觀點：「如果按照許先生的思想，就能做到市價不二，老少無欺。」孟子又反駁說：「物品的價格有差異，這是由物品的本性決定的，硬要它們平價等同，市場就會陷於混亂，根本無法交易。製作粗糙的鞋子和製作精細的鞋子如果賣同樣的價錢，還會有人去製作精細的鞋子嗎？按照許先生的思想，無異於帶領大家去弄虛作假，哪裡還能治理好國家！」

【出處】

　　有為神農之言者許行，自楚之滕，踵門而告文公曰：「遠方之人聞君行仁政，願受一廛而為氓。」文公與之處。其徒數十人，皆衣褐，捆屨，織席以為食。陳良之徒陳相與其弟辛，負耒耜而自宋之滕，曰：「聞君行聖人之政，是亦聖人也，願為聖人氓。」陳相見許行而大悅，盡棄其學而學焉。陳相見孟子，道許行之言曰：「滕君，則誠賢君也；雖然，未聞道也。賢者與民並耕而食，饔飧而治。今也滕有倉廩府庫，則是厲民而以自養也，惡得賢？」孟子曰：「許子必種粟而後食乎？」曰：「然。」「許子必織布而後衣乎？」曰：「否。許子衣褐。」「許子冠乎？」曰：「冠。」曰：「奚冠？」曰：「冠素。」曰：「自織之與？」曰：「否。以粟易之。」曰：「許子奚為不自織？」曰：「害於耕。」曰：「許子以釜甑爨，以鐵耕乎？」曰：「然。」「自為之與？」曰：「否。以粟易之。」「以粟易械器者，不為厲陶冶；陶冶亦以其械器易粟者，豈為厲農夫哉？且許子何不為陶冶，舍皆取諸其宮中而用之？何為紛紛然與百工交易？何許子之不憚煩？」曰：「百工之事，固不可耕且為也。」「然則治天下獨可耕且為與？有大人之事，有小人之事。且一人之身，而百工之所為備。如必自為而後用之，是率天下而路也。故曰：或勞心，或勞力；勞心者治人，勞力者治於人；治於人者食人，治人者食於人。天下之通義也。」……「從許子之道，則市賈不貳，國中無偽。雖使五尺之童適市，莫之或欺。布帛長短同，則賈相若；麻縷絲絮輕重同，則賈相若；五穀多寡同，則賈相若；屨大小同，則賈相若。」曰：「夫物之不齊，物之情也；或相倍蓰，或相什百，或相千萬。子比而同之，是亂天下也。巨

屨小屨同賈，人豈為之哉？從許子之道，相率而為偽者也，惡能治國家？」（《孟子》〈滕文公上〉）

於王何傷

　　楚王深恨張儀，想讓魏國驅逐張儀，不讓他擔任相國。陳軫說：「大王為什麼要魏國驅逐張儀呢？」楚王說：「張儀作為臣子不忠不信。」陳軫說：「張儀不忠，大王不用他做臣子；不信，大王不與他簽訂盟約。況且魏國的臣子不忠不信，對大王您有什麼損失呢？忠誠而講信用，對大王您又有什麼好處呢？魏國如果聽從大王的意見也就罷了，如果不聽，大王豈非很尷尬？況且，要使萬乘之國罷相，也只有兵臨城下才能做到啊。」敵國有賢臣令人擔憂，敵國有佞臣令人高興，可惜楚懷王並不明白其中的深意。

【出處】

　　楚王逐張儀於魏。陳軫曰：「王何逐張子？」曰：「為臣不忠不信。」曰：「不忠，王無以為臣；不信，王勿與為約。且魏臣不忠不信，於王何傷？忠且信，於王何益？逐而聽則可，若不聽，是王令困也。且使萬乘之國免其相，是城下之事也。」（《戰國策》〈楚策三〉）

畫蛇添足

　　陳軫先後在齊、秦、楚等國擔任要職，在楚國期間，為楚王出過

不少好主意，也算半個楚人。楚懷王六年，楚國大將昭陽率楚軍攻打魏國，擊殺魏將，大破魏軍，攻佔了魏國的八座城池，接著又移師攻打齊國。陳軫以齊王使者的身分去見昭陽，恭賀勝利之後，問昭陽說：「按照楚國的制度，以將軍此次討伐魏國的功勞，能榮升什麼樣的官爵呢？」昭陽回答說：「官至上柱國，爵為上執珪。」陳軫又問：「比這更尊貴的是什麼？」昭陽說：「只有令尹。」陳軫說：「令尹的確是最顯貴的官職，但楚王不可能設兩個令尹！我跟將軍講個故事吧。楚國有個貴族，祭過祖先後把一壺酒賜給門客。門客們商量說，這酒不夠幾個人喝，一個人喝卻足夠了。讓大家在地上各畫一條蛇，誰先畫成酒就給誰喝。有個門客率先完成，取過酒壺喝了起來，然後左手端酒，右手又在地上畫了起來，說他還可以為蛇添腳呢。蛇足尚未畫完，另一個門客的蛇也畫好了，於是他奪過酒壺說，蛇本來沒腳，你怎能硬給它添上腳呢？於是仰臉喝乾了剩餘的酒。畫蛇添足的門客最終失去了酒。如今將軍輔佐楚王攻打魏國，破軍斬將，奪取八城，兵鋒不減之際，又移師準備攻打齊國。憑已有的功勞，將軍足以揚名立萬，但在官位上並不可能再有加封。戰無不勝卻不懂得適可而止，最終往往招致殺身之禍。這不正如畫蛇添足的門客一樣嗎？」昭陽覺得陳軫的話頗有道理，於是撤兵回國。

【出處】

昭陽為楚伐魏，覆軍殺將得八城，移兵而攻齊。陳軫為齊王使，見昭陽，再拜賀戰勝，起而問：「楚之法，覆軍殺將，其官爵何也？」昭陽曰：「官為上柱國，爵為上執珪。」陳軫曰：「異貴於此者何也？」曰：「唯令尹耳。」陳軫曰：「令尹貴矣！王非置兩令尹也，

臣竊為公譬可也。楚有祠者，賜其舍人巵酒。舍人相謂曰：『數人飲之不足，一人飲之有餘。請畫地為蛇，先成者飲酒。』一人蛇先成，引酒且飲之，乃左手持巵，右手畫蛇，曰：『吾能為之足。』未成，一人之蛇成，奪其巵曰：『蛇固無足，子安能為之足。』遂飲其酒。為蛇足者，終亡其酒。今君相楚而攻魏，破軍殺將得八城，不弱兵，欲攻齊，齊畏公甚，公以是為名居足矣，官之上非可重也。戰無不勝而不知止者，身且死，爵且後歸，猶為蛇足也。」昭陽以為然，解軍而去。（《戰國策》〈齊策二〉）

得賞無功

　　杜赫勸說楚懷王去爭取趙國的支持。懷王準備授予他五大夫的爵位，並讓他按自己的想法行動。陳軫對楚王說：「如果杜赫不能取得趙國的支持，賞給他五大夫的爵位就無法收回，這是賞賜沒有功勞的人。如果他能得到趙國的支持，大王對他的賞賜卻沒有辦法增加了。大王不如給他十輛兵車，讓他爭取趙國支持，事情成功以後再授給他五大夫的爵位。」楚王說：「好。」於是楚王給杜赫十輛兵車，讓他去爭取趙國支持。杜赫見楚懷王不提封爵的事情，十分生氣，拒絕出使趙國。陳軫向楚王說：「杜赫不接受出使趙國的使命，說明他不能把趙國爭取過來。」

【出處】

　　楚杜赫說楚王以取趙。王且予之五大夫，而令私行。陳軫謂楚

王曰：「赫不能得趙，五大夫不可收也，得賞無功也。得趙而王無加焉，是無善也。王不如以十乘行之，事成，予之五大夫。」王曰：「善。」乃以十乘行之。杜赫怒而不行。陳軫謂王曰：「是不能得趙也。」（《戰國策》〈楚策一〉）

貴於三柱國

張何對吾得說：「我張何能讓您比三位柱國更加尊貴。」吾得問：「怎麼做呢？」張何回答說：「君王自大，喜歡聽花言巧語。遊說之士大多靠這個欺騙君王。請讓我為你勸諫君王說：『諸侯各國的遊說之士，大多只圖大王的虛名而沒有什麼實用價值。吾得出生於三晉之國，其人廉潔，善於劍術，不如讓他掌管接待賓客，那麼遊說之士再有欺騙大王的，吾得就會殺了他。』」楚懷王果然採納了張何的勸諫，吾得因此大受重用。

【出處】

張何謂吾得曰：「何能令公貴於三柱國？」吾得曰：「奈何？」對曰：「王大主而好小智，游說之士率皆欺王。請為公說王曰：『諸侯之士，多圖大王以虛名而無其實。吾得出於晉國，好廉而善劍，不如使其掌客，則說士莫欺王者，得必殺之。』」何遂言於懷王，王從之。得果大重柱國。（《渚宮舊事》〈周代下〉）

金不勝火

　　淖齒得罪了楚懷王，騰游為淖齒勸說楚懷王說：「秦國有個名叫午的郡人，重丘之戰時對秦王說：『一定不要與楚國交戰。』秦王問：『為什麼呢？』午回答說：『南方屬火，西方屬金。金不能勝火是必然的。』秦王不採納，果然戰敗了。如今午又對秦王說，一定要與楚國交戰。眼下正值楚國夏曆正月，對柱國有危險，這就是所謂的火自行熄滅。」楚懷王很怕，因此重新任用淖齒。[74]

【出處】

　　淖齒得罪於懷王，騰游為齒說王曰：「秦有上郡午者，重丘之戰，謂秦王曰：『必無與楚戰。』王曰：『何也？』對曰：『南方火也，西方金。金之不勝火，必矣。』秦不聽，果戰不勝。今午又謂秦王必與楚戰。今楚夏正而危其柱國，此所謂火自滅也。」王懼，因復淖齒。（《渚宮舊事》〈周代下〉）

王愛富摯

　　富摯受到楚懷王寵幸，黃齊很怨恨他。楚國有人勸黃齊說：「您沒有聽過老萊子教導孔子事奉國君的事嗎？老萊子說：『看見君王的車子就從自己的車上下來，看見君王的座位就快步走過去。』君王寵

---

74. 淖齒官至柱國，曾奉楚王之命救齊，因相齊，後殺湣王於莒。

愛富摯，你卻與他不友善，這不是臣子應有的行為啊。」

【出處】

　　富摯有寵於懷王，黃齊惡之。楚人說齊曰：「公不聞老萊教孔子事君乎？曰：『見君之車則下，見君之位則趨。』王愛富摯而公不善，是不臣也。」（《渚宮舊事》〈周代下〉）

食玉炊桂

　　蘇秦來到楚國，等了三個月才見到楚王。談完話，蘇秦告辭要走。楚王說：「寡人聽了先生的一番話，就像聽到古聖賢的言語一般。先生不遠千里來見寡人，為什麼要匆匆而別呢？」蘇秦說：「楚國的食物比寶玉還貴，燒飯的柴火比桂樹的價錢還高，為我引見的人比鬼還難見，見大王如見天帝一樣困難。現在要我拿寶玉當飯吃，拿桂樹當柴燒，通過小鬼一樣的使者見天帝一樣的大王。」楚王面露愧色說：「先生請回館舍吧，寡人聽到教誨了。」

【出處】

　　蘇秦之楚，三日乃得見乎王。談卒，辭而行。楚王曰：「寡人聞先生，若聞古人。今先生乃不遠千里而臨寡人，曾不肯留，願聞其說。」對曰：「楚國之食貴於玉，薪貴於桂，謁者難得見如鬼，王難得見如天帝。今令臣食玉炊桂，因鬼見帝。」王曰：「先生就舍，寡人聞命矣。」（《戰國策》〈楚策三〉）

無妒而進賢

　　楚懷王向蘇秦請教君臣之道。蘇秦重點對楚國不能用賢使能進行了批評。蘇秦對懷王說：「就像孝子對待父母要用心敬愛、儘力奉養一樣，效忠的臣子，一定要推薦賢人來輔佐君主。現在大王身邊的重臣與宗親貴戚卻反其道而行之，不僅不向大王推薦賢人，反而將誹謗賢能作為晉陞的資本。他們利用職權搜刮民脂民膏，使大王被民眾怨恨，在朝野散布大王的錯誤，用大王的土地賄賂諸侯。這樣下去，楚國就很危險了。希望大王不要聽信大臣之間的相互攻擊，要審慎地任用宗親貴戚，重用得到百姓愛戴、在民間有威望的人，同時也要節制自己的嗜好和欲望。」懷王問：「依先生的意思，是要把推薦賢才作為判斷忠臣的標準嗎？」蘇秦點頭說：「是的。做人臣，最難做到的是毫無嫉妒之心向朝廷推薦賢才。為國君獻身很容易，像垂沙戰役，犧牲的將士數以千計。為國君忍受屈辱也很容易，朝廷上自令尹以下為大王效勞的臣子不下千人。但毫無嫉妒之心向大王舉薦賢才的人，沒有見到幾個。所以，英明的國君考察臣子的忠誠，最重要是看他們是否有嫉妒之心，是否能舉薦賢才。舉薦賢才之所以很難，是因為擔心賢能的人被重用，自己會受到冷落、邊緣化，以為賢能的人地位日益尊重，自己的地位就會每況愈下。」

【出處】

　　蘇子謂楚王曰：「仁人之於民也，愛之以心，事之以善言。孝子之於親也，愛之以心，事之以財。忠臣之於君也，必進賢人以輔之。

今王之大臣父兄，好傷賢以為資，厚賦斂諸臣百姓，使王見疾於民，非忠臣也。大臣播王之過於百姓，多割諸侯以王之地，是故退王之所愛，亦非忠臣也，是以國危。臣願無聽群臣之相惡也，慎大臣父兄；用民之所善，節身之嗜欲，以百姓。人臣莫難於無妒而進賢。為主死易，垂沙之事，死者以千數。為主辱易，自令尹以下，事王者以千數。至於無妒而進賢，未見一人也。故明主之察其臣也，必知其無妒而進賢也。賢之事其主也，亦必無妒而進賢。夫進賢之難者，賢者用且使己廢，貴且使己賤，故人難之。」（《戰國策》〈楚策三〉）

吾舌尚在不

　　張儀想從楚國發跡。沒見到楚懷王之前，先跟令尹搭上了關係。不巧令尹家裡丟失了一塊玉璧，令尹家裡的門客懷疑是曾來府上宴飲的張儀所為，議論說：「張儀貧窮，品行名聲不好，一定是他偷了令尹家的玉璧。」於是拘捕張儀，鞭打數百下。張儀死不承認，門客只好放了他。妻子見張儀受辱，埋怨他說：「如果你不去讀書遊說，又哪會受這種侮辱呢？」張儀伸伸舌頭晃蕩兩下，笑著說：「你看我舌頭還在嗎？只要它還在，這就夠了。」

【出處】

　　張儀已學遊說諸侯。嘗從楚相飲，已而楚相亡璧，門下意張儀，曰：「儀貧無行，必此盜相君之璧。」共執張儀，掠笞數百，不服，釋之。其妻曰：「嘻！子毋讀書遊說，安得此辱乎？」張儀謂其妻

曰：「視吾舌尚在不？」其妻笑曰：「舌在也。」儀曰：「足矣。」(《史記》〈張儀列傳〉)

王徒不好色耳

　　張儀來到楚國，處境困窘，他的隨從很不高興，想要回去。張儀說：「你一定是因為衣冠破爛才想回去吧。你等著，我去見楚王。」張儀去見楚王，楚王不高興。寒暄幾句後，張儀站起來告辭說：「我本想在大王門下謀個一官半職，既然大王不給機會，我只好北上晉國試試了。」往外走的時候，張儀問懷王：「大王新登王座，有什麼要求晉國的，我可以代為轉達。」懷王說：「黃金珠璣，犀象白瑕，楚國皆有出產，寡人沒什麼要求晉國的。」張儀抬頭問：「大王難道不喜歡美女嗎？」懷王眼裡這才有了點光亮，問說：「美女？你什麼意思？」張儀說：「大王難道沒聽說過周、鄭一帶的美女嗎？那細膩粉白的肌膚，黑亮秀美的明眸，亭亭玉立的身姿，要是站立在閭巷裡，不認識的人見了，還誤以為是仙女下凡呢。」懷王說：「楚國地處偏僻，還沒見過這麼漂亮的中原女子，寡人哪會不喜歡美女呢？」於是讓人取出珠玉送給張儀，讓他到中原幫助挑選美女。張儀故意把消息透露給懷王的寵妃南后、鄭袖。兩人非常恐慌，南后派人找到張儀，對他說：「聽說將軍要去晉國，我有黃金千斤，送給您路途上給牲口買飼料。」鄭袖也送給張儀黃金五百斤。張儀來向楚王辭行，楚王設宴招待。酒喝到痛快的時候，張儀說：「今天沒有外人，大王何不叫身邊親近的人一起來喝酒？」於是懷王讓人叫來南后、鄭袖同飲。張

儀見到二人，向楚懷王下跪說：「臣有死罪。」懷王問說：「此話怎講？」張儀說：「我走遍天下，還沒見過像二位這麼漂亮的美女呢。我說要到晉國去找美女，豈非是欺騙大王。」懷王見張儀誇他老婆，喜形於色說：「天下美色自當在楚。我本來也認為天底下的美色，沒人能超過她倆的呢。」

【出處】

　　張儀之楚，貧。舍人怒而歸。張儀曰：「子必以衣冠之敝，故欲歸。子待我為子見楚王。」當是之時，南后、鄭袖貴於楚。張子見楚王，楚王不說。張子曰：「王無所用臣，臣請北見晉君。」楚王曰：「諾。」張子曰：「王無求於晉國乎？」王曰：「黃金珠璣犀象出於楚，寡人無求於晉國。」張子曰：「王徒不好色耳？」王曰：「何也？」張子曰；「彼鄭、周之女，粉白墨黑，立於衢閭，非知而見之者，以為神。」楚王曰：「楚，僻陋之國也，未嘗見中國之女如此其美也。寡人之獨何為不好色也？」乃資之以珠玉。南后、鄭袖聞之大恐，令人謂張子曰：「妾聞將軍之晉國，偶有金千斤，進之左右，以供芻秣。」鄭袖亦以金五百斤。張子辭楚王曰：「天下關閉不通，未知見日也，願王賜之觴。」王曰：「諾。」乃觴之。張子中飲，再拜而請曰：「非有他人於此也，願王召所便習而觴之。」王曰：「諾。」乃召南后、鄭袖而觴之。張子再拜而請曰：「儀有死罪於大王。」王國：「何也？」曰：「儀行天下遍矣，未嘗見人如此其美也。而儀言得美人，是欺王也。」王曰：「子釋之。吾固以為天下莫若是兩人也。」（《戰國策》〈楚策三〉）

不聞六里

張儀憑藉他的連橫策略說服秦惠文王，登上了秦國相位。他特別修書一封，寄給楚國令尹，警告他說：「以前我陪你喝酒，並未偷竊你的玉，可是你卻指使門客把我打得皮開肉綻。你現在要好好守住你的國家，不久我就要來取你的都城了。」為了分化齊楚聯盟，張儀選擇以楚國為突破口。張儀到達楚國，楚懷王親自到他下榻的館舍看望他，態度極為恭敬地說：「相國到偏僻落後的楚國來，有什麼指教呢？」張儀說：「大王如果能認真考慮我的意見，我奉勸大王斷絕與齊國的盟約。只要大王不與齊國往來，秦國願意獻出商於一帶六百里的土地給楚國，並且選送二十名秦國美女供大王享樂。秦楚結成友好之邦，可以削弱東方的齊國，這對秦楚兩國都有利。」楚懷王聽說可以得到商於六百里肥沃的土地，還有絕色美女贈送，未加思索就表示同意。朝中一幫佞臣都在恭賀，只有陳軫表示悲哀，提醒楚懷王張儀言而無信，秦國不可能給楚國六百里土地。如果齊國因楚國背棄盟約，言而無信，盛怒之下有可能與秦國結盟，到時候楚國東西兩面受敵，前景將非常艱難。陳軫建議說：「不如表面上與齊國斷交，暗中仍保持聯繫。如果張儀回秦國後真的給予楚國六百里土地，那時再與齊國斷交不遲。」但楚懷王一意孤行，一面與齊國斷交，一面把相印交給張儀，讓他攜帶大量財物返回秦國，希望他儘快兌現諾言。張儀回到秦國後，假裝從車子上跌落下來，一連三個月不入朝議事。楚懷王久等不見回音，心中焦急，以為秦國懷疑他與齊國斷交不徹底，又派遣勇士借道宋國，跑到齊國去辱罵齊王。齊宣王大怒，情願降低身

分與秦國交往，結成同盟。張儀得到消息，於是上朝召見楚國使者說：「我有秦王所賜的土地六里，願意獻給大王。」選送美女的事則隻字未提。懷王得到消息，幾乎暈厥。此時陳軫提出以獻地籠絡秦王，聯盟攻打齊國，以求從齊國得到補償。深恨張儀的懷王拒不接受陳軫的建議，派屈匄等率兵攻打秦國，結果被秦、齊聯軍大敗，不僅主將被殺，還喪失了丹陽、漢中的大片土地。懷王暴怒，與秦國再戰於藍田，再敗，無奈只得獻兩城以求和。

【出處】

　　張儀既相秦，為文檄告楚相曰：「始吾從若飲，我不盜而璧，若笞我。若善守汝國，我顧且盜而城！」……秦欲伐齊，齊楚從親，於是張儀往相楚。楚懷王聞張儀來，虛上舍而自館之。曰：「此僻陋之國，子何以教之？」儀說楚王曰：「大王誠能聽臣，閉關絕約於齊，臣請獻商於之地六百里，使秦女得為大王箕帚之妾，秦楚娶婦嫁女，長為兄弟之國。此北弱齊而西益秦也，計無便此者。」楚王大說而許之。群臣皆賀，陳軫獨弔之。楚王怒曰：「寡人不興師發兵得六百里地，群臣皆賀，子獨弔，何也？」陳軫對曰：「不然，以臣觀之，商於之地不可得而齊秦合，齊秦合則患必至矣。」楚王曰：「有說乎？」陳軫對曰：「夫秦之所以重楚者，以其有齊也。今閉關絕約於齊，則楚孤。秦奚貪夫孤國，而與之商於之地六百里？張儀至秦，必負王，是北絕齊交，西生患於秦也，而兩國之兵必俱至。善為王計者，不若陰合而陽絕於齊，使人隨張儀。苟與吾地，絕齊未晚也；不與吾地，陰合謀計也。」楚王曰：「原陳子閉口毋復言，以待寡人得地。」乃以相印授張儀，厚賂之。於是遂閉關絕約於齊，使一將軍隨張儀。張

儀至秦，詳失綏墮車，不朝三月。楚王聞之，曰：「儀以寡人絕齊未甚邪？」乃使勇士至宋，借宋之符，北罵齊王。齊王大怒，折節而下秦。秦齊之交合，張儀乃朝，謂楚使者曰：「臣有奉邑六里，原以獻大王左右。」楚使者曰：「臣受令於王，以商於之地六百里，不聞六里。」還報楚王，楚王大怒，發兵而攻秦。陳軫曰：「軫可發口言乎？攻之不如割地反以賂秦，與之并兵而攻齊，是我出地於秦，取償於齊也，王國尚可存。」楚王不聽，卒發兵而使將軍屈匄擊秦。秦齊共攻楚，斬首八萬，殺屈匄，遂取丹陽、漢中之地。楚又復益發兵而襲秦，至藍田，大戰，楚大敗，於是楚割兩城以與秦平。（《史記》〈張儀列傳〉）

無所更得

　　張儀擔任秦國的丞相，對昭雎說：「楚國失掉鄢郢、漢中，還有同樣的要地嗎？」昭雎回答說：「沒有。」張儀又問：「如果失去昭雎、陳軫，還能得到同樣的賢臣嗎？」昭雎回答說：「不能得到。」於是張儀說：「替我對楚王說，驅逐昭雎和陳軫，秦國將歸還鄢郢和漢中。」昭雎回去報告楚王，楚王非常高興。

【出處】

　　張儀相秦，謂昭雎曰：「楚無鄢、郢、漢中，有所更得乎？」曰：「無有。」曰：「無昭雎、陳軫，有所更得乎？」曰：「無所更得。」張儀曰：「為儀謂楚王逐昭雎、陳軫，請復鄢、郢、漢中。」

昭睢歸報楚王，楚王說之。（《戰國策》〈楚策一〉）

人臣各為其主

　　秦國提出想得到楚國黔中一帶的土地，要挾拿武關以外的土地與楚國交換。楚懷王回覆秦國使者說：「我情願不要武關以外的土地而獻出黔中，只求得到張儀。」秦惠文王想要遣送張儀，又不忍開口說出來。張儀明白秦王的心思，主動提出願赴楚國。張儀隻身一人進入楚國，懷王立即將他拘禁起來，準備殺他洩恨。張儀事先已向懷王的寵臣靳尚行賄，通過他去找鄭袖說：「你很快就要被大王拋棄了。」鄭袖驚訝色變，問說：「為什麼呢？」靳尚說：「秦王非常喜歡張儀。楚王囚禁他準備將他殺死，秦國得知這一消息，準備拿上庸一帶六個縣送給楚國，並選送絕色美女嫁給楚王，聽說還要從宮中挑選能歌善舞的年輕宮女作為陪嫁，以求贖回張儀。有了這些美女，大王必然貪戀新歡，冷落舊寵。不如想辦法替張儀說情，放走張儀，這樣秦國就不會獻地送美，夫人的地位也保住了。」於是鄭袖入宮對楚懷王說：「人臣各為其主。大王又何必將秦國的食言歸罪於張儀呢？現在秦國派張儀使楚，也算是一種賠禮了，如果殺了張儀，惹怒秦國，勢必起兵報復，楚國連敗於秦國，接下來只好魚肉一般任人宰割了。大王要是不聽臣妾的勸告，就讓我母子搬到江南躲避好了。」鄭袖流淚不止。懷王一向耳根子軟，聽了鄭袖的話後悔了，赦免了張儀，像過去一樣款待他。

【出處】

秦要楚欲得黔中地，欲以武關外易之。楚王曰：「不願易地，願得張儀而獻黔中地。」秦王欲遣之，口弗忍言。張儀乃請行。惠王曰：「彼楚王怒子之負以商於之地，是且甘心於子。」張儀曰：「秦強楚弱，臣善靳尚，尚得事楚夫人鄭袖，袖所言皆從。且臣奉王之節使楚，楚何敢加誅。假令誅臣而為秦得黔中之地，臣之上願。」遂使楚。楚懷王至則囚張儀，將殺之。靳尚謂鄭袖曰：「子亦知子之賤於王乎？」鄭袖曰：「何也？」靳尚曰：「秦王甚愛張儀而不欲出之，今將以上庸之地六縣賂楚，以美人聘楚，以宮中善歌謳者為媵。楚王重地尊秦，秦女必貴而夫人斥矣。不若為言而出之。」於是鄭袖日夜言懷王曰：「人臣各為其主用。今地未入秦，秦使張儀來，至重王。王未有禮而殺張儀，秦必大怒攻楚。妾請子母俱遷江南，毋為秦所魚肉也。」懷王後悔，赦張儀，厚禮之如故。（《史記》〈張儀列傳〉）

靳尚之仇

楚懷王準備釋放張儀，又擔心他日後會害自己，靳尚對楚懷王說：「讓我來跟蹤他。如果他不善待大王，臣就殺死他。」楚國有個小官，與靳尚有仇，對魏國的臣子張旄說：「以張儀的智慧，在秦國和楚國做官都不困難。這樣，您就沒什麼前途。您不如使人暗中行刺靳尚，楚王一定會遷怒張儀，張儀在楚國失勢，您的機會就來了。秦、楚兩國對抗起來，魏國也就安然無患了。」張旄於是派人暗中殺死靳尚，楚王因此遷怒於秦國。兩國交惡，都爭相拉攏魏國，張旄的地位果然尊貴起來。

靳尚之仇

楚王將出張子，恐其敗己也，靳尚謂楚王曰：「臣請隨之。儀事王不善，臣請殺之。」楚小臣，靳尚之仇也，謂張旄曰：「以張儀之知，而有秦、楚之用，君必窮矣。君不如使人微要靳尚而刺之，楚王必大怒儀也。彼儀窮，則子重矣。楚、秦相難，則魏無患矣。」張旄果令人要靳尚刺之。楚王大怒，秦構兵而戰。秦、楚爭事魏，張旄果大重。（《戰國策》〈楚策二〉）

秦楚不歡

張儀三次入楚，三次愚弄楚懷王，也因此成為楚人公敵。秦武王繼位後，認為張儀慣用彫蟲小技，靠欺詐手段翻雲覆雨，雖然使秦國佔盡便宜，卻也讓秦國在諸侯國之間聲譽受損，於是棄用張儀。楚懷王三十年，懷王為秦昭王所騙，隻身前往武關赴會，被挾持到秦都咸陽。秦昭王在章臺以「蕃王」之禮接待楚懷王，懷王大怒，後悔沒有聽從昭雎的勸告。秦昭王要挾楚懷王割讓巫、黔中的郡縣，懷王斷然拒絕。懷王最終客死秦國，其靈柩於楚頃襄王三年被護送回楚國。楚人非常悲痛，像悲悼自己的親人一樣，民間更傳說懷王已化作相思鳥魂歸故土。秦楚兩國最終也因此斷交。

【出處】

三十年，秦復伐楚，取八城。秦昭王遺楚王書曰：「始寡人與王約為弟兄，盟於黃棘，太子為質，至歡也。太子陵殺寡人之重臣，不

謝而亡去，寡人誠不勝怒，使兵侵君王之邊。今聞君王乃令太子質於齊以求平。寡人與楚接境壤界，故為婚姻，所從相親久矣。而今秦楚不歡，則無以令諸侯。寡人願與君王會武關，面相約，結盟而去，寡人之願也。敢以聞下執事。」楚懷王見秦王書，患之。欲往，恐見欺；無往，恐秦怒。昭睢曰：「王毋行，而發兵自守耳。秦虎狼，不可信，有并諸侯之心。」懷王子子蘭勸王行，曰：「奈何絕秦之歡心！」於是往會秦昭王。昭王詐令一將軍伏兵武關，號為秦王。楚王至，則閉武關，遂與西至咸陽，朝章臺，如蕃臣，不與亢禮。楚懷王大怒，悔不用昭子言。秦因留楚王，要以割巫、黔中之郡。楚王欲盟，秦欲先得地。楚王怒曰：「秦詐我而又強要我以地！」不復許秦。秦因留之。（《史記》〈楚世家〉）

尺有所短，寸有所長

　　屈原被流放之後，多年不見楚懷王。竭盡智慧效忠國家，卻被讒言謗語遮蔽阻隔。他心煩意亂，不知如何是好。於是去見太卜鄭詹尹，向他諮詢說：「我很苦悶疑惑，希望通過您的占卜幫我分析判斷。」鄭詹尹擺正蓍草、拂去龜甲上的灰塵，鄭重地問他說：「先生有什麼見教呢？」屈原說：「我心裡非常糾結。我是該繼續忠心耿耿效忠君王呢？還是該阿諛逢迎擺脫困境？我是該發憤用心，努力上進呢？還是該交遊權貴，巧取功名利祿？我是該直言進諫無懼禍患呢？還是該順從世俗苟且偷安？我是該節操自守呢，還是該趨炎附勢向君王身邊的重臣靠攏？我是該做那志行高遠的千里馬呢？還是該像浮游

的野鴨一樣隨波逐流？我不知道何以為吉，何以為凶；什麼該捨棄，什麼該遵從。現在的世道黑白混淆，是非顛倒。人們以蟬翼為重而以千鈞為輕，黃鐘大呂慘遭毀棄，瓦釜陶罐卻響如雷鳴，讒佞小人囂張跋扈，賢明之士則沉默無聲。我心裡有無盡的感嘆與憂傷，有誰知道我這顆廉潔忠貞的心呢！」望著屈原焦慮而憔悴的面容，鄭詹尹無語以對。他理解屈原心中的焦躁與苦悶，對這些問題卻也不好回答。於是放下蓍草抱歉地說：「尺有所短，寸有所長。世間萬物都有不完善的地方，人的智慧也有不明了的時候。我的占卜並不能解答一切困惑，也不能判斷所有的吉凶。不要違背自己的心願，走先生自己認定的路吧。請原諒龜甲和蓍草並不能為你答疑解惑。」屈原找鄭詹尹占卜，說明他內心充滿矛盾和掙扎。他有一千個問題要解答，鄭詹尹卻不能驅散他心頭凝結的烏雲，點亮他的心燈，他只好將所有的困惑訴諸筆端，這樣便有了曠世名篇：《天問》。

【出處】

屈原既放，三年不得復見。竭知盡忠而蔽障於讒。心煩慮亂，不知所從。往見太卜鄭詹尹曰：「余有所疑，願因先生決之。」詹尹乃端策拂龜，曰：「君將何以教之？」屈原曰：「吾寧悃悃款款，朴以忠乎，將送往勞來，斯無窮乎？寧誅鋤草茅以力耕乎，將游大人以成名乎？寧正言不諱以危身乎，將從俗富貴以偷生乎？寧超然高舉以保真乎，將哫訾栗斯，喔咿儒兒，以事婦人乎？寧廉潔正直以自清乎，將突梯滑稽，如脂如韋，以潔楹乎？寧昂昂若千里之駒乎，將泛泛若水中之鳧，與波上下，偷以全吾軀乎？寧與騏驥亢軛乎，將隨駑馬之跡乎？寧與黃鵠比翼乎，將與雞鶩爭食乎？此孰吉孰凶？何去何從？

世溷濁而不清：蟬翼為重，千鈞為輕；黃鐘毀棄，瓦釜雷鳴；讒人高張，賢士無名。吁嗟默默兮，誰知吾之廉貞！」

詹尹乃釋策而謝，曰：「夫尺有所短，寸有所長；物有所不足，智有所不明；數有所不逮，神有所不通。用君之心，行君之意，龜策誠不能知此事。」（《楚辭》〈卜居〉）

懲羹吹齏

從前我做夢登天遠遊，我的神魂到了半路卻因沒有渡船而徬徨不前。我請屬神為我占卜，他說我有大志卻沒有人幫助。難道我的結果只能是危險孤立、遭遇異樣嗎？屬神說：對於君王，你可以懷念卻不必寄託希望。眾口誹謗連金子也會銷熔，你當初就是這樣而遭殃。燙過嘴的人，吃冷菜也要吹一吹，你何不改變一下自己的志向呢？想要不攀爬梯子就一步登天，你還是舊時的想法和脾性。

【出處】

昔余夢登天兮，魂中道而無杭。吾使屬神占之兮，曰有志極而無旁。終危獨以離異兮，曰君可思而不可恃。故眾口其鑠金兮，初若是而逢殃。懲於羹而吹齏兮，何不變此志也？欲釋階而登天兮，猶有曩之態也。（《楚辭》〈九章‧惜誦〉）

眾人皆醉我獨醒

　　屈原被放逐以後，在沅江岸邊遊蕩，一邊行走一邊吟誦詩篇。他面色憔悴，形容枯槁。一位漁父看見他的樣子，問他說：「您不是三閭大夫嗎？為什麼落魄到如此地步？」屈原回答說：「整個朝廷都是混濁的，只有我一個清白。所有的人都醉眼濛濛，只有我一個人是清醒的。所以我被放逐了。」漁父說：「連聖人都不拘泥固守，而懂得順應變通。既然大家都混濁，你何不在濁水中隨波逐流？既然世人都醉眼迷濛，你也可以與世同醉啊。為什麼一定要苦思冥想又自命清高，以致於讓自己落了個被放逐的下場呢？」屈原抬起頭，神情傲然地說：「我聽說，剛洗過頭，一定要彈去帽子上面的灰塵，剛洗過澡，一定要整潔自己的著裝。我怎麼能以自己乾淨的身體，去蒙受外物的污染呢？我寧願投身湘水，葬身魚腹，也不可能與那幫人同流合污。」漁父微微一笑，盪舟而去，在江上放聲歌唱道：「滄浪之水清又清啊，可以洗滌我的冠纓；滄浪之水混又濁啊，可以洗刷我的雙腳。」抱定必死之心的屈原來到汨羅江畔，北方傳來秦將白起攻破楚都郢城，焚燬楚先王墓夷陵，楚襄王逃往陳的消息。於是他抱石自沉於汨羅江。這一天是農曆五月初五，後世以屈原忌日為端午節。

【出處】

　　屈原既放，游於江潭，行吟澤畔，顏色憔悴，形容枯槁。漁父見而問之曰：「子非三閭大夫與？何故至於斯？」屈原曰：「舉世皆濁我獨清，眾人皆醉我獨醒，是以見放。」漁父曰：「聖人不凝滯於

物，而能與世推移。世人皆濁，何不淈其泥而揚其波？眾人皆醉，何不哺其糟而歠其醨？何故深思高舉，自令放為？」屈原曰：「吾聞之，新沐者必彈冠，新浴者必振衣。安能以身之察察，受物之汶汶者乎？寧赴湘流，葬於江魚之腹中。安能以皓皓之白，而蒙世俗之塵埃乎？」漁父莞爾而笑，鼓枻而去，乃歌曰：「滄浪之水清兮，可以濯吾纓；滄浪之水濁兮，可以濯吾足。」遂去，不復與言。（《楚辭》〈漁父〉）

狐死必首丘

屈原在被放逐的日子裡，感觸良多，於是藉助於詩篇抒發自己的情懷。他在《哀郢》一詩中寫道：「鳥飛反故鄉兮，狐死必首丘。」意思是鳥飛千里，最終要返回故鄉，狐狸臨死之際，也會將頭朝向自己所築窟穴的土丘。後世以「狐死首丘」比喻懷念故土。《禮記》〈檀弓上〉裡也有這樣的記載：「太公望呂尚的封地遠在山東臨淄，直到五世的子季，一直都是送回周地埋葬。音樂是歡情的自然流露，禮的精神就在於不忘根本。所以古人說，狐狸死了，它的頭一定要對準狐穴的方向，這是心繫故土的表現。」[75]

【出處】

亂曰：曼余目以流觀兮，冀一反之何時？鳥飛反故鄉兮，狐死必首丘。信非吾罪而棄逐兮，何日夜而忘之。（《楚辭》〈九章・哀郢〉）

---

75. 魂歸故里，葉落歸根，這是中華民族上下五千年綿綿不改的情懷。

惡子之鼻

魏王送給楚王一位美女，楚王很喜歡她。夫人鄭袖知道楚王很喜愛新人，也表現出很喜歡她的樣子。衣服和裝飾品，挑新人喜歡的給她準備；房間裡的臥具，挑上好的給她配置，看起來比楚王還要喜愛。楚王感嘆說：「女人靠美色來侍奉丈夫，有嫉妒心是人之常情。現在鄭袖知道我疼愛新人，竟然比我還喜愛她。鄭袖對寡人，恰似孝子侍奉雙親，忠臣侍奉君王啊！」鄭袖知道楚王認定她毫無嫉妒之心後，就對新人說：「大王很喜愛你的美貌，但比較討厭你的鼻子。平時去見大王時，記得千萬用手搗住鼻子。」新人再見楚王的時候，果然遮遮掩掩地搗住鼻子。楚王問鄭袖說：「新人見到我就捂鼻子，不知什麼原因？」鄭袖遲疑著說：「我知道。」楚王說：「即使不好聽，你也一定要說出來。」鄭袖說：「她彷彿是討厭大王的體臭味。」楚王發怒說：「真是膽大妄為！」於是下令割掉新人的鼻子，絕不寬赦。

【出處】

魏王遺楚王美人，楚王說之。夫人鄭袖知王之說新人也，甚愛新人。衣服玩好，擇其所喜而為之；宮室臥具，擇其所善而為之。愛之甚於王。王曰：「婦人所以事夫者，色也；而妒者，其情也。今鄭袖知寡人之說新人也，其愛之甚於寡人，此孝子之所以事親，忠臣之所以事君也。」鄭袖知王以己為不妒也，因謂新人曰：「王愛子美矣。雖然，惡子之鼻。子為見王，則必掩子鼻。」新人見王，因掩其鼻。

王謂鄭袖曰：「夫新人見寡人，則掩其鼻，何也？」鄭袖曰：「妾知也。」王曰：「雖惡，必言之。」鄭袖曰：「其似惡聞君王之臭也。」王曰：「悍哉！」令劓之，無使逆命。（《戰國策》〈楚策四〉）

請立新后

　　楚王死了王后，暫時還沒立新的王后。有人對昭魚說：「您為什麼不向楚王請求新立王后呢？」昭魚說：「就怕大王不聽從我的建議顯得尷尬，而且新立的王后與我的關係也會緊張。多一事不如少一事吧。」這人笑著說：「我給您出個主意，您買五對耳環獻給大王，其中一對明顯好過其他四對，第二天看看誰戴著那對最好的耳環，您就請求立她為王后。」

【出處】

　　楚王后死，未立后也。謂昭魚曰：「公何以不請立后也？」昭魚曰：「王不聽，是知困而交絕於后也。」「然則不買五雙珥，令其一善而獻之王，明日視善珥所在，因請立之。」（《戰國策》〈楚策四〉）

利以亂秦

　　楚王對干象說：「我想以楚國的力量扶持甘茂，讓他做秦國的國相，可以嗎？」干象回答說：「不可以。」楚王問說：「為什麼呢？」干象說：「甘茂年輕的時候師從史舉先生。史舉是上蔡的看門人，從

大的方面說不侍奉君主，從小的方面說不為家庭效勞，以苛刻聞名天下。甘茂侍奉史舉，卻能夠和他和順相處。秦惠王這樣明智，張儀這樣明察，甘茂侍奉他們，仍然擔任過十種官職，且能夠免於罪過，這些都說明甘茂非常能幹。」楚王說：「替與楚對等的國家設立能幹的相，為什麼就不可以呢？」干象說：「過去大王派邵滑去越國做官，五年就能滅掉越國。之所以能夠這樣，是因為越國危亂而楚國太平。過去大王懂得用不賢的人去滅掉越國，現在忘了把這個經驗運用於秦國，不也忘記得太快了嗎？」楚王說：「究竟該怎麼辦呢？」干象回答說：「不如立共立為相。」楚王說：「為什麼要推薦共立為相呢？」干象回答說：「共立年輕的時候就受秦王喜愛和寵信，年長時又被封為貴卿，穿著秦王的衣服，嘴裡含著香草，手裡拿著玉環，就這樣在朝廷上處理問題，他為相自然會擾亂秦國的國政。」

【出處】

楚王謂干象曰：「吾欲以楚扶甘茂而相之秦，可乎？」干相對曰：「不可也。」王曰：「何也？」曰：「甘茂少而事史舉先生。史舉，上蔡之監門也，大不事君，小不事家，以苛刻聞天下。茂事之，順焉。惠王之明，張儀之辨也，茂事之，取十官而免於罪，是茂賢也。」王曰：「相人敵國而相賢，其不可何也？」干象曰：「前時王使邵滑之越，五年而能亡越。所以然者，越亂而楚治也。日者知用之越，今忘之秦，不亦太亟忘乎？」王曰：「然則為之奈何？」干象對曰：「不如相共立。」王曰：「共立可相，何也？」對曰：「共立少見愛幸，長為貴卿，被王衣，含杜若，握玉環，以聽於朝，且利以亂秦矣。」（《韓非子》〈內儲說下六微〉）

東地復全

　　楚懷王被秦國扣留期間，太子橫在齊國做人質。太子橫請求回國，齊閔王說：「如果把東地五百里割讓給我，我就送你回去繼承王位。」太子橫用太傅慎子的計謀，答應了齊閔王的要求。太子橫回國即位，即楚襄王。齊閔王派戰車五十乘來索取東地五百里。楚襄王心中憂慮，於是找慎子商量。慎子說：「不妨先聽聽大家的意見。」大臣們七嘴八舌。上柱國子良說：「既然大王親口答應過齊王，要是失信就無法與諸侯各國訂立盟約了。不如先給齊國，然後再通過武力奪回來。」昭常說：「不能答應齊國，楚國國土雖然寬廣，但割讓五百里土地，等於失去了一半國土，一定要守住它。」景鯉說：「不割讓土地是失信，割讓國土又會付出沉重代價。臣下以為可以向秦國請求聲援。」慎子最後說：「三位大臣的意見可以綜合採納。大王先讓子良率領五十乘兵車向齊國獻地。第二天再立昭常為大司馬，派他駐守靠近東地。第三天再派景鯉向秦國求救。」齊國人準備接受子良的獻地，卻遭到昭常的殊死抵抗。齊閔王責備子良。子良說：「昭常是假傳楚王的命令。」齊閔王於是派兵進攻楚國的東地。部隊尚未到達，就聽說秦國已經派五萬大軍逼近齊國的西部邊界。秦國使者指責齊閔王說：「阻止太子回國是不仁，趁機索要土地是不義。如果拒絕從東地撤軍，齊國將遭遇東西兩面攻擊。」齊閔王於是傳令撤回進攻東地的軍隊，而楚國並未動用軍隊，卻保全了東地的大片國土。

【出處】

楚襄王為太子之時，質於齊。懷王薨，太子辭於齊王而歸。齊王陸之：「予我東地五百里，乃歸子。子不予我，不得歸。」太子曰：「臣有傅，請追而問傅。」傅慎子曰：「獻之地，所以為身也。愛地不送死父，不義。臣故曰獻之便。」太子入，致命齊王曰：「敬獻地五百里。」齊王歸楚太子。

太子歸，即位為王。齊使車五十乘，來取東地於楚。楚王告慎子曰：「齊使來求東地，為之奈何？」慎子曰：「王明日朝群臣，皆令獻其計。」上柱國子良入見。王曰：「寡人之得求反，王墳墓、復群臣、歸社稷也，以東地五百里許齊。齊令使來求地，為之奈何？」子良曰：「王不可不與也。王身出玉聲，許強萬乘之齊而不與，則不信。後不可以約結諸侯。請與而復攻之。與之信，攻之武。臣故曰與之。」子良出，昭常入見。王曰：「齊使來求東地五百里，為之奈何？」昭常曰：「不可與也。萬乘者，以地大為萬乘。今去東地五百里，是去戰國之半也，有萬乘之號而無千乘之用也，不可。臣故曰勿與。常請守之。」昭常出，景鯉入見。王曰：「齊使來求東地五百里，為之奈何？」景鯉曰：「不可與也。雖然，楚不能獨守。王身出玉聲，許萬乘之強齊也而不與，負不義於天下，楚亦不能獨守。臣請西索救於秦。」景鯉出，慎子入，王以三大夫計告慎子曰：「子良見寡人曰：『不可不與也，與而復攻之。』常見寡人曰：『不可與也，常請守之。』鯉見寡人曰：『不可與也，雖然，楚不能獨守也，臣請索救於秦。』寡人誰用於三子之計？」慎子對曰：「王皆用之！」王怫然作色曰：「何謂也？」慎子曰：「臣請效其說，而王且見其誠然也。

王發上柱國子良車五十乘，而北獻地五百里於齊。發子良之明日，遣昭常為大司馬，令往守東地。遣昭常之明日，遣景鯉車五十乘，西索救於秦。」王曰：「善。」乃遣子良北獻地於齊。遣子良之明日，立昭常為大司馬，使守東地。又遣景鯉西索救於秦。子良至齊，齊使人以甲受東地。昭常應齊使曰：「我典主東地，且與死生。悉五尺至六十，三十餘萬弊甲鈍兵，願承下塵。」齊王謂子良曰：「大夫來獻地，今常守之何如？」子良曰：「臣身受命弊邑之王，是常矯也。王攻之。」齊王大興兵，攻東地，伐昭常。未涉疆，秦以五十萬臨齊右壤。曰：「夫隘楚太子弗出，不仁；又欲奪之東地五百里，不義。其縮甲則可，不然，則願待戰。」齊王恐焉，乃請子良南道楚，西使秦，解齊患。士卒不用，東地復全。（《戰國策》〈楚策二〉）

巫山神女

　　楚襄王與宋玉到雲夢之澤的離宮遊玩。襄王遠望朝雲館，見上方雲氣繚繞，變幻無窮，就問宋玉說：「這是什麼雲氣呢？」宋玉說：「從前先王曾經到高唐遊覽，白天玩累了就在那兒睡覺休息，夢見一位美女，身材像雲彩一般飄逸，容顏像星辰一般皎麗，將行欲止，如浮雲暫停。仔細觀看，竟有西施一般的美貌。先王很高興，問她姓名，美女回答說：『我是夏帝的小女兒，名叫瑤姬。尚未出嫁就夭亡了。父王封我於巫山之臺。精魂化為仙草，摘下來變成靈芝。服下靈芝，就可以與心儀的人在夢中相會。我就是人們傳說中的巫山之女，高唐之姬。聽說大王來遊高唐，我願意與您同床共枕。』先王於是與

神女『共赴巫山雲雨』。後來瑤姬對先王說：『我的居住妙不可言，沒人知道。今日與大王結緣，從今往後，我將往來於長江漢水之間，安撫大王的子民。』先王向瑤姬表達謝意。分別時，瑤姬說：『我住在巫山南面之巔的險要處，晨為朝雲，暮為行雨。朝暮之時，可見我於陽臺之下。』先王按瑤姬所說去觀看，果然如她說的那樣。」襄王聽了宋玉的故事，對他說：「你就圍繞這個故事構思一篇賦作吧，把它作為楚國的歷史。」於是宋玉便創作出著名的《高唐賦》。當晚，襄王同宋玉夜宿朝雲館，襄王也如願與神女相會，於是宋玉又奉命創作了《神女賦》。

【出處】

襄王與宋玉游於雲夢之臺，望朝雲之館，其上有雲氣，變化無窮。王曰：「何氣也？」玉曰：「昔者，先王游於高唐，怠而晝寢。夢見一婦人，曖乎若雲，皎乎若星，將行未止，如浮忽停。詳而觀之，西施之形。王悅而問之。曰：『我夏帝之季女也，名曰瑤姬，未行而亡，封乎巫山之臺。精魂為草，摘而為芝。媚而服焉，則與夢期。所謂巫山之女，高唐之姬。聞君游於高唐，願薦寢席。』王因幸之。既而言之曰：『妾處之翰，尚莫可言之。今遇君之靈，幸妾之摯，將撫君苗裔，藩乎江漢之間。』王謝之。辭去曰：『妾在巫山之陽，高丘之岨。且為朝雲，暮為行雨。朝朝暮暮，陽臺之下。』王朝視之如言。乃為立館，號曰朝雲。」王曰：「願子賦之，以為楚志。」（《渚宮舊事》〈周代下〉）

無所容止

楚襄王與唐勒、景差、宋玉在雲陽臺遊覽。楚襄王說：「能說大話的坐上位。」於是楚襄王先說：「手握這把太阿寶劍，削得整個世界流血衝天，任何軍隊都不能與它對抗。」唐勒說：「壯士一聲怒吼啊斬斷天角，北斗七星扭轉呀摧平泰山。」景差接著說：「營中將士勇猛剛毅勝過東夷的皋陶，一聲大笑摧毀都城的城角。揮舞的牙旗遮天蔽日，張牙咧嘴鄙棄整個人間。」宋玉最後說：「方方的地當車，圓圓的天作蓋。長長的寶劍光明正大，倚仗在天際之外。」楚襄王說：「還不行。」宋玉又說：「併吞四方各族，飲乾江河湖海，跨越九州大地，無處可以容納，充滿了四面邊塞，只愁不能再長。坐地望天，遠望不見盡頭。如此之大，怎麼樣？」楚襄王點頭笑說：「非常妙。」

【出處】

襄王與唐勒、景差、宋玉游於雲陽之臺。王曰：「能為大言者上坐。」王因曰：「操是太阿，剟一世流血衝天，軍不可以屬。」至唐勒曰：「壯士憤兮絕天維，北斗戾兮太山夷。」至景差曰：「校士猛毅皋陶嬉，大笑至兮摧罘罳。鋸牙裾雲晞甚大，吐舌萬里唾一世。」至宋玉曰：「方地為車，圓天為蓋。長劍耿介，倚乎天外。」王曰：「未可也。」玉曰：「併吞四夷，飲枯河海。跨越九州，無所容止。身大四塞，愁不可長。據地盻天，迫不得仰。若此之大也，何如？」王曰：「善。」（《渚宮舊事》〈周代下〉）

處勢不便

宋玉剛開始事奉楚襄王的時候才幹還沒有被覺察，有人譏笑他說：「怎麼先生的議論並沒有為襄王採納，計謀也不被採用呢？」宋玉回答說：「你見過黑猿嗎？當它們生活在桂林叢中時，它們可以在洋溢著芬芳的花葉之間從容遊戲，隨意遊蕩，即便善射的后羿、逢蒙也不敢輕視。但要它們身處矮小的荊棘叢中，它們就會戰戰兢兢，心懷恐懼而渾身顫抖，即便是平常的人也可以對它們為所欲為了。身處逆境，又怎麼可能去邀功逞能呢？」

【出處】

宋玉初事襄王而不見察，或謂之曰：「先生何說之不揚，計畫之疑乎？」玉曰：「不然。子獨不見玄猿乎？當其桂林之中，芳華之上，從容遊戲，倏忽往來，雖羿、逢蒙不得正目而視。及其居枳棘之中，恐懼悼栗，眾人皆得意焉。夫處勢不便，豈可量功校能哉？」（《渚宮舊事》〈周代下〉）

因媒而成

宋玉最初是由朋友引薦給楚襄王的。因為不被襄王重視，宋玉便責怪這位朋友。朋友說：「生薑憑藉土地生長，並不因為土地而具有辛辣的味道；女人靠媒人出嫁，並不靠媒人而夫妻親熱。你得不到楚王的青睞，怎麼能埋怨我呢？」宋玉說：「話不能這麼說。從前齊國

有一種良兔叫東郭狻，一早晨能跑五百里。又有一種良犬叫韓子盧，一早晨也能跑五百里。遠遠望見兔子，再指使狗去追趕，即便是韓子盧也追不上良兔；如果讓它順著足跡追趕，即便是東郭狻也沒法逃脫。現在你是指給我兔子奔跑的足跡呢？還是遠遠望見兔子再指使我去追趕？」朋友不好意思地說：「是我的錯，我不應該敷衍了事，讓楚王忽略你的才華。」

【出處】

玉之見王，因其友，及不見察，乃讓其友。友曰：「姜桂因地而生，不因地而辛；婦人因媒而成，不因媒而親。子事主未耳，何怨於我？」玉曰：「不然。昔齊有良兔東郭狻，一旦而走五百里；有良狗韓子盧，亦一旦而走五百里。使人遙見而指屬之，則雖韓盧不及良兔；躡跡而縱之，則雖東郭不能離也。今子屬我，躡跡而縱耶？遙見而指屬耶？」友曰：「鄙人有過。」（《渚宮舊事》〈周代下〉）

曲高和寡

楚襄王問宋玉說：「先生的行為是否欠妥，為什麼百姓都對你說三道四呢？」宋玉回答說：「哦，是有這種現象。大王聽我講個故事：有個歌手在郢都城中唱歌。剛開始唱《下里》《巴人》，都城裡跟著一起唱的有幾千人。後來改唱《陽陵》《采薇》，跟著一起唱和的也有數百人；等到唱《陽春》《白雪》時，都城中能跟著唱和的，也不過幾十人罷了。這時歌手時而唱起高昂的商音，時而唱起清越的

角音，間或雜以流暢的徵音時，都城裡能跟著唱和的只剩下寥寥數人而已。這說明曲調越高雅，能夠唱和的人越少。因此，鳥類中有鳳凰而魚類中有鯨魚。鳳凰搏擊九千里以上的高空，超越雲彩，背負蒼天，翱翔在蒼穹之上，那跳躍在糞田裡的鷃雀，豈能與鳳凰談論天地之高？鯨魚早晨從崑崙山下出發，正午在碣石山晾鰭，傍晚在孟諸休息，那些在小池子裡游弋的娃娃魚，豈能與鯨魚討論江海之大？不僅僅鳥中有鳳凰，魚中有鯨魚，士民一樣有高下之分。聖人思想高明，行為獨特，超脫凡塵而離群獨居，一般的世俗之人，又怎麼能理解我的所作所為呢？」

【出處】

　　楚威王[76]問於宋玉曰：「先生其有遺行耶？何士民眾庶不譽之甚也？」宋玉對曰：「唯，然有之，願大王寬其罪，使得畢其辭。客有歌於郢中者，其始曰下里巴人，國中屬而和者數千人；其為陽陵采薇，國中屬而和者數百人；其為陽春白雪，國中屬而和者，數十人而已也；引商刻角，雜以流徵，國中屬而和者，不過數人。是其曲彌高者，其和彌寡。故鳥有鳳而魚有鯨，鳳鳥上擊於九千里，絕浮雲，負蒼天，翱翔乎窈冥之上，夫糞田之鷃，豈能與之斷天地之高哉！鯨魚朝發崑崙之墟，暴鬐於碣石，暮宿於孟諸，夫尺澤之鯢，豈能與之量江海之大哉！故非獨鳥有鳳而魚有鯨也，士亦有之。夫聖人之瑰意奇行，超然獨處；世俗之民，又安知臣之所為哉！」（《新序》〈雜事第一〉）

---

76. 楚威王卒於西元前329年，宋玉生活在西元前298至西元前222年，威王乃襄王之誤。

大王之釣

　　宋玉與登徒子一起向玄洲子學習釣魚的技術，兩人回來向楚襄王匯報。登徒子對玄洲子的釣魚技術佩服得五體投地，把他形容得像詹何一樣神奇。宋玉卻不以為然地說：「我覺得玄洲子還不算是善於操竿之人。我所認為的善釣，使用的釣竿不是竹竿，魚線不是絲線，釣鉤不是鋼針，釣餌也不是蚯蚓。」襄王說：「那是怎麼回事呢？你說說看。」宋玉說：「以前唐堯、虞舜、大禹、商湯釣魚，他們是以聖賢為釣竿，以道德為魚線，以仁義為釣鉤，以利祿為釣餌，以四海為魚池，以萬民為魚。他們垂釣的道理細微深奧，只有聖明的君主才能覺察。」襄王對這種牽強附會的政治段子不感興趣，打著呵欠說：「你這樣講太寬泛迂闊了。這種釣法，我就看不見。」宋玉說：「只要細心觀察，並不難看見。商湯憑藉七十里、周文王憑藉百里的地方興利除害，天下百姓爭相歸順，他們的釣餌可以說充滿芳香；周天子執掌天下，歷經幾百年至今不廢，這魚線已經夠長了；眾生受其恩澤，民眾畏其法律，其釣技可以說已經很公平了；功成而不沉墜，名立而不更改，其釣竿已算是非常堅強了。至於釣竿折斷、魚線斷絕、釣餌墜落、釣鉤斷裂，以致魚失波濤，則是因為夏桀、商紂不通曉釣術罷了。現在再來討論玄洲子的釣術。他左手提著魚簍，右手握住釣竿，站在低窪積水之處，倚靠在楊柳之間，注意力不離開魚咬鉤的嘴，思緒集中在要釣到的鮒鯿之上，滿腦子想的是魚，以致於形容枯槁，神色憔悴，快樂抵不上辛勞，收穫抵不上付出。這不過是在水邊服勞役的役夫，大王有什麼好稱讚的呢？大王如果能建造堯舜一樣的

大竿，操縱大禹商湯一樣長的釣線，像前代聖賢一樣把魚餌投入大江大海，面向芸芸眾生，天下百姓豈非皆為君王所得？大王以此釣法，不也是非常快樂的事情嗎？」

【出處】

宋玉與登徒子皆受釣於玄洲子，而並見於襄王。登徒子曰：「夫玄洲，天下之善釣者也，願王觀焉。」王曰：「其善，奈何？」徒曰：「夫玄洲之釣，以三尋之竿，八絲之綸，餌若蛆蟮，鉤若細針，以出三尺之魚於數仞之水，豈可謂無術乎？」王曰：「善。」宋玉進曰：「今察玄洲之釣，未可謂能持竿也，又烏足為大王言乎？臣所謂善釣者，其竿非竹，其綸非絲，其鉤非針，其餌非蟮也。」王曰：「願遂聞之。」玉曰：「昔堯舜禹湯之釣也，以聖賢為竿，道德為綸，仁義為鉤，祿利為餌，四海為池，萬民為魚。釣道微矣，非聖王而孰能察之？」王曰：「迂哉言乎！其釣未可見也。」玉曰：「其釣易見，王不察耳。昔殷湯以七十里，文王以百里，興利除害，天下歸之，其餌可謂芳矣；南面而掌天下，歷載數百，到今不廢，其綸可謂多矣；群生浸其澤，民氓畏其罰，其鉤可謂均矣；功成而不墜，名立而不改，其竿可謂強矣。若夫竿折綸絕，餌墜鉤決，波湧魚失，是則夏桀、殷紂不通夫釣術也。今察玄洲之釣，左挾魚罶，右執槁竿，立乎潢污之涯，倚乎楊柳之間。精不離乎魚喙，思不出於鮒鰡。形容枯槁，神色憔悴。樂不復勤，獲不當費。斯乃水濱之役夫而已，王又何稱焉？王若建堯舜之洪竿，擄禹湯之修綸，投之於瀆，沉之於海，漫漫群生，孰非吾有？其為大王之釣，不亦樂乎？（《渚宮舊事》〈周代下〉）

東家之子

　　與宋玉同時侍候楚王的大夫中，有一位叫登徒子。一天，登徒子在楚王面前說宋玉的壞話：「宋玉體貌英俊，能言善辯，很貪愛女色，希望大王不要與他出入後宮。」楚王拿登徒子的話質問宋玉，宋玉說：「容貌俊美，這是上天所生；善於言詞辯說，是跟老師學的；至於貪愛女色，下臣絕無此事。」楚王說：「你自己說不貪愛女色，有什麼證據嗎？沒道理可講的話，你可以走了。」宋玉說：「天下美女，沒有誰比得上楚國女子的，楚國女子之美，沒有誰能超過我家鄉美女的，我家鄉最美麗的姑娘，還得數我東邊鄰家的女兒。東家那位姑娘，論身材，增加一分則太高，減掉一分則太短；論膚色，撲脂粉嫌太白，塗朱膏嫌太紅。眉毛如翠鳥的羽毛，肌膚像白雪一般瑩潔，腰身纖細如裹上素帛，牙齒潔白整齊有如編貝。她甜美的笑容，令陽城和下蔡一帶的男人為之神魂傾倒。就是這樣一位絕色美女，趴在牆上窺視我三年，而我至今仍未答應和她交往。登徒子卻不是這樣，他的妻子蓬頭垢面，耳朵攣縮，嘴唇外翻而牙齒參差不齊，彎腰駝背，走路一瘸一拐的，還患有疥疾和痔瘡。這樣一個醜陋女子，登徒子卻愛若至寶，與她生了五個孩子。請大王明察，究竟誰是好色之徒呢？」

【出處】

　　大夫登徒子侍於楚王，短宋玉曰：「玉為人，體貌閑麗，口多微辭，又性好色。願王勿與出入後宮。」王以登徒子之言問宋玉。玉

曰：「體貌閑麗，所受於天也；口多微辭，所學於師也；至於好色，臣無有也。」王曰：「子不好色，亦有說乎？有說則止，無說則退。」玉曰：「天下之佳人莫若楚國，楚國之麗者莫若臣里，臣里之美者莫若臣東家之子。東家之子，增之一分則太長，減之一分則太短；著粉則太白，施朱則太赤。眉如翠羽，肌如白雪；腰如束素，齒如含貝。嫣然一笑，惑陽城，迷下蔡。然此女登牆窺臣三年，至今未許也。登徒子則不然。其妻蓬頭攣耳，齞唇歷齒，旁行踽僂，又疥且痔。登徒子悅之，使有五子。王孰察之，誰為好色者矣。」（《登徒子好色賦》）

亦何能已

宋玉休假離開朝廷，侍臣唐勒乘機向楚襄王進讒說：「宋玉這個人體貌俊美，能言善辯，外出時對客店主人的女兒有非分之想，這樣的人豈能進宮陪侍大王，希望大王疏遠他。」宋玉休假回來後，襄王就拿唐勒的讒言說事：「聽說你外出與客店主人的女兒玩曖昧？你進宮侍候我，不會也做那些輕浮的事吧？」宋玉回答說：「情況是這樣的，我外出旅行的時候，駕車的僕夫餓了，馬兒也疲乏不堪。正好遇到客店的店門開著，當時只有客店主人的女兒在家。她將我安排到自己的閨房內休息。房中有琴，我取琴彈奏了《幽蘭》《白雪》等曲子。店主的女兒打扮得花枝招展，推開我的房門進來說：『尊貴的客人，時間不早了，您不覺得餓嗎？』她為我端來可口的飯菜，勸我進食。她用翡翠釵鉤住我的帽帶，我不敢抬頭看她。她對我唱道：『一年快

完了，天已很冷了，我的心中很亂，不多說了。』於是我取過琴，又彈奏了《秋竹》《積雪》等樂曲。她又對我唱道：『內心忐忑不安，來到華美的床邊，橫躺在你的身旁。你不來親近，我能怨誰呢？我的日子快到頭了，我會恨恨而死下黃泉。』於是我站起來嚴肅地說：「我寧願殺掉別人的父親，讓別人的兒女變成孤兒，也不忍心對店主的女兒產生非分之想。……」襄王說：「行了，別說了，換我在這個時候，也難以控制住自己啊！」

【出處】

楚襄王時，宋玉休歸。唐勒讒之於王曰：「玉為人身體容冶，口多微詞，出愛主人之女，入事大王，願王疏之。」玉休還，王謂玉曰：「玉為人身體容冶，口多微詞，出愛主人之女，入事寡人，不亦薄乎？」玉曰：「臣身體容冶，受之二親；口多微詞，聞之聖人。臣嘗出行，僕饑馬疲，正值主人門開，主人翁出，嫗又到市，獨有主人女在。女欲置臣，堂上太高，堂下太卑，乃更於蘭房之室，止臣其中。中有鳴琴焉，臣援而鼓之，為《幽蘭》《白雪》之曲。主人之女，翳承日之華，披翠雲之裘，更被白縠之單衫，垂珠步搖，來排臣戶，曰：『上客，日高，無乃饑乎？』為臣炊雕胡之飯，烹露葵之羹，來勸臣食，以其翡翠之釵，掛臣冠纓，臣不忍仰視。為臣歌曰：『歲將暮兮日已寒，中心亂兮勿多言。』臣復援琴而鼓之，為《秋竹》《積雪》之曲，主人之女又為臣歌曰：『內怵惕兮徂玉床，橫自陳兮君之傍。君不御兮妾誰怨，日將至兮下黃泉。』玉曰：『吾寧殺人之父，孤人之子，誠不忍愛主人之女。』」王曰：「止，止。寡人於此時，亦何能已也！」（《諷賦》）

能為小言

　　楚襄王登上雲陽臺，命令景差、唐勒、宋玉諸大夫寫作《大言賦》。賦寫完後宋玉受到賞賜。襄王說：「這篇賦非常迂闊荒誕，但還不那麼完備。一陰一陽，是道的精貴所在，小的去大的來，是《易經》中剝卦、復卦中講述的道理。所以高低配合，天地就能定位，日、月、星辰的光輝照耀，大小就齊備了。能高而不能下，就不是融會貫通的人；能粗而不能細，亦不是上好工夫。只是坐於上位，還不足以表明賞賜；各位賢人能有為《小言賦》的，賜以雲夢的封田。」景差說：「載著細小的塵埃乘風飄搖，身體如蚊子的翅膀一般輕巧，形體比跳蚤的鱗片微小，輕快迅速地沉浮湧動，凌空縱身，從針孔中穿過，出入於羅巾，自由縹緲地聯翩飛翔，忽然出現，忽然消失。」唐勒說：「剖開飛塵以為車輿，剖開糠秕以為舟船，漂漂然投進一杯水中，平淡得如同巨海中的洪流。憑藉蚊蚋的眼角左顧右盼，依附著蟻蟓的身體翱翔遠遊。寧願隱蔽於微小之中沒有定準，混沌於死亡之中不知憂愁。」又說：「寄居在蒼蠅的鬍鬚之中，飲宴在毫毛的尖端，烹煮蝨子的頭腦，切割蟣子的肝臟。會合九族的人一起來吃，仍有剩餘難得吃完。」宋玉說：「無所不在的空間中，細微的生物潛伏生長。沒有東西可以形容，也無法用語言來表達。迷濛如同沒有身影，荒昧彷彿沒有形體。超然於太空之中，出入在事物尚未誕生之處，比動物身上的細毛還要纖細，簡單得如同茸毛剛剛長出。遠視它渺茫不清，近看它昏暗不明。體察入微的離朱也不禁嘆息納悶，神明也不能描繪它的情形。你倆的描述具體分明，但還算不上小，怎比得

上我說的精妙呢？」襄王點頭說：「好極了！」於是賞賜宋玉雲夢之田。

【出處】

　　襄王登雲陽之臺，令諸大夫景差、唐勒、宋玉等並造大言賦。賦畢而宋玉受賞。王曰：「此賦之迂誕則極巨偉矣，抑未備也。且一陰一陽，道之所貴。小往大來，剝復之類。是故卑高相配而天地定位，三光並照則小大備。能高而不能下，非兼通也。能粗而不能細，非妙工也。然則上坐者，未足明賞。賢人有能為小言者，賜雲夢之田。」景差曰：「載氛埃兮乘飄塵，體輕蚊翼，形微蚤鱗。聿遑浮湧，凌虛縱身，經由針孔，出入羅巾，飄眇翩綿，乍見乍泯。」唐勒曰：「析飛塵以為輿，剖糠粃以為舟。泛然投乎杯水中，淡若巨海之洪流。憑蚋眥以顧眄，附蟻蠓而遨游。寧隱微以無准，渾存亡而不憂。」又曰：「館乎蠅鬚，宴於毫端，烹蝨腦，切蟣肝，會九族而同嚌，猶委餘而不殫。」宋玉曰：「無內之中，微物潛生。比之無象，言之無名。濛濛滅景，昧昧遺形。超於太虛之域，出於未兆之庭。纖於毳末之微蔑，陋於茸毛之方生。視之則眇眇，望之則冥冥。離朱為之嘆悶，神明不能察其情。二子之言磊磊皆不小，何如此之為精。」王曰：「善。」遂賜雲夢之田。（《渚宮舊事》〈周代下〉）

君子之富

　　楚頃襄王問莊辛說：「君子的品行是怎樣的呢？」莊辛回答說：

「君子居住的地方不設圍牆，沒人會去詆毀他；出行時不帶侍衛，沒人想去傷害他。這就是君子的品行。」頃襄王又問：「君子怎樣對待財富呢？」莊辛回答說：「君子借錢給別人，不會要人家感恩戴德；供給別人吃喝，也不指望去役使人家。這樣的人，親戚敬愛，眾人喜歡，品行不好的人也樂意為他驅使，大家都希望他健康長壽遠離禍患。這就是君子對待財富的態度。」頃襄王高興地點頭說：「說得好！」

【出處】

楚王問莊辛曰：「君子之行奈何？」莊辛對曰：「居不為垣牆，人莫能毀傷；行不從周衛，人莫能暴害。此君子之行也。」楚王復問：「君子之富奈何？」對曰：「君子之富，假貸人，不德也，不責也。其食飲人，不使也，不役也。親戚愛之，眾人善之，不肖者事之，皆欲其壽樂而不傷於患。此君子之富也。」楚王曰：「善。」（《說苑》〈貴德〉）

亡羊補牢

莊辛勸諫楚襄王說：「大王整天跟州侯、夏侯、新安君、壽陵君在一起放蕩淫樂，把國家大事都荒廢了。楚國已經很危險了。」襄王聽了很不高興，說：「先生老糊塗了嗎？為什麼詛咒楚國呢？」莊辛回答說：「臣並非有意要說不吉祥的話，是真的看到了危險。君王一定要親近這四個小人，楚國肯定會亡國的。就讓我留在趙國看看

吧。」莊辛去趙國不到十個月，楚國連續丟失了巫山、江漢、鄢、郢等地，於是襄王派人把莊辛從趙國請回來。襄王對莊辛說：「唉！寡人不聽先生的話，以致於情況如此糟糕，現在該怎麼辦呢？」莊辛說：「大王只要真心聽從我的意見，形勢還可挽救。民諺說：『丟失了羊及時修補羊圈還不算晚，看見兔子再放獵狗追趕也不算遲。』商湯、周武王以百里之地稱王，今天楚國少說仍有上千里國土啊！大王看見蜻蜓沒有，它自由自在地在空中飛翔，尋找蚊虻來吃，等待甘露而飲，看上去無憂無慮，卻不知五尺童子高舉絲網要來捉它，剛才還在翩翩飛舞，轉瞬間已被黏絲緊緊包裹。蜻蜓的事算是小的，那黃雀俯身啄食白米，鼓動翅膀飛到樹上歇息，卻不知公子王孫手持彈弓已將它瞄準，早晨還在茂密的樹叢中飛翔，傍晚已成了酒宴上的菜餚。黃雀的事還不算大，大王見過天鵝吧？它游弋在大江大湖中，梳理光潔的羽毛，凌駕於清風之上，一飛千里，愜意無限，卻不知獵人已手持弓弩，巧妙偽裝，瞅準時機就給它致命一擊，它早晨還在江水中遨遊嬉戲，啄食魚草，晚上卻成為別人的美味佳餚。天鵝的事還不算太大，蔡侯的悲劇也是如此。他將國家大事拋在一邊，四處遊山玩水，自以為快樂無邊，卻不知子發已接到楚宣王的命令，駐兵淮水，扼其要道，布兵巫山，在庚子日那天將蔡侯俘虜，作為囚徒獻給了宣王。蔡侯的事還不算大，大王的危險有甚於此。您為州侯、夏侯、新安君和壽陵君所左右，終日荒淫無度，四處遊玩，驅車馳騁在雲夢之澤，不把國家安危放在心上，卻不知穰侯正在和秦王商議，在黽塞排兵布陣，要將大王驅趕到黽塞之外。」楚襄王聽了莊辛的一番說辭，只覺得渾身發抖，恐懼不已。於是封莊辛為成陵君，並採納他的計謀，不久就收復了淮北的舊地。

【出處】

　　莊辛諫楚襄王曰：「君王左州侯，右夏侯，從新安君與壽陵君同軒，淫衍侈靡而忘國政，郢其危矣。」王曰：「先生老悖歟？妄為楚國妖歟？」莊辛對曰：「臣非敢為楚妖，誠見之也。君王卒近此四子者，則楚必亡矣！辛請留於趙以觀之。」於是不出十月，王果亡巫山、江漢、郢之地。於是王乃使召莊辛至於趙。辛至，王曰：「嘻！先生來邪！寡人以不用先生言至於此，為之奈何？」莊辛曰：「君用辛言則可，不用辛言又將甚乎！此庶人有稱曰：『亡羊而固牢未為遲，見兔而呼狗未為晚。』湯武以百里王，桀紂以天下亡，今楚雖小，絕長繼短，以千里數，豈特百里哉！且君王獨不見夫青蛉乎？六足四翼，蜚翔乎天地之間，求蚊虻而食之，時甘露而飲之，自以為無患，與民無爭也。不知五尺之童子，膠絲竿，加之乎四仞之上，而下為蟲蛾食已。青蛉猶其小者也，夫爵俯啄白粒，仰棲茂樹，鼓其翼，奮其身，自以為無患，與民無爭也。不知公子王孫，左把彈，右攝丸，定操持，審參連，故晝游乎茂樹，夕和乎酸咸。爵猶其小者也，鴻鵠嬉游乎江漢，息留乎大沼，俯啄鱔鯉，仰奮陵衡，修其六翮，而陵清風，飄搖高翔，一舉千里，自以為無患，與民無爭也。不知弋者選其弓弩，修其防翳，加繒繳其頸，投乎百仞之上，引纖繳，揚微波，折清風而殞，故朝游乎江河，而暮調乎鼎俎，鴻鵠猶其小者也，蔡侯之事故是也。蔡侯南游乎高陵，北經乎巫山，逐麑麖獐鹿，彍溪子，隨時鳥，嬉游乎高蔡之囿，溢滿無涯，不以國家為事，不知子發受令宣王，厄以淮水，填以巫山，庚子之朝，纓以朱絲，臣而奏之乎宣王也。蔡侯之事猶其小者也，今君王之事，遂以左州侯，右夏侯，

從新安君與壽陵君，淫衍侈靡，康樂游娛，馳騁乎雲夢之中，不以天下與國家為事，不知穰侯方與秦王謀，寘之以黽厄之內，而投之乎黽塞之外。」襄王大懼，形體掉栗曰：「謹受令。」乃封莊辛為成陵君，而用計焉。與舉淮北之地十二諸侯。（《新序》〈雜事第二〉）

晝以車騎，暮以燭見

齊、韓、魏三國聯合伐燕，燕國派太子向楚國求救。楚頃襄王派景陽率兵救燕。傍晚宿營時，景陽命左右二司馬各自選地紮營，安營完畢，樹立軍營標記。景陽生氣地說：「你們安營的地方，大水來了連軍營的標記都得淹沒，這裡怎麼能宿營呢？」於是命令軍隊轉移。第二天下大雨，山洪暴發，原來安營的地方都被洪水淹沒了，將士們都很信服他。楚軍沒有直接援救燕國，而是去攻打魏國的雍丘，獲勝後把雍丘送給宋國。齊、韓、魏三國都很恐懼，於是停止圍攻燕國。魏軍駐紮在楚軍西側，齊軍駐紮在楚軍東側，楚軍想撤軍回國很難。景陽於是打開軍營西門，白天讓車馬來往，晚上以燭火照明，並時常派使者到魏國軍營。齊軍感到奇怪，以為燕、楚兩國與魏國圖謀自己，於是率兵撤退。齊軍撤離後，魏國失去盟國，不敢孤軍與楚軍為敵，也在夜裡逃跑了。楚國於是從容班師回國。

【出處】

齊、韓、魏共攻燕，燕使太子請救於楚。楚王使景陽將而救之。暮舍，使左右司馬各營壁地，已，植表。景陽怒曰：「女所營者，水

皆至滅表。此焉可以舍！」乃令徙。明日大雨，山水大出，所營者，水皆滅表，軍吏乃服。於是遂不救燕，而攻魏雍丘，取之以與宋。三國懼，乃罷兵。魏軍其西，齊軍其東，楚軍欲還不可得也。景陽乃開西和門，晝以車騎，暮以燭見，通使於魏。齊師怪之，以為燕、楚與魏謀之，乃引兵而去。齊兵已去，魏失其與國，無以共擊楚，乃夜遁。楚師乃還。（《戰國策》〈燕策三〉）

周不可圖

楚國想聯合齊國、韓國攻打秦國，順便滅掉周朝。周王派東周的武公對楚國令尹昭子說：「千萬不要打周朝的主意啊。」昭子說：「沒人說要打周朝的主意。雖然如此，我想問問，怎麼就不能打周朝的主意呢？」武公回答說：「以西周現在的地盤，取長補短，也不過方圓百里。搶佔這塊小小的地盤並不足以使國家富強，得到那麼點百姓也不足以壯大軍隊。但西周卻有天下共同擁戴的宗主名義，誰攻打它，誰就是犯上作亂。儘管如此，還是有人想去攻佔它，為什麼呢？因為有先主遺傳下來的祭祀重器。老虎肉腥臊且又尖牙利爪，仍然有人想獵取它；麋鹿無爪牙之利，如果再給它披上一張誘人的虎皮，人們獵取它的欲望一定會增加萬倍。楚國的情形也是這樣：分割楚國的領土，足以使自己富庶；討伐楚國，可以打著尊崇周王室的名義。楚國要是誅滅天下共同擁戴的周王朝，佔有了夏、商、周三代相傳的禮器，只怕禮器還沒運回南方，各國征討的大兵已經到了！」令尹昭子覺得言之有理，於是楚國放棄了之前的打算。

　　楚欲與齊、韓共伐秦，因欲圖周。王使東周武公謂楚令尹昭子曰：「周不可圖也。」昭子曰：「乃圖周，則無之；雖然，何不可圖？」武公曰：「西周之地，絕長補短，不過百里。名為天下共主，裂其地不足以肥國，得其眾不足以勁兵。雖然，攻之者名為弒君。然而猶有欲攻之者，見祭器在焉故也。夫虎肉臊而兵利身，人猶攻之；若使澤中之麋蒙虎之皮，人之攻之也必萬倍矣。裂楚之地，足以肥國；詘楚之名，足以尊主。今子欲誅殘天下之共主，居三代之傳器，器南，則兵至矣。」於是楚計輟不行。（《資治通鑑》〈周紀四〉）

莊蹻入滇

　　莊蹻是戰國末期楚人，傳其為楚莊王苗裔，其生平有兩件大事，一是反楚起事，二是入滇為王。莊蹻曾經率領民間武裝反叛朝廷，後來歸順朝廷，被楚頃襄王指派率部溯長江而上，奪取巴郡和黔中郡以西地區。莊蹻能征善戰，率領部隊一直打到今天雲南昆明滇池一帶。滇池周邊土地肥沃，方圓幾千里，莊蹻憑藉楚軍威勢使其歸屬楚國。頃襄王二十二年，莊蹻打算返回楚國覆命，恰逢秦國攻打並奪取了楚國的巫郡、黔中郡，道路斷絕不能通行，因而返回滇池，靠其軍隊在滇地稱王，號為滇國。莊蹻改變服飾，順從當地習俗，成為滇人的統治者。

始楚威王時，使將軍莊蹻將兵循江上，略巴、黔中以西。莊蹻者，故楚莊王苗裔也。蹻至滇池，方三百里，旁平地，肥饒數千里，以兵威定屬楚。（《史記》〈西南夷列傳〉）

楚處莊姪

莊姪是楚頃襄王的夫人。起先，秦國想襲擊楚國，派張儀攜帶黃金到楚國游賄，讓身邊的人對楚王說：「到南邊的唐地去遊玩吧，五百里開外自有樂處。」楚王心有所動，準備前往。莊姪是縣邑普通人家的女孩，她對母親說：「大王喜好淫樂，出入隨意。年齡老大不小了還不立太子。現在秦國人以重金賄賂楚王身邊的大臣來迷惑他，鼓動他遠遊外出。看眼下的情況，只要大王一離開楚都，奸賊亂臣就會勾結敵國發動叛亂，大王將無家可歸。我想前往大王經過的路上去諫阻他。」母親說：「你一個黃毛丫頭，知道什麼進諫？」母親不讓莊姪出門，她設法逃出，在楚王經過的時候，站在路邊使勁搖晃塗成橘紅色的小旗幟。楚王覺得奇怪，就停車問她。莊姪說：「我是小縣城的女子，想對大王說祕密的事情，怕被小人擁堵蔽塞，所以用旗幟來吸引大王的注意。」楚王說：「你有什麼要告誡我的？」莊姪說：「大魚失水，有龍無尾，牆欲內崩，這三種災難大王都視而不見啊。」楚王說：「什麼意思？」莊姪說：「大魚失水，是說大王遠離國家五百里；有龍無尾，是說大王年已不惑還沒有立太子；牆欲內崩，是說朝內有奸臣要裡通外國顛覆王朝，而大王卻視眼下的三難五患於不

見。」楚王說：「什麼叫五患呢？」莊姪說：「宮室相望，城郭闊達，是一種隱患；上層貴族衣著錦繡，老百姓卻身不遮體，是第二種隱患；百姓忍饑挨餓，大王馬廄裡卻有餘糧，這是第三種隱患；奸臣在側，賢人不用，這是第四種隱患；奢侈無度，王室空虛，是第五種隱患。大王有這五種隱患，自然會帶來三種災難。」楚王想了想說：「我明白了。」於是命令掉轉車頭，載上莊姪，立即返回都城。果然城門已經關閉，叛亂已開始發動。楚王於是火速調動鄢郢兩地的軍隊前來救援，艱難地平定了叛亂。楚王感激莊姪的勸諫，立她為夫人。

【出處】

楚處莊姪者，楚頃襄王之夫人，縣邑之女也。初，頃襄王好臺榭，出入不時，行年四十，不立太子，諫者蔽塞，屈原放逐，國既殆矣。秦欲襲其國，乃使張儀間之，使其左右謂王曰：「南游於唐，五百里有樂焉。」王將往。是時莊姪年十二，謂其母曰：「王好淫樂，出入不時。春秋既盛，不立太子。今秦又使人重賂左右，以惑我王，使游五百里之外，以觀其勢。王已出，奸臣必倚敵國而發謀，王必不得反國。姪願往諫之。」其母曰：「汝嬰兒也，安知諫？」不遣，姪乃逃。以緹竿為幟，姪持幟伏南郊道旁，王車至，姪舉其幟，王見之而止，使人往問之，使者報曰：「有一女童伏於幟下，願有謁於王。」王曰：「召之。」姪至，王曰：「女何為者也？」姪對曰：「妾縣邑之女也，欲言隱事於王，恐壅閼蔽塞，而不得見聞。大王出游五百里，因以幟見。」王曰：「子何以戒寡人？」姪對曰：「大魚失水，有龍無尾。牆欲內崩，而王不視。」王曰：「不知也。」姪對曰：「大魚失水者，王離國五百里也，樂之於前，不思禍之起於後也。有龍無尾者，

年既四十，無太子也。國無強輔，必且殆也。牆欲內崩而王不視者，禍亂且成而王不改也。」王曰：「何謂也？」姪曰：「王好臺榭，不恤眾庶，出入不時，耳目不聰明。春秋四十，不立太子，國無強輔，外內崩壞。強秦使人內間王左右，使王不改，滋日以甚，今禍且構。王游於五百里之外，王必遂往，國非王之國也。」王曰：「何也？」姪曰：「王之致此三難也，以五患。」王曰：「何謂五患？」姪曰：「宮室相望，城郭闊達，一患也。宮垣衣繡，民人無褐，二患也。奢侈無度，國且虛竭，三患也。百姓饑餓，馬有餘秣，四患也。邪臣在側，賢者不達，五患也。王有五患，故及三難。」王曰：「善。」命後車載之，立還反國。門已閉，反者已定，王乃發鄾郢之師以擊之，僅能勝之。乃立姪為夫人。（《古列女傳》〈辯通傳〉）

物至則反

秦昭王派白起聯合韓國、魏國一起攻打楚國，佔領了楚國的好幾個縣，頃襄王被迫遷都。楚王派春申君黃歇到秦國請求交好。黃歇到達秦都之後，上書秦昭王說：「秦國和楚國是天下最強大的兩個國家。現在秦國攻打楚國，就好比兩虎相爭，反而被劣犬趁著雙方的疲憊得到好處一樣。俗話說：物極必反，至高則危。大王在開疆拓土方面顯示出超群的能力，威勢達到極點。如能保持已有的戰功，守住自己的威勢，對外廣施仁德，那麼您的功勞可與三王並列為四王，可與五霸合稱為六霸。如果大王倚仗兵強馬壯，想用武力征服天下，臣擔心秦國後患無窮。《詩經》上說：『凡事沒有不能善始的，卻很少

有能善終的。」《易經》中也說:『狐狸小心渡水,將到岸時卻弄濕了尾巴。』過去智伯只看到攻打趙國的好處,卻沒想到會在榆次栽跟頭;吳王只看到攻打齊國的利益,卻沒預料到干隧的失敗。他們並非沒建立過豐功偉績,只是被眼前的利益矇蔽,忽略了後來的禍患。如今大王要滅亡楚國,卻忘記了楚國的滅亡必然會增強韓魏兩國的實力。楚國地處僻遠,只有近鄰之國才是秦國的敵人。如今大王相信韓魏的友善,就好比當年吳國相信越國的親善一樣。秦國與韓魏兩國世代積累的只有仇怨,哪有恩德?韓魏的存在才是秦國最大的威脅。現在秦國聯合韓魏一起攻打楚國,豈非失策?秦國攻打楚國,如果向韓魏借道,大王以為軍隊能平安返回嗎?如果不向韓魏借道,就只能攻打楚國的隨水西側一帶,這一帶都是山川河谷,並不能種植莊稼,這樣大王只是徒有毀滅楚國的惡名,卻沒有得到土地的實惠。等到韓魏強大到足以對抗秦國的時候,齊國就會在東方乘勢崛起。臣以為大王不如與楚國親善友好,聯手對付韓魏。等到韓魏向秦國臣服,燕趙齊楚等不到惡戰也會臣服於秦國了。」昭王仔細看了黃歇的上書,點頭說:「好!」於是命令白起停止進攻楚國,辭退了韓魏的部隊,派使者與黃歇一起前往楚國,與楚國結為同盟。

【出處】

　　楚使黃歇於秦,秦昭王使白起攻韓、魏,韓、魏服事秦,秦王方令白起與韓、魏共伐楚。黃歇適至,聞其計,是時秦已使白起攻楚數縣,楚頃襄王東從。黃歇上書於秦昭王,欲使秦遠交楚而攻韓、魏以解楚。其書曰:「天下莫強於秦、楚,今聞王欲伐楚,此猶兩虎相與鬥,兩虎相與鬥,而駑犬受其弊也,不如善楚。臣請言其說:臣聞

之，物至則反，冬夏是也；致高則危，累棋是也。今大國之地遍天下，有其二垂，此從生民以來，萬乘之地，未嘗有也。今王使盛橋守事於韓，盛橋以其地入秦，是王不用甲不信威，而得百里之地也，王可謂能矣。王又舉甲而攻魏，杜大梁之門，舉河內，攻燕、酸棗、虛、桃，入邢，魏之兵雲翔而不敢救，王之功多矣。王休甲息眾，二年而復之，有取滿、衍、首、垣，以臨仁、平丘、黃、濟陽、甄城，而魏氏服，王又割濮，歷之北，注之齊、秦之要，絕楚、趙之脊，天下五合六聚而不敢相救，王之威亦單矣。王若能恃功守威，挾戰功之心，而肥仁義之地，使無後患，三王不足四，五伯不足六也。王若負人徒之眾，兵革之強，乘毀魏之威，而欲以力臣天下之王，臣恐其有後患也。詩曰：『靡不有初，鮮克有終。』易曰：『狐涉水，濡其尾。』此言始之易終之難也。何以知其然也。智伯見伐趙之利，不知榆次之禍；吳見伐齊之便，而不知干隧之敗。此二國者，非無大功也，沒利於前，而易患於後也。吳之親越也，從而伐齊，既勝齊人於艾陵，還為越人所禽於三渚之浦。知伯之信韓、魏也，從而伐趙攻晉陽之城，勝有日矣，韓、魏畔之，殺知伯瑤於鑿臺之上。今王妒楚之不毀也，而忘毀楚之強韓、魏也，臣為王慮而不取也。……夫以王壤土之博，人徒之眾，兵革之強，一舉事而樹怨於楚，出令韓、魏歸帝重於齊，是王失計也。……」昭王曰：「善。」於是乃止白起，謝韓、魏，發使賂楚，約為與國。黃歇受約歸楚，解楚之禍，全強秦之兵，黃歇之謀也。（《新序》〈善謀第九〉）

癘雖憐王

　　有個門客遊說楚國的令尹春申君說:「商湯王用七十里的地方,周文王用百里的地方,最終都兼併天下,統一了海內。如今荀子是天下著名的賢人,您把一個百里大縣交給他治理,使他掌握了這個縣的力量,我私下認為這對您很不利,您認為呢?」春申君說:「你說得有理。」於是派人辭退了荀子。荀子離開楚國到了趙國,趙國任命他擔任上卿。又有門客遊說春申君說:「過去伊尹離開夏朝到商朝,結果商朝後來擁有天下,夏朝滅亡。管仲離開魯國到了齊國,結果魯國變為弱國,齊國成為強國。由此看來,賢人對國家的安定有利,對君主是大有好處的。如今荀子是天下的賢人,為什麼要辭退他,讓他離開呢?」於是春申君又派人去請荀子回楚國。荀子寫信婉言謝絕說:「俗話說:『長惡瘡的人憐憫君主。』」這句話很不恭敬。雖然如此,也不可不仔細考察這句話的含義。看看那些被劫持刺殺而死的君主們的下場吧。大凡年少的國君,都喜歡依賴大臣,卻沒有辦法察知大臣的奸詐,於是大臣採取專斷獨行的方法來謀取私利,甚至囚禁和誅殺國君。這也是為什麼大臣拋棄賢良年長的儲君而立年幼無能的少主,廢除嫡長子而立不義之人的原因所在。《春秋左傳》記載說:楚共王的兒子圍訪問鄭國,還沒有走出國境,聽說楚王生病,於是返身回來探問,藉機用帽帶絞殺了楚王,自立為君。齊國大夫崔杼的妻子美麗,莊公與她私通。崔杼率領他的黨羽圍攻莊公。莊公請求與他平分齊國,崔杼不同意。莊公又要求到宗廟自殺,崔杼也不允許。莊公往外逃跑,跳過外牆時被射中大腿,最終被殺。還有大家所看到的近代的事:趙國大夫李克在趙國受到重用,結果把趙惠文王的父親主父

圍困於沙丘活活餓死。淖齒在齊國受到重用，他抽掉齊閔王的筋，把他懸掛在宗廟的屋梁上，過了一夜就殺了他。生長惡瘡的人，雖然身上長著膿瘡，結著瘡疤，上比遠古的君主，還沒有遭到絞勒頸脖、箭射大腿的慘相，下比近代，也還沒有被抽筋懸梁、活活餓死的悲劇；那些遭受劫持刺殺死亡的君主心裡的憂傷和形體的痛苦，肯定比生惡瘡的人嚴重得多。這樣看來，生惡瘡的人同情君主，似乎是可以理解的。」接著荀子又寫了一篇賦說：「赤玉、寶石、珍珠不知道佩戴，粗布與錦繡混雜在一起不知道分辨，美麗的閭娵、子都沒人為他們做媒，醜陋的嫫母、力父卻大受追捧。認為瞎子眼睛明亮，認為聾子耳朵靈敏。認為是就是非，認為吉就是凶。上天啊，我怎麼能夠向他們看齊！」

【出處】

　　客有說春申君者曰：「湯以七十里，文王百里，皆兼天下，一海內。今夫孫子者，天下之賢人也，君借之百里之勢，臣竊以為不便於君。若何？」春申君曰：「善。」於是使人謝孫子。孫子去而之趙，趙以為上卿。客又說春申君曰：「昔伊尹去夏之殷，殷王而夏亡；管仲去魯入齊，魯弱而齊強。由是觀之，夫賢者之所在，其君未嘗不善，其國未嘗不安也。今孫子天下之賢人，何謂辭而去？」春申君又云：「善。」於是使使請孫子。孫子為書謝之曰：「鄙語曰：『癘憐王。』此不恭之語也。雖然，不可不審也。此為劫殺死亡之主言者也，夫人主年少而放，無術以知奸，即大臣以專斷圖私，以禁誅於己也。故舍賢長而立幼弱，廢正適而立不義。故春秋志之，曰：「楚王之子圍聘於鄭，未出境，聞王疾，返問疾，遂以冠纓絞王而殺之，因

自立。齊崔杼之妻美，莊公通之。崔杼帥其黨而攻莊公。公請與分國，崔杼不許。欲自刃於廟，崔杼又不許。莊公走出，逾於外牆，射中其股，遂殺之，而立其弟景公。」近世所見，李兌用趙，餓主父於沙丘，百日而殺之。淖齒用齊，擢閔王之筋而懸之於廟梁，宿昔而殺之。夫癘雖癰腫疕疵，上比遠世，未至絞頸射股也，下比近世，未至擢筋餓死也。夫劫殺死亡之主，心之憂勞，形之苦痛，必甚於癘矣。由此觀之，癘雖憐王，可也。」因為賦曰：「旋玉瑤珠不知佩，雜布與錦不知異。閭娵子都莫之媒，嫫母力父是之喜。以盲為明，以聾為聰。以是為非，以吉為凶。嗚呼上天，曷為其同！」（《韓詩外傳》卷四，第二十五章）

驚弓之鳥

　　諸侯合縱對付秦國，趙國派魏加來見楚國令尹春申君，問他說：「您有將軍了嗎？」春申君說：「有了。我準備任命臨武君為大將。」魏加說：「我年輕的時候喜歡射箭，我想用射箭打個比方，可以嗎？」春申君說：「講吧。」魏加說：「從前，更羸與魏王遊於京臺之下，抬頭看見飛鳥。更羸對魏王說：『我只要為大王拉拉弓弦，就可以讓飛鳥掉下來。』魏王說：「你的箭術竟達到了這種地步嗎？」更羸說：『是的。』過了一會兒，有隻大雁從東方飛來，更羸拉拉弓弦，飛雁果然掉了下來。魏王非常驚訝地說：『你的箭術果然神妙啊！』更羸說：『這隻雁其實有傷在身。』魏王說：『先生怎麼知道？』更羸回答說：『它飛得緩慢，叫聲悲切。飛得緩慢，是身上有舊傷；叫聲悲切，是因為長久失群。舊傷未癒，而又心有餘悸，聽到弓弦的聲音，

便驚駭地高飛，以致傷口迸裂，所以掉落下來。」臨武君與秦軍交戰剛打過敗仗，心有餘悸，就像那隻受傷的雁一樣，恐怕不能當此重任吧。」

【出處】

　　天下合從。趙使魏加見楚春申君曰：「君有將乎？」曰：「有矣，僕欲將臨武君。」魏加曰：「臣少之時好射，臣願以射譬之，可乎？」春申君曰：「可。」加曰：「異日者，更羸與魏王處京臺之下，仰見飛鳥。更羸謂魏王曰：『臣為王引弓虛發而下鳥。』魏王曰：『然則射可至此乎？』更羸曰：『可。』有間，雁從東方來，更羸以虛發而下之。魏王曰：『然則射可至此乎？』更羸曰：『此孽也。』王曰：『先生何以知之？』對曰：『其飛徐而鳴悲。飛徐者，故瘡痛也；鳴悲者，久失群也，故瘡未息，而驚心未至也。聞弦音，引而高飛，故瘡隕也。』今臨武君，嘗為秦孽，不可為拒秦之將也。」（《戰國策》〈楚策四〉）

汗明見春申君

　　汗明拜見春申君，等了三個月才見上面。聽了汗明的談吐，春申君很高興。汗明想多談一會兒，春申君說：「我已經瞭解先生了，先生請休息吧。」汗明顯得很不安的樣子，說：「我想問您一個問題，您和堯比，不知誰更聖明一些呢？」春申君說：「先生錯了，我哪配與堯相比呢？」汗明說：「那您看我和舜，誰更勝一籌？」春申君說：「先生就是舜啊！」汗明說：「不是這樣，請讓我把話說完。您

的聖明實在不如堯，我的賢能也遠遜於舜。以賢能的舜去侍奉聖明的堯，經過三年才彼此瞭解。今天剛一見面您就瞭解我了，這說明您比堯還聖明，而我比舜還賢能啊。」春申君說：「您說得好。」於是讓門人把汪明登記在賓客簿上，安排五天一見。汪明對春申君說：「您聽說過千里馬嗎？千里馬老了，駕著鹽車上太行山，伸著蹄子，彎著膝蓋，夾著尾巴，氣喘吁吁，渾身汗透，車到半坡，前進不得，怎麼用勁也爬不上去。這時遇到伯樂，他趕忙下車，撫著馬背流淚，解下麻衣給它罩上。千里馬於是俯首噴氣，仰天長嘶，聲音響徹雲霄，彷彿金石發出的聲音。這是為什麼？因為千里馬知道伯樂賞識它。如今我困厄於社會底層，居處在窮鄉僻壤，沉沒於鄙俗的日子已經很久了，難道您就不想提攜我，讓我能夠為您高聲嘶鳴、一顯身手嗎？」

【出處】

　　汪明見春申君，候問三月，而後得見。談卒，春申君大說之。汪明欲復談，春申君曰：「僕已知先生，先生大息矣。」汪明憱焉曰：「明願有問君而恐固。不審君之聖孰與堯也？」春申君曰：「先生過矣，臣何足以當堯？」汪明曰：「然則君料臣孰與舜？」春申君曰：「先生即舜也。」汪明曰：「不然。臣請為君終言之。君之賢實不如堯，臣之能不及舜。夫以賢舜事聖堯，三年而後乃相知也。今君一時而知臣，是君聖於堯而臣賢於舜也。」春申君曰：「善。」召門吏為汪先生著客籍，五日一見。汪明曰：「君亦聞驥乎？夫驥之齒至矣，服鹽車而上太行。蹄申膝折，尾湛胕潰，漉汁灑地，白汗交流，中阪遷延，負轅不能上。伯樂遭之，下車攀而哭之，解紵衣以冪之。驥於是俯而噴，仰而鳴，聲達於天，若出金石聲者，何也？彼見伯樂之知

己也。今僕之不肖，陋於州部，堀穴窮巷，沉洿鄙俗之日久矣，君獨無意溜拔僕也，使得為君高鳴屈於梁乎？」（《戰國策》〈楚策四〉）

毋望之禍

春申君擔任楚相第二十五年，考烈王病倒了。春申君的門客朱英對他說：「世上有意外之福，也有不測之禍；現在您身處非常之世，侍奉非常之主，豈能無非常之人呢？」春申君說：「何謂意外之福？」回答說：「您出任相國二十多年，名義上是相國，實際上是無冕之王。現在楚王病重，早晚要死，太子體弱，一病不起，您若輔佐少主，當可代行國君大權，譬如伊尹、周公。少主年長了，您再還政，或者乾脆南面稱王，完全據有楚國。這就是所謂的意外之福。」春申君說：「何謂不測之禍呢？」回答說：「李園雖然不治理國家，卻是太子的舅舅。他不執掌兵權，卻長期暗中豢養刺客。楚王死後，李園一定搶先進宮，按照既定計謀假托楚王遺言，殺害您滅口，這就是所謂不測之禍。」春申君說：「何謂非常之人呢？」回答說：「您可先任命我為宮中侍衛，楚王若死，李園搶先進宮時，我就一劍殺了他。這就是所謂非常之人啊！」春申君很不以為然，對朱英說：「先生不要再說這件事了。李園是個軟弱的人，我又與他交好，他怎麼會做這樣的事呢？」朱英害怕大禍臨頭，於是潛逃而去。過了十七天，考烈王駕崩。李園果然搶先入宮，在棘門內布置刺客。春申君隨後入宮，行至棘門，受到刺客夾攻，被割下首級，扔到棘門之外。李園又派人將春申君滿門抄斬。

　　春申君相二十五年，楚考烈王病。朱英謂春申君曰：「世有毋望之福，又有毋望之禍。今君處毋望之世，事毋望之主，安可以無毋望之人乎？」春申君曰：「何謂毋望之福？」曰：「君相楚二十餘年矣，雖名相國，實楚王也。今楚王病，旦暮且卒，而君相少主，因而代立當國，如伊尹、周公，王長而反政，不即遂南面稱孤而有楚國？此所謂毋望之福也。」春申君曰：「何謂毋望之禍？」曰：「李園不治國而君之仇也，不為兵而養死士之日久矣，楚王卒，李園必先入據權而殺君以滅口。此所謂毋望之禍也。」春申君曰：「何謂毋望之人？」對曰：「君置臣郎中，楚王卒，李園必先入，臣為君殺李園。此所謂毋望之人也。」春申君曰：「足下置之，李園，弱人也，僕又善之，且又何至此！」朱英知言不用，恐禍及身，乃亡去。後十七日，楚考烈王卒，李園果先入，伏死士於棘門之內。春申君入棘門，園死士俠刺春申君，斬其頭，投之棘門外。於是遂使吏盡滅春申君之家。(《史記》〈春申君列傳〉)

楚考李后

　　楚考烈王沒有兒子，春申君很擔憂。趙國人李園想把妹妹進獻給楚王，聽說楚王沒有生育能力，擔心妹妹不能得寵，於是轉投春申君為門客。不久請假回家，故意耽誤歸期。春申君問他為什麼耽誤，李園回答說：「齊王想娶我妹妹，我和來聘的使者飲酒，所以耽誤了行程。」春申君問他：「下了聘禮沒有？」李園回答說：「還沒有。」春

申君說:「可以帶來見見嗎?」李園回答說:「可以。」於是把妹妹引薦給春申君。知道妹妹懷孕後,李園就和她商量謀劃。李園妹妹找機會說服春申君說:「楚王器重信任您勝過他的兄弟。您輔佐楚王已二十多年了,但楚王至今沒有兒子。楚王百年之後肯定會讓他的兄弟繼位,新的楚王繼位後就會寵信新人,您又怎麼能長期得到寵信呢?而且您執政多年,對楚王兄弟難免有失禮之處,楚王的兄弟真要繼承了王位,災禍隨時會落到您頭上,要保住相印、守住江東的封地很難。現在我有孕在身,別人都不知道。我跟您同居時間不長,如果能借重您的地位把我獻給楚王,楚王一定會和我同居。上天保佑,如果生了男孩,您的兒子就可以繼承王位,整個楚國都是您的。這與可能遭受的不測災禍相比,不是很好的辦法嗎?」春申君很贊同李園妹妹這番話,於是把她送出寓所,而後去向楚王引薦。楚王召見李園妹妹,和她同居,果真產下一名男嬰,被立為太子。李園妹妹母以子貴,被立為王后。李園也因此受到重用,在朝中執掌政事。李園因妹妹受寵日益驕橫,擔心春申君洩露真相,於是暗中蓄養了刺客,準備殺春申君滅口。知道真相的人都替春申君捏一把汗,門客朱英提醒他早作預防,春申君卻不以為然,毫無戒備。後來春申君果然為李園所殺,而李園妹妹與他同居懷孕生下的男孩則被立為楚幽王。

【出處】

楚考李后者,趙人李園之女弟,楚考烈王之后也。初,考烈王無子,春申君患之,李園為春申君舍人,乃取其女弟與春申君,知有身,園女弟承間謂春申君曰:「楚王之貴幸君,雖兄弟不如,今君相楚三十餘年,而王無子,即百歲後,將立兄弟,即楚更立君後,彼亦

各貴其所親，又安得長有寵乎？非徒然也，君用事久，多失禮於王兄弟。王兄弟誠立，禍且及身，何以保相印江東之封乎！今妾知有身矣，而人莫知，妾之幸君未久，誠以君之重而進妾於楚王，楚王必幸妾。賴天有子男，則是君之子為王也，楚國盡可得，孰與身臨不測之罪乎！」春申君大然之，乃出園女弟謹舍之，言之考烈王，考烈王召而幸之，遂生子悼，立為太子，園女弟為后，而李園貴用事，養士欲殺春申君以滅口。及考烈王死，園乃殺春申君，滅其家，悼立，是為幽王。（《古列女傳》〈孽嬖傳〉）

心說君兮君不知

　　襄成君受封的那天，身著華服，腰佩寶劍，傲然站立在河邊。參加儀式的大夫和縣令們敲鑼打鼓，齊聲吶喊說：「誰能渡王？」大夫莊辛（陽陵君）正好經過，很喜歡襄成君的風度，於是上前表達祝賀。跪拜行禮後站起來，很恭謙地對襄成君說：「臣可以握一下您的手嗎？」襄成君認為這是越禮的事情，頓時不高興了。莊辛退後兩步，神色淡定地說：「您沒聽說過鄂君子皙泛舟於新波之中的故事嗎？令尹曾經參加越國的舟游盛會，他身著斑斕豔麗的華服，乘坐的蘭舟雄偉華麗。蘭舟兩側，擢櫓的船伕手執船槳，以枻擊浪，催動大船破浪徐行。當鐘鼓音樂停止後，一位划船的越女唱起了悠揚動人的越曲。鄂君只覺得歌聲盈盈動人，卻不明白越女所要表達的心意，於是說：「我不懂越語，有誰能幫我翻譯嗎？」一位懂楚語的越人為子皙翻譯說：「今晚是多麼美好啊，能在水中泛舟；今日是多麼美好

啊，能與王子同舟；承蒙美意啊，我無比羞慚；我的心多麼痴情啊，今日終能結識王子。山上長滿樹，樹上長滿枝；我愛慕你啊，我的心意你是否感知？」鄂君子皙大致明白了歌詞的含義，就揮動長長的衣袖，走過去擁抱了這位越女，並賜給她一面錦繡。鄂君子皙是楚王的胞弟，官至令尹。一名船女尚且能與他交歡盡意，您的地位不會高過子皙吧。我的名分怎麼說也在船女之上，怎麼就不能握一下您高貴的手呢？」也許是為莊辛動聽的故事所感染，襄成君走向莊辛，伸出手說：「我小時候也曾經因為容貌而受到長輩們的稱讚，只是沒經歷過這種場面，覺得唐突。從今往後，我會謹記先生的教誨。」

【出處】

襄成君始封之日，衣翠衣，帶玉劍，履縞舃，立於流水之上。大夫擁鐘錘，縣令執枹號令，呼：「誰能渡王者於是也？」楚大夫莊辛過而說之，遂造托而拜謁，起立曰：「臣願把君之手，其可乎？」襄成君忿作色而不言。莊辛遷延盥手而稱曰：「君獨不聞夫鄂君子皙之泛舟於新波之中也？乘青翰之舟，極芘茈，張翠撋犀尾，班麗袿衽，會鐘鼓之音畢，榜枻越人擁楫而歌，歌辭曰：『濫兮抃草濫予，昌枑澤予，昌州州，餬州焉乎？秦胥胥，縵予乎？昭澶秦逾，滲惿隨河湖。』鄂君子皙曰：『吾不知越歌，子試為我楚說之。』於是乃召越譯，乃楚說之曰：『今夕何夕兮，搴舟中流，今日何日兮，得與王子同舟。蒙羞被好兮，不訾詬恥，心幾頑而不絕兮，得知王子。山有木兮木有枝，心說君兮君不知。』於是鄂君子皙乃揄修袂，行而擁之，舉繡被而覆之。鄂君子皙，親楚王母弟也。官為令尹，爵為執珪，一榜枻越人猶得交歡盡意焉。今君何以逾於鄂君子皙，臣獨何以不若

榜楬之人。願把君之手，其不可何也？」襄成君乃奉手而進之，曰：「吾少之時，亦嘗以色稱於長者矣，未嘗遇僇如此之卒也。自今以後，願以壯少之禮謹受命。」（《說苑》〈善說〉）

如出一口

州侯擔任楚相，地位顯貴並專權獨斷。楚王懷疑他有二心，就問左右近侍，左右近侍回答說沒那麼回事，眾人同聲，如出一口。

【出處】

州侯相荊，貴而主斷。荊王疑之，因問左右，左右對曰：「無有。」如出一口也。（《韓非子》〈內儲說下六微〉）

蘇涓之楚

齊國因為淖齒造成的動亂仇恨楚國。秦國想要聯合齊國，於是派蘇涓前往楚國，派任固前往齊國。齊明對楚王說：「秦昭王想聯合楚國，不如他想聯合齊國迫切。他派蘇涓來楚國，是向齊國表示秦國與楚國的親近關係，用這種辦法幫助任固在齊國遊說。齊國看到楚國和秦國親近，一定會接受任固的遊說。大王如果聽信蘇涓的話，就會幫助任固使齊、秦兩國聯合。齊、秦兩國聯合對楚國不利。可以肯定，蘇涓對我國說的話，和任固到齊國說的話不會一樣。大王不如把蘇涓對我國說的話原原本本地告訴齊國，使齊國明白任固是在欺騙齊國，

如出一口

齊、秦兩國不能聯合，大王的地位就很重要了。大王如果想聯合齊國進攻秦國，那麼漢水中游的土地就可以得到；如果想聯合秦國進攻齊國，則淮水、泗水之間的土地也可以得到。」

【出處】

齊以淖君之亂秦。其後秦欲取齊，故使蘇涓之楚，令任固之齊。齊明謂楚王曰：「秦王欲楚，不若其欲齊之甚也。其使涓來，以示齊之有楚，以資固於齊。齊見楚，必受固。是王之聽涓也，適為固驅以合齊、秦也。齊、秦合，非楚之利也。且夫涓來之辭，必非固之所以之齊之辭也。王不如令人以涓來之辭謾固於齊，齊、秦必不合。齊、秦不和，則王重矣。王欲收齊以攻秦，漢中可得也。王即欲以秦攻齊，淮泗之間亦可得也。」（《戰國策》〈齊策六〉）

買櫝還珠

楚國有個在鄭國賣珠寶的人，他用木蘭做了一個匣子，匣子用香料薰過，用珠玉作綴，用玫瑰裝飾，用翡翠聯結。鄭國人買了他的匣子，卻把珠子還給了他。這可以叫作善於賣匣子，不能說是善於賣珠寶。

【出處】

楚人有賣其珠於鄭者，為木蘭之櫝，薰以桂椒，綴以珠玉，飾以玫瑰，輯以羽翠。鄭人買其櫝而還其珠。此可謂善賣櫝矣，未可謂善鬻珠也。（《韓非子》〈外儲說左上〉）

赴江斬蛟

楚國有個勇士名叫佽非，在干隊得到一把寶劍。返回渡江時，船到江心，忽然江面上掀起巨浪，有兩條蛟龍躍上江面，將渡船一左一右夾在中間，情況非常危急。佽非問船工說：「你以前見過兩條蛟龍圍住客船，而船上的人還能活命的情況嗎？」船工搖頭說：「從來沒見過。」佽非拔出寶劍，捋起袖子，怒目圓睜，高聲喝道：「武士信服仁義，豈懼強劫？蛟龍不過是江中的腐肉朽骨，讓我來檢驗一下這把寶劍吧！」於是跳入江中與蛟龍展開搏鬥，江面上波濤翻滾，江水被鮮血染紅。經過激烈的搏鬥，最終佽非殺死蛟龍，使全船的人得救。楚王聽說佽非刺蛟的英勇事蹟後，高興地賜給他執圭的爵位。孔子得知消息也稱讚說：「把蛟龍視為腐肉朽骨，勇敢地跳入江水與蛟龍搏鬥，使全船的人得救，這就是勇士佽非吧！」老子評價此事說：「淡看生命的人，比過分看重生命的人賢明。」

【出處】

荊有佽非，得寶劍於干隊，還反度江，至於中流，陽侯之波，兩蛟俠繞其船。佽非謂枻船者曰：「嘗有如此而得活者乎？」對曰：「未嘗見也。」於是佽非瞑目，勃然攘臂拔劍曰：「武士可以仁義之禮說也，不可劫而奪也。此江中之腐肉朽骨，棄劍而已。余有奚愛焉！」赴江刺蛟，遂斷其頭，船中人盡活。風波畢除，荊爵為執圭。孔子聞之，曰：「夫善哉！腐肉朽骨棄劍者，佽非之謂乎！」故老子曰：「夫唯無以生為者，是賢於貴生焉。」（《淮南子》〈道應訓〉）

鄰女詈人

楚國有個男人娶了兩個妻子。有人勾引他的長妻，長妻將勾引者痛罵一頓；於是轉而挑逗他的少妻，少妻沒能抵擋誘惑。沒多久，娶了兩個妻子的楚國男人死了。有人問當初的勾引者說：「如果你要娶她倆中間的一位做老婆的話，你會選擇誰呢？」回答說：「娶長妻。」問者說：「長妻罵你、拒絕你；少妻喜歡你、依順你，為何你要選擇長妻呢？」回答說：「處在她那時的角色，我當然希望她答應我。她罵我，說明她對丈夫很忠誠。我娶她為妻，也是希望她對我忠貞不貳，對那些勾引她的人破口大罵。」

【出處】

楚人有兩妻者，人挑其長者，詈之；挑其少者，少者許之。居無幾何，有兩妻者死。客謂挑者曰：「汝取長者乎？少者乎？」「取長者。」客曰：「長者詈汝，少者和汝，汝何為取長者？」曰：「居彼人之所，則欲其許我也。今為我妻，則欲其為我詈人也。」（《戰國策》〈秦策一〉）

瓠巴鼓琴

瓠巴是楚國著名音樂家，以善於彈琴著稱於世。鱏魚非常喜愛他的音樂，把頭探出水面來傾聽。瓠巴的音樂天才對後人產生了深遠的影響，鄭國音樂家師文聽說瓠巴的事蹟後，為全身心專注於彈琴，竟離家跟隨魯國樂官師襄出遊。

匏巴鼓琴而鳥舞魚躍，鄭師文聞之，棄家從師襄游。(《列子》
〈湯問〉)

下暗則上聾

公叔文子擔任楚國的令尹三年了，卻沒有人敢入朝向他提意見。
公叔子前去拜見公叔文子，對他說：「你太威嚴了。」文子說：「朝
廷有威嚴，會妨礙國家的治理嗎？」公叔子說：「是這樣。太威嚴的
話，下面的人就不敢發聲。下面的人不敢發聲，上面的執政者就如同
聾子一樣，聾啞不能互相溝通，國家怎麼能得到有效治理呢？微臣聽
說帷幕是由一針一線織成的，倉廩是用一升一斗充實的。江海所以寬
闊，是因為吸納百川的緣故。明主可以聽取很多意見而不一定採納，
但絕不能不聽取任何意見啊。」

【出處】

公叔文子為楚令尹三年，民無敢入朝。公叔子見曰：「嚴矣。」
文子曰：「朝廷之嚴也，寧云妨國家之治哉？」公叔子曰：「嚴則下
暗，下暗則上聾，聾暗不能相通，何國之治也？蓋聞之也，順針縷者
成帷幕，合升斗者實倉廩，并小流而成江海，明主者，有所受命而不
行，未嘗有所不受也。」(《說苑》〈政理〉)

不死之藥

有人向楚王獻不死之藥。通報的人捧著藥丸進宮，中射士問他說：「這是什麼？」通報的人說：「是有人進獻的不死之藥。」中射士奪過藥丸扔到嘴裡吃了。楚王非常惱怒，要殺死中射士。中射士說：「獻的是不死之藥，大王殺死我，證明它根本不是什麼不死之藥，而是死藥。大王殺死無辜的臣子，獻假藥的騙子卻逍遙法外。大王看著辦吧。」楚王覺得中射士的話有理，於是放過了他。

【出處】

有獻不死之藥於荊王者，謁者操以入。中射之士問曰：「可食乎？」曰：「可。」因奪而食之。王怒，使人殺中射之士。中射之士使人說王曰：「臣問謁者，謁者曰可食，臣故食之。是臣無罪，而罪在謁者也。且客獻不死之藥，臣食之而王殺臣，是死藥也。王殺無罪之臣，而明人之欺王。」王乃不殺。（《戰國策》〈楚策四〉）

子出者重

楚王想讓幾個兒子到四周鄰國去做官，戴歇說：「不行。」楚王說：「讓兒子到四周鄰國做官，四周鄰國一定器重他們。」戴歇說：「公子出國做官受到器重，受到器重必然成為這些國家的黨羽，這等於是用與外國勾結的方式來教育兒子。這樣做不好。」

荊王欲宦諸公子於四鄰，戴歇曰：「不可。」「宦公子於四鄰，四鄰必重之。」曰：「子出者重，重則必為所重之國黨，則是教子於外市也，不便。」(《韓非子》〈內儲說下六微〉)

自相矛盾

有一個楚國人既賣矛又賣盾。他先舉起盾說：「我的盾非常堅固，隨便用什麼矛都不能刺穿。」接著又舉起矛說：「我的矛異常銳利，隨便什麼盾都可以刺穿。」有個圍觀的人問他：「那麼用你的矛刺你的盾，結果會是怎樣？」叫賣的楚人一時無以對答。

【出處】

楚人有鬻楯與矛者，譽之曰：「吾楯之堅，物莫能陷也。」又譽其矛曰：「吾矛之利，於物無不陷也。」或曰：「以子之矛陷子之楯，何如？」其人弗能應也。夫不可陷之楯與無不陷之矛，不可同世而立。(《韓非子》〈難一〉)

刻舟求劍

有一個楚國人過江，他隨身攜帶的寶劍上船時掉到水裡了，於是在船邊上做了個記號，說：「我的劍是從這兒掉下去的。」等船靠岸

的時候，他就沿船邊上做的記號下到水裡撈劍。船是在行走的，掉到水裡的劍並沒有隨船而行，以這種方式尋找失落的寶劍，當然永遠也不可能找到。

【出處】

楚人有涉江者，其劍自舟中墜於水，遽契其舟，曰：「是吾劍之所從墜。」舟止，從其所契者入水求之。舟已行矣，而劍不行，求劍若此，不亦惑乎！（《呂氏春秋》〈慎大覽‧察今〉）

骨肉之親

楚國有個名叫申喜的人，早年與母親失散，後來屢遷搬家，一直沒有母親的音訊。有一天，他聽見門外里巷內有位女乞丐賣唱的聲音，顯得異常悲痛，內心也不禁隱隱作痛，產生了共鳴，於是趕忙令手下人將獻歌的女乞丐請進門來。女乞丐頭髮花白，滿臉憂傷。申喜問她為何乞討，回答說是為了尋找失散的家人。申喜激動地站起來，他驚奇地發現，女乞丐竟是自己失散多年的母親！《呂氏春秋》評價此事說：父母與親生兒女有血肉相連的親緣關係，就彷彿草木有花有果，大樹有根有心一樣。他們精氣相通，心心相印，有了疾病則互相救護，有了憂思則互相有感觸，對方活著就高興，對方死了就悲哀，這就叫骨肉之親。

周有申喜者，亡其母，聞乞人歌於門下而悲之，動於顏色，謂門者內乞人之歌者，自覺而問焉，曰：「何故而乞？」與之語，蓋其母也。故父母之於子也，子之於父母也，一體而兩分，同氣而異息。若草莽之有華實也，若樹木之有根心也。雖異處而相通，隱志相及，痛疾相救，憂思相感，生則相歡，死則相哀，此之謂骨肉之親。神出於忠而應乎心，兩精相得，豈待言哉。（《呂氏春秋》〈季秋紀・精通〉）

衣無惡乎甲者

田贊穿著打補丁的衣服去見楚王。楚王說：「先生的衣服怎麼這樣破舊呢？」田贊回答說：「還有比臣的衣服更難看、更令人厭惡的衣服呢。」楚王說：「說給我聽聽。」田贊說：「比如鎧甲。」楚王說：「此話怎講？」田贊說：「鎧甲穿在身上，冬天會覺得寒冷，夏天則覺得酷熱，所以說，再沒有比鎧甲更令人厭惡的衣服了。臣家境貧窮，所以只能穿這種打補丁的衣服。大王貴為一國之君，富有天下，卻喜歡讓老百姓常年以鎧甲為衣。臣對此很難理解。穿上鎧甲意味著戰爭爆發。戰爭就是砍人的脖子，挖人的心臟，摧毀別人的城池，殺害人家的父子。這並不是什麼吉利光榮的事情。不是為了道義，就是為了利益。你去攻打別人，別人也會來攻打你，彼此都處在恐慌不安之中。大王覺得我的話是否有道理呢？」

　　田贊衣補衣而見荊王。荊王曰：「先生之衣，何其惡也？」田贊對曰：「衣又有惡於此者也。」荊王曰：「可得而聞乎？」對曰：「甲惡於此。」王曰：「何謂也？」對曰：「冬日則寒，夏日則暑，衣無惡乎甲者。贊也貧，故衣惡也。今大王，萬乘之主也，富貴無敵，而好衣民以甲，臣弗得也。意者為其義邪？甲之事，兵之事也，刈人之頸，刳人之腹，墮人之城郭，刑人之父子也，其名又甚不榮。意者為其實邪？苟慮害人，人亦必慮害之。苟慮危人，人亦必慮危之。其實人則甚不安。之二者，臣為大王無取焉。」荊王無以應。（《呂氏春秋》〈慎大覽・順說〉）

楚雖三戶，亡秦必楚

　　楚王負芻五年，秦國大將王翦率秦軍攻入楚國最後一座都城，殺死負芻，楚國滅亡。司馬遷在《史記》〈項羽本紀〉中引用楚南公的話說：「楚雖三戶[77]，亡秦必楚。」意思是：楚國即使只剩下昭、屈、景三大氏族，也一定會奮起消滅秦國。後來項梁立楚懷王的孫子熊心為王，得到楚人的擁護而國家實力一度大增。楚國在懷王的時候疆域十分遼闊，所以河南陽城的陳勝和河南登封的吳廣仍然屬於楚人，他們也以楚人自居，二人起義時打出的旗號就是「大楚興，陳勝王」，

77.「三戶」一說指地名，是楚人宗廟所在，位於河南省淅川縣丹江口水庫一帶，歷史上這裡有楚國三戶城。二說指楚國三大姓屈、景、昭。屈原曾任三閭大夫，據說管理的就是這三大姓。

國號也是「張楚」。秦國最後亡於霸王項羽和漢高祖劉邦之手。項羽是楚國名將項燕之孫，號西楚霸王。劉邦祖籍江蘇沛縣，也曾在楚國範圍之內。劉邦後來建立西漢王朝，無論文學辭章，還是宮廷音樂儀仗，據說都取自楚國旋律。劉邦換太子不成，曾大聲對戚夫人說：「為我楚舞，吾為若楚歌。」他最喜愛和最擅長的還是楚樂。劉邦取國號為漢，無論當初的寓意是漢中還是漢水，都源於楚國。[78]

【出處】

夫秦滅六國，楚最無罪。自懷王入秦不反，楚人憐之至今，故楚南公曰「楚雖三戶，亡秦必楚也」。（《史記》〈項羽本紀〉）

倒行逆施

伍子胥隨吳國軍隊進入楚國郢都，沒有見到逃往隨國的楚昭王，於是掘開楚平王的墳墓，扒出他的屍體，鞭打了三百下才罷休。此時申包胥正奔走在通往秦國的崇山峻嶺中。他派人捎信給伍子胥，指責

---

78. 錢穆在《中國歷代政治得失》一書中講到陳勝、吳廣於大澤鄉揭竿而起的原因時說：秦國統一之前實行戍兵制，戍兵的費用由戍兵者自擔，戍邊期限三天。封建時代國家規模較小，方圓百里便算大國。由中央到邊疆最遠五十里，到邊疆戍守只要半天路程。在邊三天，前後五天一個來回，隨身帶五天乾糧就行。秦始皇統一天下之後，似乎沒有注意到疆域萬里的現實，仍叫百姓戍邊三天。由會稽（江蘇）到漁陽（熱河）服役三天，路途往返得半年以上，衣裝糧食要自帶，遇到風雨阻隔誤期，不問青紅皂白便殺無赦。「天下一統了，國家體制變了，而秦始皇的戍邊制度卻沒有改變，或許是由於朝政繁忙，再加上兵力統一了六國，得意忘形，沒有注意到這些小節上，然而因此就引起社會大騷動。陳勝吳廣的革命，便由此而起。」點燃滅亡秦國炸藥包的導火索，竟是這小小的細節。

他說：「你這種報仇的方式，似乎太過分了吧！我聽人說，人多可以勝天，天公降怒也能毀人。你本來是平王的舊臣，曾經事奉過他。如今卻要跟死人過不去，這不是缺德到極點了嗎？」伍子胥對來人說：「你替我轉告申包胥，我好比匆匆趕路的行人，天色已晚，可路途還很遠，以致於不得不做出一些違背常理的事情。」

【出處】

及吳兵入郢，伍子胥求昭王。既不得，乃掘楚平王墓，出其屍，鞭之三百，然後已。申包胥亡於山中，使人謂子胥曰：「子之報仇，其以甚乎！吾聞之，人眾者勝天，天定亦能破人。今子故平王之臣，親北面而事之，今至於僇死人，此豈其無天道之極乎！」伍子胥曰：「為我謝申包胥曰，吾日莫途遠，吾故倒行而逆施之。」（《史記》〈伍子胥列傳〉）

賢姊女嬃

屈原的姐姐名叫女嬃，非常賢惠。她得知屈原被放逐的消息後，趕回家鄉，開導屈原，讓他放寬心，家鄉人為屈原姐姐的賢良感動，於是把屈原的居住地改稱秭歸。

【出處】

屈原有賢姊，聞原放逐，亦來歸，喻令自寬。全鄉人冀其見從，因名曰秭歸。（《水經注》〈江水二〉）

附　陳國卷

陳國是西周初分封的諸侯國，侯爵，國君媯姓，為虞舜後裔。周武王將長女太姬嫁給擔任文王陶正一職的遏父之子媯滿，備以三恪，奉祀虞舜。陳國始建都於株野（今河南柘城胡襄鎮），媯滿史稱胡公滿或陳胡公，是胡氏、陳氏的得姓始祖。後遷都於宛丘（今河南淮陽城關一帶），轄地最大時達十四邑，大致為今河南東部和安徽西北部一部分。從媯滿受封至西元前四七九年陳國為楚惠王所滅，陳國共歷二十五世，延續五百六十餘年。

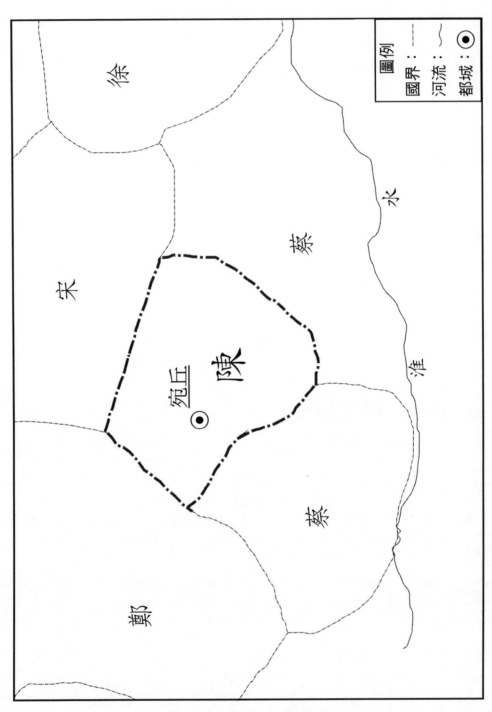

五父必不免

魯隱公七年十二月，陳國與鄭國講和，陳國的五父到鄭國參與結盟，和鄭莊公盟誓。歃血的時候五父心不在焉，洩伯說：「五父一定會遭遇災禍，因為他結盟的時候心不在焉，心思不在是否能與鄭國結盟這件事上。」

【出處】

陳及鄭平。十二月，陳五父如鄭涖盟。壬申，及鄭伯盟，歃如忘。洩伯曰：「五父必不免，不賴盟矣。」（《左傳》〈隱公七年〉）

誘厲公以好女

陳厲公娶蔡國女子為妻，蔡女與蔡國一個人相好通姦，陳厲公也屢次去往蔡國淫亂。厲公七年，被厲公所殺的桓公太子免的三個弟弟，大的叫躍，老二叫林，小的叫杵臼，讓蔡人用美女引誘厲公，然後殺死了厲公。於是躍成為國君，就是利公。利公即位後五個月就死了，二弟林繼位，就是莊公。莊公做了七年君主，死前把君位傳給了小弟杵臼，這就是陳宣公。

【出處】

厲公取蔡女，蔡女與蔡人亂，厲公數如蔡淫。七年，厲公所殺桓公太子免之三弟，長曰躍，中曰林，少曰杵臼，共令蔡人誘厲公以好

女，與蔡人共殺厲公而立躍，是為利公。利公者，桓公子也。利公立五月卒，立中弟林，是為莊公。莊公七年卒，少弟杵臼立，是為宣公。(《史記》〈陳杞世家〉)

靈公之死

　　陳靈公和陳國大夫孔寧、儀行父三人都與夏姬通姦，並且穿著夏姬的貼身衣服在朝中嬉笑。大夫洩冶勸諫說：「國君和大臣如此淫亂，讓人民如何傚法？」靈公把洩冶的話告訴了孔寧、儀行父，二人因此要殺死洩冶。對此，靈公並不阻止，二人果然殺死了洩冶。靈公十五年，靈公和孔寧、儀行父在夏姬家中飲酒取樂。靈公對二人開玩笑說：「夏徵舒長得像你們。」二人反唇相譏說：「他長得也像您。」夏徵舒聽了十分生氣。靈公喝完酒出來，夏徵舒躲在馬棚門口用箭射死了他。孔寧、儀行父嚇得逃往楚國，靈公太子午逃往晉國。夏徵舒自立為陳侯。夏徵舒此前是陳國大夫。夏姬是夏御叔的妻子、夏徵舒的母親。

【出處】

　　十四年，靈公與其大夫孔寧、儀行父皆通於夏姬，衷其衣以戲於朝。洩冶諫曰：「君臣淫亂，民何效焉？」靈公以告二子，二子請殺洩冶，公弗禁，遂殺洩冶。十五年，靈公與二子飲於夏氏。公戲二子曰：「徵舒似汝。」二子曰：「亦似公。」徵舒怒。靈公罷酒出，徵舒伏弩廄門射殺靈公。孔寧、儀行父皆奔楚，靈公太子午奔晉。徵舒自

立為陳侯。徵舒，故陳大夫也。夏姬，御叔之妻，舒之母也。（《史記》〈陳杞世家〉）

陳女夏姬

陳女夏姬，是陳大夫夏徵舒的母親，御叔的妻子。她姿態美豔，天下無匹。又駐容有術，雖然年紀大了，卻風韻猶存。她曾經三次被封為王后，七次作為公侯大夫的夫人。公侯大夫沒有哪個不想得到她，大家都為她的美貌所迷惑，以致於神魂顛倒。公孫寧、儀行父及陳靈公都與夏姬私通。有一次，三人在朝堂上穿著夏姬的內衣戲耍，被大夫洩冶看見了，洩冶就指責公孫寧、儀行父說：「君主有不對的地方，你們應該勸諫君主改過才對。現在你們卻在大庭廣眾之下與國君一起嬉鬧，毫不遮掩，不知羞恥，這是當臣子該做的嗎？」兩人把洩冶的話告訴靈公，靈公說：「洩冶這麼說，不是為難我們嗎？」於是派人把洩冶殺了。有一次靈公和公孫寧、儀行父在夏家飲酒，把夏姬的兒子徵舒也叫回來。靈公向這兩人開玩笑說：「徵舒長得像你倆。」兩人回答說：「還是像君主多些。」徵舒聽了非常氣憤，便暗中埋伏在馬廄前，等靈公喝完酒出來，便射死了靈公。公孫寧、儀行父逃往楚國，太子午則逃奔晉國。第二年，楚莊王率兵殺死夏徵舒，平定陳國，迎立太子午為成公。莊王看見夏姬漂亮，想娶她為妻。申公巫臣勸阻說：「不可以，大王是來討伐徵舒的，如果娶了夏姬，就變成貪戀美色了。貪色是淫亂，淫亂是大惡，希望君王好好想想。」莊王聽了巫臣的話，於是放棄了娶夏姬的打算。將軍子反貪戀夏姬

的美色，也想娶她，巫臣又諫阻說：「這是個不吉祥的女人啊。因為她，御叔、靈公、夏南被殺，公孫寧、儀行父被迫逃亡，陳國幾乎滅亡。天下那麼多美女，何苦要娶她呢？」子反只得罷休。莊王把夏姬賜給剛死了妻子的連尹襄老，襄老在邲城戰死後，他的兒子黑要又與夏姬私通。巫臣找到夏姬，對她說：「你先回鄭國吧，我隨後來聘娶你。」等到恭王即位，巫臣借到齊國聘問之機，攜家眷途經鄭國，找到夏姬說：「襄老的屍首找到了，我們一起去晉國領取。」夏姬從此跟了他。巫臣派人把出使齊國的信物送還楚國，與夏姬一起投奔晉國。子反因而對巫臣恨之入骨，就和子重一起滅掉了巫臣家族，分割了他的財產。

【出處】

　　陳女夏姬者，陳大夫夏徵舒之母也。其狀美好無匹，內挾伎術，蓋老而復壯者。三為王后，七為夫人。公侯爭之，莫不迷惑失意。夏姬之子徵舒為大夫，公孫寧、儀行父與陳靈公皆通於夏姬，或衣其衣，以戲於朝。洩冶見之，謂曰：「君有不善，子宜掩之。今自子率君而為之，不待幽閒於朝廷，以戲士民，其謂爾何？」二人以告靈公，靈公曰：「眾人知之，吾不善無害也。洩冶知之，寡人恥焉。」乃使人徵賊洩冶而殺之。靈公與二子飲於夏氏，召徵舒也，公戲二子曰：「徵舒似汝。」二子亦曰：「不若其似公也。」徵舒疾此言。靈公罷酒出，徵舒伏弩廄門，射殺靈公。公孫寧儀、行父皆奔楚，靈公太子午奔晉。其明年，楚莊王舉兵誅徵舒，定陳國，立午，是為成公。莊王見夏姬美好，將納之，申公巫臣諫曰：「不可。王討罪也，而納夏姬，是貪色也。貪色為淫，淫為大罰。願王圖之。」王從之，使壞

後垣而出之。將軍子反見美，又欲取之。巫臣諫曰：「是不祥人也。殺御叔，弒靈公，戮夏南，出孔儀，喪陳國。天下多美婦，女何必取是！」子反乃止。莊王以夏姬與連尹襄老，襄老死於邲，亡其屍，其子黑要又通於夏姬。巫臣見夏姬，謂曰：「子歸，我將聘汝。」及恭王即位，巫臣聘於齊，盡與其室俱，至鄭，使人召夏姬曰：「屍可得也。」夏姬從之，巫臣使介歸幣於楚，而與夏姬奔晉。大夫子反怨之，遂與子重滅巫臣之族而分其室。（《古列女傳》〈孽嬖傳〉）

吳未有福，荊未有禍

　　吳國攻入楚國後，吳王召見陳懷公。陳懷公召見國人說：「想要跟從楚國的站在左邊，想要跟從吳國的站在右邊。」逢滑上前對懷公說：「吳國未必有福運，楚國未必有禍患。」陳懷公說：「吳國取勝，楚國君王出逃，不是災禍是什麼？」逢滑回答說：「小國有這種情況還能復國，何況大國呢？楚國雖然無德，也不至於宰割自己的人民；吳國每天疲於用兵，拋屍荒野如同草木，它的德行又在哪裡呢？上天或許是正在教訓楚國吧。災禍降落到吳國頭上，指不定在哪一天呢！」陳懷公聽從了他的話。

【出處】

　　吳人入荊，召陳懷公。懷公召國人曰：「欲與荊者左，欲與吳者右。」逢滑當公而進曰：「吳未有福，荊未有禍。」公曰：「國勝君出，非禍而奚？」對曰：「小國有是猶復，而況大國乎？楚雖無德，

亦不斬艾其民。吳日弊兵，暴骨如莽，未見德焉？天其或者正訓楚也！禍之適吳，何日之有？」陳侯從之。（《說苑》〈善說〉）

陳國辯女

　　陳國辯女，指的是陳國採桑女。晉大夫解居甫出使宋國時，途經陳國，碰見了採桑女，他停下車調戲她說：「你給我唱支歌，我就放你走！」採桑女於是唱道：「城門有棵酸棗樹，拿起斧頭砍掉它。那人不是個善類，大家誰都知道他。惡行暴露還不改，誰也拿他沒辦法。」大夫又說：「再唱一段！」採桑女再唱說：「城門有棵酸棗樹，貓頭鷹在樹上住。那人不是個善類，唱歌把他來投訴。譏諷告誡他不顧，調戲民女誰做主？」大夫說：「酸棗樹是有，但貓頭鷹在哪裡呢？」採桑女說：「陳國是個小國，夾在大國之間，由於饑荒和戰爭，老百姓都死得差不多了，何況貓頭鷹呢？」大夫佩服她的機敏，就不再為難她了。君子認為辯女堅貞正直且能說會唱，溫柔和順並且有操守。

【出處】

　　辯女者，陳國採桑之女也。晉大夫解居甫使於宋，道過陳，遇採桑之女，止而戲之曰：「女為我歌，我將舍汝！」採桑女乃為之歌曰：「墓門有棘，斧以斯之。夫也不良，國人知之。知而不已，誰昔然矣。」大夫又曰：「為我歌其二。」女曰：「墓門有梅，有鴞萃止。夫也不良，歌以訊止。訊予不顧，顛倒思予。」大夫曰：「其梅

則有，其鶚安在？」女曰：「陳，小國也，攝乎大國之間，因之以饑餓，加之以師旅，其人且亡，而況鶚乎？」大夫乃服而釋之。君子謂：「辯女貞正而有辭，柔順而有守。」（《古列女傳》〈續列女傳〉）

矜而赦之

　　吳國入侵陳國，砍伐陳國社壇的樹木，殺害染有疫疾的陳國百姓。吳軍班師退出陳國時，陳國派大宰嚭出使吳軍。夫差對掌管接待之禮的儀說：「這個人很會說話，我們何不試著考問他，看他對我們這支軍隊是怎樣評價的。」儀提出問題後，大宰嚭回答說：「古代的軍隊在侵伐敵國時，不砍伐敵國社壇的樹木，不殺害對方染病的百姓，不俘獲頭髮斑白的老年人。現在貴國軍隊的所作所為，不是相差太遠了嗎？」儀說：「如果我們歸還侵佔的土地，送回俘虜的百姓，你們又將如何評論呢？」大宰嚭回答說：「貴國國君因為敝國有罪而興師討伐，現在又憫憐敝國而予以赦免，這樣的仁義之師，何愁沒有美名呢？」

【出處】

　　吳侵陳，斬祀殺厲。師還出竟，陳大宰嚭使於師。夫差謂行人儀曰：「是夫也多言，盍嘗問焉；師必有名，人之稱斯師也者，則謂之何？」大宰嚭曰：「古之侵伐者，不斬祀，不殺厲，不獲二毛。今斯師也，殺厲與？其不謂之殺厲之師與？」曰：「反爾地，歸爾子，則謂之何？」曰：「君王討敝邑之罪，又矜而赦之，師與有無名乎？」（《禮記》〈檀弓下〉）

附　蔡國卷

　　蔡國是西周初分封的諸侯國，侯爵；首任國君蔡叔度為周文王姬昌之子，周武王五弟。周公攝政時，蔡叔因參與武庚叛亂被流放，其子姬胡因品行端正，被准許復國，建都上蔡（今河南上蔡西南）。春秋時，蔡國常受楚逼迫，多次遷移，平侯時遷至新蔡（今屬河南）。西元前六八四年，楚國利用蔡、息二國的矛盾，出兵俘虜蔡哀侯，將蔡國納入控制範圍。西元前五三一年，楚一度滅蔡。西元前五〇六年，蔡國隨吳國伐楚，攻入郢都。西元前四四七年，蔡國為楚所滅，傳二十五世，約六百年。

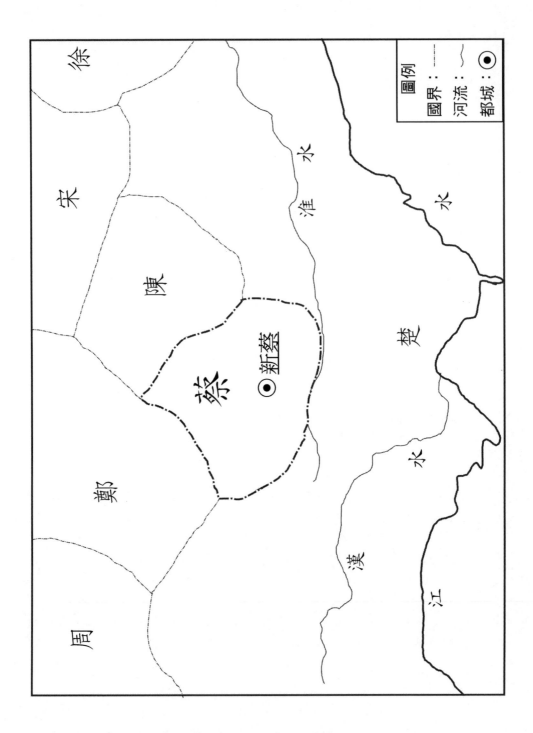

奚以語我

　　蔡侯、宋公、鄭伯到晉國朝拜。蔡侯對叔向說：「您有話教導我嗎？」叔向回答說：「蔡國論土地、人口，都不如宋國和鄭國。但君主的車馬和服飾，卻比這兩國奢侈得多，諸侯當中也許有人會圖謀蔡國吧。」過了一年，楚國攻打蔡國並滅掉它。

【出處】

　　蔡侯、宋公、鄭伯朝於晉。蔡侯謂叔向曰：「子亦奚以語我？」對曰：「蔡言地計眾，不若宋、鄭。其車馬衣裘，侈於二國。諸侯其有圖蔡者乎？」處期年，荊伐蔡而殘之。（《說苑》〈權謀〉）

行之者，言之主

　　下蔡的威公關門哭泣了三天三夜，眼淚流乾了竟流出血來。鄰居從牆上窺探，問他說：「你為什麼哭得這樣悲哀呢？」威公回答說：「我們的國家就要滅亡了。」鄰人問：「你怎麼知道呢？」威公回答他說：「我聽說害病要死的人，不必再請良醫；國家將要滅亡時，不能為它出謀獻計。我多次勸諫國君，國君不願聽從，因此知道國家就要滅亡了。」鄰居聽了這番話，於是帶領整個家族離開蔡國投奔楚國。幾年之後，楚王真的率兵攻打蔡國。從牆上探看威公的鄰居已官為司馬，領兵前往，捉了很多俘虜。他問說：「俘虜當中有沒有我的親戚朋友？」後來看見威公也在俘虜之中，便問威公說：「你怎麼到

了這種地步？」威公回答說：「我怎麼能不到這種地步！我聽說：只會說話的人是能行動者的僕役，能行動的人是只會說話者的主人。你能付諸行動，我只會說說而已；你為主人，我為僕役。我又怎會不落到這種地步呢？」威公的鄰人向楚王稟告了威公的情況，於是就為威公鬆綁，與他一起到了楚國。

【出處】

　　下蔡威公閉門而哭，三日三夜，泣盡而繼以血。旁鄰窺牆而問之，曰：「子何故而哭，悲若此乎？」對曰：「吾國且亡。」曰：「何以知也？」應之曰：「吾聞病之將死也，不可為良醫；國之將亡也，不可為計謀。吾數諫吾君，吾君不用，是以知國之將亡也。」於是窺牆者聞其言，則舉宗而去之楚。居數年，楚王果舉兵伐蔡。窺牆者為司馬，將兵而往，束虜甚眾，問曰：「得無有昆弟故人乎？」見威公縛在虜中，問曰：「若何以致於此？」應曰：「吾何以不至於此？且吾聞之也，言之者，行之役也；行之者，言之主也。汝能行，我能言；汝為主，我為役。吾亦何以不至於此哉？」窺牆者乃言之於楚王，遂解其縛，與俱之楚。故曰：「能言者未必能行，能行者未必能言也。」（《說苑》〈權謀〉）

盪舟之姬

　　蔡繆侯把妹妹嫁給齊桓公做夫人。繆侯十八年，齊桓公和夫人蔡女乘船遊玩，夫人使勁晃船，不會水的桓公擺手制止她，她還是晃個

不停。桓公大怒，把她送回娘家讓她好好反省，但卻並不打算與蔡繆侯斷絕關係。蔡侯覺得很沒面子，一生氣，便將妹妹改嫁到楚國。齊桓公惱羞成怒，於是興兵討伐蔡國。蔡國大敗，繆侯被俘，齊國率諸侯各國的軍隊一直行進到楚國召陵。後來諸侯替蔡侯向齊桓公道歉，齊桓公才放蔡侯回國。

【出處】

繆侯以其女弟為齊桓公夫人。十八年，齊桓公與蔡女戲船中，夫人盪舟，桓公止之，不止，公怒，歸蔡女而不絕也。蔡侯怒，嫁其弟。齊桓公怒，伐蔡；蔡潰，遂虜繆侯，南至楚邵陵。已而諸侯為蔡謝齊，齊侯歸蔡侯。（《史記》〈管蔡世家〉）

子常讒蔡侯

蔡昭侯十年，昭侯前往郢都朝見楚昭王，帶著兩件漂亮皮裘，一件獻給昭王，一件自己穿。楚國令尹子常向昭侯索要另一件皮裘，昭侯不給。子常就向楚昭王說昭侯的壞話，把昭侯扣留在楚國達三年之久。後來蔡昭侯知道其中原因，就把自己那件皮裘獻給了子常，子常接受皮裘後，才向楚王建議釋放昭侯回國。蔡昭侯回國時經過漢水，將一塊玉沉入漢水說：「我若再渡漢水往南，有大河為證！」回到蔡國後，又說：「諸侯中如有人要攻打楚國，我願為先鋒。」

昭侯十年，朝楚昭王，持美裘二，獻其一於昭王而自衣其一。楚相子常欲之，不與。子常讒蔡侯，留之楚三年。蔡侯知之，乃獻其裘於子常；子常受之，乃言歸蔡侯。蔡侯歸而之晉，請與晉伐楚。(《史記》〈管蔡世家〉)

昭侯私許

蔡昭侯二十六年，楚昭王討伐蔡國，蔡昭侯恐慌，向吳國告急。吳王認為蔡國都城距吳國太遠，要求蔡侯將其國都遷得離吳國近一些，以便出兵相救，蔡昭侯未與大夫們商量就答應了。於是吳國出兵救蔡，並讓蔡國把都城遷到州來。二十八年，昭侯要去朝見吳王，蔡國大夫們怕他再次遷都，就指使盜賊殺死昭侯，然後又殺死盜賊推諉弒君之罪。之後，大夫立昭侯的兒子朔為王，是為蔡成侯。

【出處】

二十六年……楚昭王伐蔡，蔡恐，告急於吳。吳為蔡遠，約遷以自近，易以相救；昭侯私許，不與大夫計。吳人來救蔡，因遷蔡於州來。二十八年，昭侯將朝於吳，大夫恐其復遷，乃令賊利殺昭侯；已而誅賊利以解過，而立昭侯子朔，是為成侯。(《史記》〈管蔡世家〉)

蔡人之妻

蔡人之妻，是宋國人的女兒，嫁到蔡家之後，才知丈夫身患重病。她的母親想讓她改嫁。她說：「丈夫的不幸，就是我的不幸，我怎麼能離開他呢？婦人的禮法是從一而終，雖然丈夫不幸患病，我也不能因此變心啊。就好比採苤苢草，雖然氣味不好聞，但還是要小心地採摘，揣到懷裡，清洗乾淨，很是珍惜，何況是夫婦呢？丈夫既沒有什麼惡行，又沒有休我，我怎麼能夠離開呢？」宋女到底沒有聽從母親的勸告，還作了一首《苤苢》詩。君子評論說：宋女的操行貞潔而專一。

【出處】

蔡人之妻者，宋人之女也。既嫁於蔡，而夫有惡疾。其母將改嫁之，女曰：「夫不幸乃妾之不幸也，奈何去之？適人之道，壹與之醮，終身不改。不幸遇惡疾，不改其意。且夫采采苤苢之草，雖其臭惡，猶始於捋採之，終於懷擷之，浸以益親，況於夫婦之道乎！彼無大故，又不遣妾，何以得去？」終不聽其母，乃作苤苢之詩。君子曰：「宋女之意甚貞而壹也。」（《古列女傳》〈貞順傳〉）

昌明文庫・悅讀國學 A0602021

國學經典故事：楚國卷

主　　編	萬安培	
版權策畫	李煥芹	
發 行 人	林慶彰	
總 經 理	梁錦興	
總 編 輯	張晏瑞	
編 輯 所	萬卷樓圖書股份有限公司	
排　　版	菩薩蠻數位文化有限公司	
印　　刷	百通科技股份有限公司	
封面設計	菩薩蠻數位文化有限公司	

出　　版　昌明文化有限公司

桃園市龜山區中原街 32 號

電話 (02)23216565

發　　行　萬卷樓圖書股份有限公司

臺北市羅斯福路二段 41 號 6 樓之 3

電話 (02)23216565

傳真 (02)23218698

電郵 SERVICE@WANJUAN.COM.TW

大陸經銷　廈門外圖臺灣書店有限公司

　電郵 JKB188@188.COM

ISBN 978-986-496-555-7

2020 年 2 月初版

定價：新臺幣 600 元

如何購買本書：

1. 轉帳購書，請透過以下帳戶

　合作金庫銀行　古亭分行

　戶名：萬卷樓圖書股份有限公司

　帳號：0877717092596

2. 網路購書，請透過萬卷樓網站

　網址 WWW.WANJUAN.COM.TW

大量購書，請直接聯繫我們，將有專人為您

服務。客服：(02)23216565 分機 610

如有缺頁、破損或裝訂錯誤，請寄回更換

版權所有・翻印必究

Copyright©2020 by WanJuanLou Books CO., Ltd.

All Right Reserved　　　　　　**Printed in Taiwan**

國家圖書館出版品預行編目資料

國學經典故事：楚國卷 / 萬安培主編.-- 初

版.-- 桃園市：昌明文化出版；臺北市：萬

卷樓發行, 2020.02

　　面；　　公分.--(昌明文庫；A0602021)

ISBN 978-986-496-555-7(平裝)

1.漢學　2.通俗作品

　　　　030　　　　　　　　109002909

本著作物經廈門墨客知識產權代理有限公司代理，由湖北人民出版社有限公司授權萬卷樓圖

書股份有限公司（臺灣）出版、發行中文繁體字版版權。